Gwyddoniaeth Ddwbl

Cemeg

Gydag Atebion

CAA
CANOLFAN ASTUDIAETHAU ADDYSG • ABERYSTWYTH

Paddy Gannon
Golygwyd gan Richard Parsons
Addasiad Cymraeg gan Lynwen Jones

Cynnwys

Y Fersiwn Saesneg:
Cyhoeddwyd gan Coordination Group Publications Ltd
Arlunwaith gan: Sandy Garner, e-bost: illustrations@sandygarner.co.uk
                              Ashley Tyson a Lex Ward, CGP.
Cydlynwyd gan Paddy Gannon BSc MA

Diweddaru:
James Paul Wallis BEng (Hons)
Dominic Hall BSc (Hons)
Suzanne Worthington BSc (Hons)
Chris Dennet BSc (Hons)

Addasiad Gymraeg:

Cyhoeddwyd y fersiwn Gymraeg gan:
Y Ganolfan Astudiaethau Addysg, Prifysgol Cymru Aberystwyth
gyda chymorth ariannol Awdurdod Cymwysterau, Cwricwlwm ac Asesu Cymru.

ISBN   1 856445 77 1

Gwefan: www.caa.aber.ac.uk

Addasiad Cymraeg gan Lynwen Rees Jones
Golygwyd a pharatowyd ar gyfer y wasg gan Janice Williams, Glyn Saunders Jones ac Eirian
Jones

Dyluniwyd gan Owain Hammonds
Clawr gan Ceri Jones

Aelodau'r Pwyllgor Monitro: Gwen Aeron, Helen Baker, Ian Morris Jones

Argraffwyd gan Argraffwyr Cambria, Aberystwyth, Ceredigion

Tri Chyflwr Mater

C1   Enwch dri chyflwr mater.

C2   Enwch y theori sy'n egluro'r gwahaniaethau mwyaf rhwng y cyflyrau hyn.

C3   Lluniwch ddiagram ym mhob un o'r bocsys isod i ddangos trefniant y gronynnau yn y tri chyflwr hyn (fe'u cychwynnwyd i chi eisoes).

Enw: _____

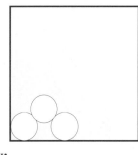

Enw: _____

Enw: _____

C4   Trefnwch y mynegiadau canlynol yn rhestrau sy'n disgrifio priodweddau pob cyflwr mater.

grymoedd atyniadol gwannach

trefniant hap   cyfaint pendant   dim siâp pendant

gronynnau'n rhydd i symud

siâp pendant   gronynnau mewn safleoedd sefydlog

gellir eu cywasgu   ni ellir eu cywasgu   ychydig iawn o gryfder

dim grymoedd atyniadol

symudiad cyson ac ar hap

trefniant dellten rheolaidd   gronynnau'n rhydd i symud   symudiad cyson cyflym ac ar hap

cyfaint pendant   grymoedd atyniadol cryf   ychydig iawn o symudiad gronynnol

dim cyfaint pendant   dim cryfder

yn aml yn gryf   trefniant moleciwlaidd hap   eithaf dwys

dwys iawn

dim siâp pendant   dwysedd isel   ni ellir eu cywasgu

C5   **a)** Pa gyflwr mater yw'r cryfaf? Pam?

b) Pa gyflwr sydd â'r lleiaf o ronynnau mewn cyfaint penodol? Eglurwch pam.

c) Ar gyfer sylwedd penodol, pa gyflwr fydd â'r mwyaf o egni? Eglurwch pam.

d) Ym mha gyflwr y bydd dŵr ar: -10°C, 10°C, 110°C (o dan wasgedd atmosfferig normal)?
Beth yw enw cyffredin pob cyflwr?

e) Pam y mae'n anodd gwasgu hylifau? Rhowch enghraifft o rywbeth allai ddefnyddio'r priodwedd hwn.

f) Gellir gwasgu nwyon. Beth y mae hyn yn ei ddweud wrthych am y pellter rhwng y gronynnau nwy?

g) Eglurwch sut y mae nwy yn rhoi gwasgedd ar furiau ei gynhwysydd.

h) Beth fyddai'n digwydd i wasgedd nwy wrth gynyddu'r tymheredd mewn cynhwysydd anhyblyg?
Pam y byddai hyn yn digwydd?

Gair i Gall: Mae angen i chi wybod pob gwahaniaeth rhwng solidau, hylifau a nwyon a sut y mae eu priodweddau yn eu gwneud yn addas ar gyfer gwahanol swyddogaethau. Gall y priodweddau ffisegol hyn gael eu hegluro gan agosatrwydd y gronynnau a pha mor gyflym y maent yn symud - hawdd neu be'?

Tri Chyflwr Mater

C1 Rhowch bedair enghraifft bob dydd o bob un o'r tri chyflwr mater.

C2 Cwblhewch y diagram canlynol trwy enwi pob newid cyflwr - A, B, C a D.

A
B

Solid **Hylif** **Nwy**

D
C

C3 a) I ble mae'r egni a roir i'r solid neu'r hylif yn mynd bob tro?

b) Beth sy'n digwydd oherwydd hyn?

c) Beth sy'n rhaid ei oresgyn er mwyn i solid newid yn hylif a hylif yn nwy?

C4 Defnyddiwch y tabl isod i ateb y cwestiynau sy'n ei ddilyn:

Sylwedd	Ymdoddbwynt (°C)	Berwbwynt (°C)
Sinc	420	907
Ocsigen	-238	-183
Bromin	-7	59
Mercwri	-39	357

a) Pa dymheredd yw tymheredd ystafell?

b) Pa elfen sy'n ymdoddi ar y tymheredd is - ocsigen neu fercwri?

c) Enwch elfen sy'n solid ar dymheredd ystafell.

d) Enwch elfen sy'n hylif ar dymheredd ystafell.

e) Enwch elfen sy'n nwy ar dymheredd ystafell.

f) Enwch elfen sy'n hylif ar dymheredd o 60°C.

g) Enwch elfen sy'n solid ar dymheredd ystafell ac ar 200°C.

h) Enwch elfen sy'n hylif ar dymheredd ystafell, ond sy'n nwy ar 100°C.

i) Eglurwch beth sy'n digwydd i'r gronynnau mewn solid wrth iddo gael ei boethi a'i newid yn hylif.

j) Eglurwch yn eich geiriau eich hun ystyr anweddiad.

C5 Edrychwch ar y graff gyferbyn.

Mae hwn yn dangos sut y mae tymheredd cŵyr yn newid wrth iddo oeri. Eglurwch pam y mae gan y graff ddwy ran wastad.

(Geiriau i'w defnyddio: *Cyddwyso, rhewi, tymheredd, gronynnau, rhannau gwastad*).

C6 Disgrifiwch beth sy'n digwydd i'r gronynnau mewn dŵr wrth iddo rewi.

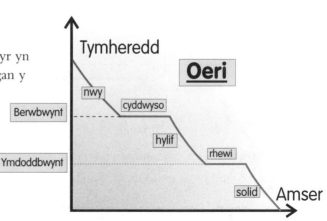

Gair i Gall: Ystyr newidiadau cyflwr yw bod egni gwres yn mynd i mewn i'r sylwedd neu allan ohono – po fwyaf o egni sydd mewn sylwedd, y cyflymaf y gall y gronynnau symud. O wybod y ffaith hon gallwch egluro beth sy'n digwydd wrth newid cyflwr a dehongli cromliniau poethi ac oeri yn hawdd.

Atomau a Moleciwlau

O'r diagramau dewiswch lythyren y lluniau sy'n disgrifio orau:

C1 Elfen bur.

C2 Cyfansoddyn pur.

C3 Cymysgedd o elfennau.

C4 Cymysgedd o gyfansoddion.

C5 Enghraifft o foleciwlau wedi eu gwneud o ddwy elfen yn unig.

C6 Enghraifft o foleciwlau wedi eu gwneud o dair elfen.

C7 Pa enghraifft allai fod yn ddŵr?

C8 Pa enghraifft allai fod yn garbon monocsid?

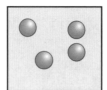

A

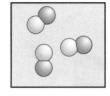

B

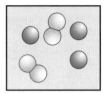

C

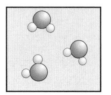

D

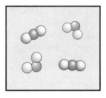

E

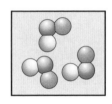

F

C9 Gellir cynrychioli methan yn y ffyrdd canlynol:

Fformiwla foleciwlaidd CH_4 **Fformiwla adeileddol**

$$H-\underset{\underset{H}{|}}{\overset{\overset{H}{|}}{C}}-H$$

Model moleciwlaidd

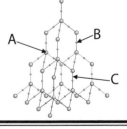

Cwblhewch y tabl ar gyfer y sylweddau canlynol a enwyd:

Enw	Fformiwla foleciwlaidd	Fformiwla adeileddol	Model moleciwlaidd
Dŵr		$\overset{O}{\underset{H \quad H}{}}$	
Amonia	NH_3		
Ethan		$H-\underset{\underset{H}{\overset{H}{|}}}{C}-\underset{\underset{H}{\overset{H}{|}}}{C}-H$	
Carbon deuocsid			

Mae'r diagram yn dangos model moleciwlaidd o silicon deuocsid (tywod).

C10 Defnyddiwch y geiriau canlynol i ddisgrifio A, B ac C:

Silicon   ocsigen   bond cofalent

Gair i Gall: Mae atomau'n cyfuno i ffurfio moleciwlau. Bond cemegol sy'n eu dal gyda'i gilydd a dangosir trefniant yr atomau mewn model moleciwlaidd. Gallwch ddangos moleciwl ar ffurf fformiwla foleciwlaidd neu fformiwla adeileddol, neu trwy adeiladu model tri dimensiwn gyda pheli bach a phriciau, sydd yn fwy o hwyl.

Elfennau, Cymysgeddau a Chyfansoddion

C1   Cwblhewch y tabl trwy roi tic yn y golofn gywir. Mae'r un cyntaf eisoes wedi ei wneud.

Sylwedd	Elfen	Cymysgedd	Cyfansoddyn
Copr	✓		
Aer			
Dŵr distyll			
Heli			
Sodiwm			
Nicel coprog			
Sodiwm clorid			
Copr sylffad			
Sylffwr			
Ocsigen			
Dŵr môr			
Efydd			
Petrol			
Inc glas			
Dur			
Ager			
Llaeth			

C2   Diffiniwch elfen.

C3   Diffiniwch gyfansoddyn.

C4   Diffiniwch gymysgedd.

C5   Beth yw aloi?

C6   Pam nad yw aloi yn gyfansoddyn?

C7   Yn y bocsys isod lluniwch gylchoedd i gynrychioli atomau elfennau a moleciwlau cyfansoddion.

Elfen bur	Cymysgedd o ddwy elfen	Cyfansoddyn pur	Cymysgedd o dri chyfansoddyn

Cymysgedd o un elfen ac un cyfansoddyn	Tri atom un elfen	Dau foleciwl dau wahanol gyfansoddyn	Tri moleciwl un cyfansoddyn wedi ei wneud o dri atom

Adran Un – Dosbarthu Defnyddiau

Atomau

C1 Atebwch y cwestiynau hyn ar atomau:

a) Beth yw atom?

b) Sawl gwahanol gronyn is-atomig sy'n gwneud atom?

c) Beth yw eu henwau?

d) Beth yw niwclews?

e) Beth yw plisgyn electronau?

C2 Cwblhewch y labeli A, B ac C ar y diagram gyferbyn.

C3 Cwblhewch y tabl isod:

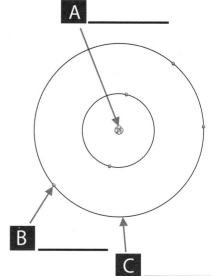

Gronyn	Màs	Gwefr	Lleoliad
Proton	1		
Electron		-1	
Niwtron			Yn y niwclews

C4 Mwy o fanylion am atomau:

a) Ble y caiff y rhan fwyaf o fâs atom ei grynhoi?

b) Beth sydd rhwng y niwclews a'r electronau?

C5 Mae gan atom ddiamedr o oddeutu 10^{-10}m. Sawl un fyddai'n ffitio mewn rhes ar draws pen pin 0.1 mm o led?

C6 Mae adweithiau niwclear yn effeithio'r niwclews. Beth y mae adweithiau cemegol yn eu heffeithio?

C7 Mae pob atom yn niwtral. Os oes gan atom saith electron, faint o brotonau sydd ganddo?

C8 Atebwch y cwestiynau hyn ar rif atomig a rhif màs elfen:

a) Beth ddywed y rhif atomig wrthym?

b) Beth ddywed y rhif màs wrthym?

c) Beth mae'r llythrennau A a Z yn y diagram yn eu cynrychioli? Beth yw A – Z?

d) Sawl proton sydd mewn atom lithiwm?

e) Sawl electron sydd mewn atom lithiwm?

f) Sawl niwtron sydd mewn atom lithiwm?

g) Pa rif (*màs* neu *atomig*) sy'n penderfynu pa elfen yw'r atom?

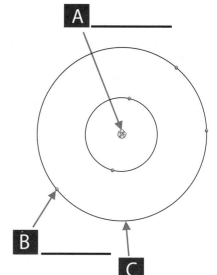

C9 Cyfrifwch nifer y protonau, electronau a niwtronau yn y canlynol:

a) Carbon ($^{12}_{6}$C) **b) Potasiwm ($^{39}_{19}$K)** **c) Hydrogen ($^{1}_{1}$H).**

C10 Cwestiynau ar isotopau:

a) Beth yw isotopau?

b) Rhowch enghraifft o isotop a ddefnyddir i ddyddio hen wrthrychau.

c) Mae Wraniwm 235 ac Wraniwm 238 yn isotopau. A ydynt yn wahanol yn gemegol? Eglurwch pam.

C11 Cyfrifwch nifer y protonau, electronau a niwtronau mewn:

a) Diwteriwm ($^{2}_{1}$H) **b) Tritiwm ($^{3}_{1}$H)**

C12 Mae 76% o glorin yn ^{35}Cl a 24% ohono'n ^{37}Cl. Beth yw ei fâs atomig cymharol?

Gair i Gall: Mae rhai termau newydd, anodd yn fan hyn – dyna i chi wyddoniaeth. Rhaid i chi wybod y gwahaniaeth rhwng rhif atomig a rhif màs. Mae ceisio ateb cwestiynau fel hyn yn ymarfer gwych – pan ddaw'r arholiad, bydd ennill marciau'n hawdd. Mae'n siŵr na fedrwch chi aros...

DIM angen gwybod.

<u>Trefniant Electronau</u>

Atebwch y cwestiynau hyn ar atomau:

C1 Gellir cymharu atom â chysawd yr Haul. Eglurwch y tebygrwydd.

C2 Beth sy'n atynnu'r electronau at y niwclews?

C3 Rhowch enw arall am orbit electron.

C4 Cwblhewch y tabl i ddangos meintiau'r plisg electronau:

Plisgyn electronau	Uchafswm nifer yr electronau yn y plisgyn
1af	2
2il	8
3ydd	8

C5 Cwblhewch y tabl isod i ddangos priodweddau'r ugain elfen gyntaf (bydd angen y Tabl Cyfnodol sydd ar flaen y llyfr).

Elfen	Symbol	Rhif Atomig	Rhif Màs	Nifer y Protonau	Nifer yr Electronau	Nifer y Niwtronau	Ffurfwedd Electronig	Rhif Grŵp
Hydrogen	H	1	1	1	1	0	1	—
Heliwm	He	2	4	2	2	2	2	0
Lithiwm	Li						2, 1	1
Beryliwm								2
Boron				5				
Carbon								
Nitrogen		7						
Ocsigen					8			
Fflworin							2, 7	
Neon								
Sodiwm		11						1
Magnesiwm								
Alwminiwm		13	27	13	13	14	2, 8, 3	3
Silicon								
Ffosfforws								
Sylffwr	S							
Clorin								
Argon								
Potasiwm								
Calsiwm						20		2

Edrychwch ar y tabl ac atebwch y cwestiynau hyn:

C6 Beth yw'r cysylltiad rhwng rhif y grŵp a nifer yr electronau allanol?

C7 Beth yw'r cysylltiad rhwng y nwyon Nobl (grŵp 0) a phlisg allanol llawn?

C8 *Mae iodin yng ngrŵp 7 – sawl electron sydd yn ei blisgyn electronau allanol?*

C9 *Mae silicon yng ngrŵp 4 – sawl electron sydd yn ei blisgyn electronau allanol?*

C10 *Mae senon yng ngrŵp 0 – sawl electron sydd yn ei blisgyn electronau allanol?*

C11 Pa un o briodweddau elfen a reolir gan nifer yr electronau yn y plisgyn allanol?

C12 Mae gan atom elfen X ddau electron allanol nad ydynt yn llenwi'r plisgyn allanol.

  a) Enwch ei grŵp.

  b) Ai metel neu anfetel ydyw?

  c) Enwch elfen arall sydd â phriodweddau cemegol tebyg i X.

Adran Un – Dosbarthu Defnyddiau

Trefniant Electronau

C13   Rhowch y trefniant electronig llawn ar gyfer y diagramau dot a chroes canlynol.

(Mae'r tri cyntaf eisoes wedi eu gwneud).

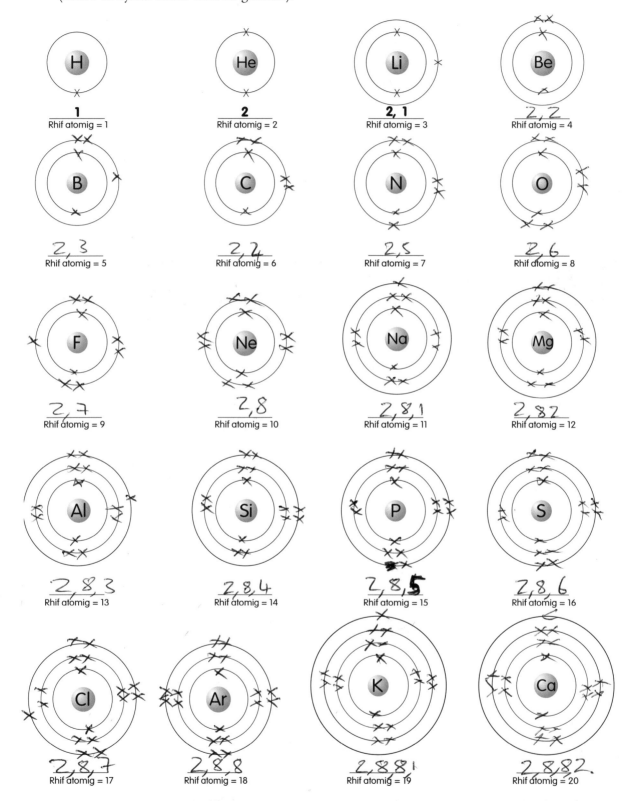

1
Rhif atomig = 1

2
Rhif atomig = 2

2, 1
Rhif atomig = 3

2,2
Rhif atomig = 4

2,3
Rhif atomig = 5

2,2
Rhif atomig = 6

2,5
Rhif atomig = 7

2,6
Rhif atomig = 8

2,7
Rhif atomig = 9

2,8
Rhif atomig = 10

2,8,1
Rhif atomig = 11

2,8,2
Rhif atomig = 12

2,8,3
Rhif atomig = 13

2,8,4
Rhif atomig = 14

2,8,5
Rhif atomig = 15

2,8,6
Rhif atomig = 16

2,8,7
Rhif atomig = 17

2,8,8
Rhif atomig = 18

2,8,8,1
Rhif atomig = 19

2,8,8,2
Rhif atomig = 20

Gair i Gall: Maent byth a hefyd yn gofyn i chi lunio trefniannau neu "ffurfweddau" electronig mewn arholiadau – gwnewch yn siŵr y gallwch wneud hyn o'r rhifau atomig neu'r Tabl Cyfnodol. Efallai mai dim ond y plisgyn allanol y byddant yn gofyn amdano – hawdd ynte...

Bondio Cofalent

Mae atomau'n cyfuno i wneud moleciwlau. Gwnânt hyn trwy ffurfio bondiau cemegol. Mae bond cemegol o hyd yn cynnwys electronau. Mewn bond cofalent, mae atomau'n rhannu un pâr o electronau neu fwy. Mae hyn yn golygu y gall y ddau atom feddu ar blisgyn llawn. Mae plisgyn llawn yn drefniant mwy sefydlog ar gyfer electronau, yn debyg i'r hyn sydd gan nwy nobl. Mae nwyon nobl yn anadweithiol ac yn sefydlog dros ben. Yn gryno, gellir dweud bod atomau'n adweithio'n gemegol er mwyn cael plisgyn llawn sy'n eu gwneud yn fwy sefydlog – a dyna pam y mae atomau'n adweithio i ffurfio cyfansoddion...

Wedi deall hyn i gyd, gallwch ateb y rhain:

C1 Beth yw moleciwl?

C2 Rhowch enw arall ar gyfer cyfuno dau atom gyda'i gilydd.

C3 Beth gaiff ei rannu rhwng dau atom mewn bond cofalent?

C4 Lluniwch ddwy groes ar y cylchoedd hyn i gynrychioli'r
electronau mewn bond cofalent sengl:

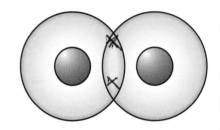

C5 Pam y mae atomau'n rhannu electronau?

C6 I ba grŵp yn y Tabl Cyfnodol y mae'r atomau'n ceisio "bod yn
debyg"?

C7 Ysgrifennwch a lluniwch ffurfwedd electronig neon:

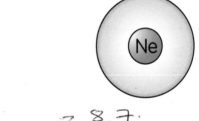

C8 Ysgrifennwch ffurfwedd electronig clorin.

C9 Sawl electron ychwanegol sydd ei angen ar glorin er mwyn cael
ffurfwedd "nwy nobl" (plisgyn allanol llawn)?

2, 8, 7.

C10 Gan ddefnyddio'r diagram gyferbyn, lluniwch drefniant yr
electronau mewn moleciwl clorin. (Lluniwch y plisg allanol yn
unig.)

Cofalent = rhannu

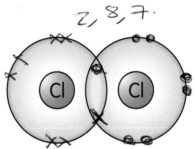

C11 Pa rai o'r rhestr ganlynol sy'n briodweddau cyffredinol moleciwlau sydd wedi eu bondio'n gofalent?

    a) Berwbwynt isel. ✓

    b) Hydawdd mewn dŵr. ✗

    c) Dargludydd ar ôl ymdoddi. ✗

    d) Annargludydd pan yw'n solid. ✓

    e) Grymoedd gwan yn atynnu moleciwlau at ei gilydd. ✓

    f) Grisialog. ✗

C12 Os nad yw rhai o'r priodweddau a restrir yng nghwestiwn 11 yn briodweddau moleciwlau
wedi eu bondio'n gofalent, yna cywirwch nhw.
(e.e. os nad oes ganddynt ferwbwynt isel yna rhaid bod ganddynt un uchel.)

Adran Un – Dosbarthu Defnyddiau

Bondio Cofalent

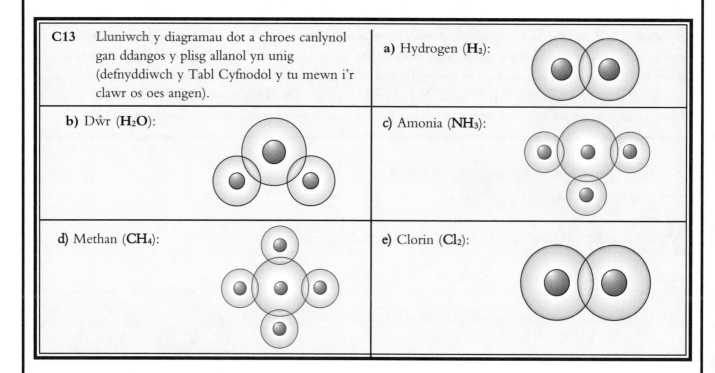

C13 Lluniwch y diagramau dot a chroes canlynol gan ddangos y plisg allanol yn unig (defnyddiwch y Tabl Cyfnodol y tu mewn i'r clawr os oes angen).

a) Hydrogen (**H₂**):

b) Dŵr (**H₂O**):

c) Amonia (**NH₃**):

d) Methan (**CH₄**):

e) Clorin (**Cl₂**):

C14 Mewn bond cofalent sengl caiff pâr o electronau ei rannu.

Beth a geir mewn bond cofalent dwbl?

C15 Beth yw ffurfwedd electronig llawn ocsigen?

C16 Faint yn rhagor o electronau sydd ei angen ar ocsigen er mwyn llenwi ei blisgyn allanol?

C17 Ffurfwedd electronig pa elfen yw 2,8?

C18 Gall ocsigen lenwi ei blisgyn allanol trwy ffurfio bond dwbl gyda'i hun.

Gan ddefnyddio dotiau a chroesau llenwch y bond dwbl ar y dde a'i labelu. Yna ychwanegwch yr electronau eraill.

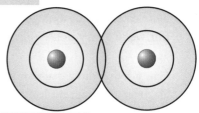

C19 Mae gan garbon deuocsid y fformiwla CO_2 – wedi ei llunio yn y diagram isod.

Llenwch yr electronau ym mhlisg allanol yr atomau ocsigen a charbon.

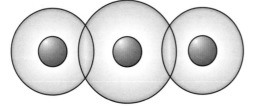

C20 Llenwch y ffurfwedd electronig ar gyfer y moleciwl ethen (C_2H_4) a ddangosir yma:

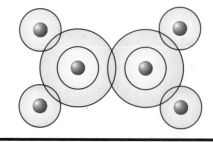

Gair i Gall: Bydd angen i chi wybod pob enghraifft ar y dudalen hon er mwyn cael gradd uchel – yn enwedig y moleciwlau sydd â bondiau dwbl. Cofiwch fod atomau'n "hoffi" plisg electronau allanol llawn, felly bydd rhai atomau'n rhannu electronau er mwyn "teimlo" bod ganddynt blisgyn allanol llawn.

Ïonau

Atebwch y cwestiynau hyn ar ïonau:

C1 Beth yw ïon?

C2 Rhowch **ddwy** enghraifft o ïonau sydd wedi eu gwneud o atomau sengl.

C3 Rhowch **ddwy** enghraifft o ïonau sydd wedi eu gwneud o nifer o atomau.

C4 Cwblhewch y paragraff hwn gan ddefnyddio'r geiriau hyn:

-if	protonau	gwefrio'n negatif	niwtral	gwefrio'n bositif

Mae atomau'n drydanol _niwtral_ oherwydd bod ganddynt yr un nifer o _protona_ (+if) ac electronau (_nifer_). Os tynnir electronau oddi wrth atom metel neu hydrogen, yna caiff ei _gwefrio'n_ _____ oherwydd bod ganddo lai o electronau na phrotonau. Os ychwanegir electronau at atom anfetel, yna caiff ei _gwefrio'n_ _____ oherwydd bod ganddo fwy o electronau nag o brotonau.

Enghraifft 1:   Ïonau Positif (metelau a hydrogen)

ÏON SODIWM O SODIWM

$^{23}_{11}$**Na**

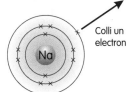

Colli un electron

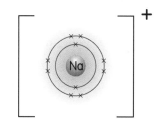

$+$

Na – Atomau sodiwm: 2,8,1   **Na$^+$ – Ïon sodiwm: 2,8**

Enghraifft 2:   Ïonau Negatif (anfetelau)

ÏON OCSID O OCSIGEN

$^{16}_{8}$**O**

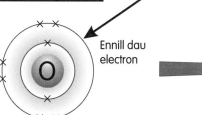

Ennill dau electron

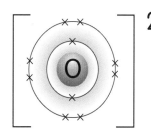

2^-

O – Atomau ocsigen: 2,6   **O^{2-} – Ïon ocisd: Ocsid: 2,8**

C5 Lluniwch yr ïonau canlynol yn union fel y rhai uchod.

(Cofiwch fod Grŵp 1 yn ffurfio ïonau 1$^+$ a Grŵp 2 yn ffurfio ïonau 2^{+}·)

a) Potasiwm.   **b)** Magnesiwm.   **c)** Calsiwm.   **d)** Alwminiwm.

C6 Lluniwch yr ïonau canlynol yn union fel y rhai uchod.

(Cofiwch fod Grŵp 7 yn ffurfio ïonau 1$^-$ a Grŵp 6 yn ffurfio ïonau 2$^-$.)

a) Fflworid.   **b)** Clorid.   **c)** Sylffid.   **d)** Ocsid.

C7 Beth fydd y wefr ar ïon metel neu hydrogen? (e.e. Grwpiau 1, 2 a 3)

C8 Beth fydd y wefr ar ïon anfetel? (e.e. Grwpiau 6 a 7)

Ïonau

Mae'r cwestiynau hyn yn ymdrin â holl waith sylfaenol bondio ïonig:

C1 Beth yw bond ïonig?

C2 Os yw atom yn ennill electron, pa wefr fydd arno?

C3 Os yw atom yn colli electon, pa wefr fydd arno?

C4 Pam y mae gan ïonau sodiwm wefr o 1^+?

C5 Pam y mae gan ïonau clorid wefr o 1^-?

C6 Pa wefr fydd ar ïon Grŵp 2?

C7 Pa wefr fydd ar ïon Grŵp 6?

C8 Pam ei bod hi'n anghyffredin dod o hyd i ïon carbon 4^+?

C9 Beth yw catïon a beth yw anïon?

C10 Lluniwch ddiagram ffurfwedd electronig i ddangos beth sy'n digwydd wrth i atom lithiwm adweithio gydag atom clorin. Enwch y cyfansoddyn a ffurfir.

C11 Lluniwch ddiagram ffurfwedd electronig i ddangos beth sy'n digwydd wrth i atom magnesiwm adweithio gyda dau atom clorin.

C12 Pam y mae sodiwm clorid yn niwtral?

C13 Lluniwch ddarlun i ddangos safleoedd yr ïonau sodiwm a chlorid mewn grisial sodiwm clorid.

C14 Rhowch fformiwlâu magnesiwm ocsid, sodiwm fflworid, sodiwm ocsid, magnesiwm sylffad a sodiwm sylffad, gan ddefnyddio'r canlynol:

Mg^{2+} $\qquad$ Na^+ $\qquad$ SO_4^{2-} $\qquad$ F^- $\qquad$ O^{2-}

C15 Enwch yr ïonau canlynol:

a) Na^+ b) Cl^- c) S^{2-} d) NO_3^- e) SO_4^{2-} f) I^- g) F^- h) K^+ i) Ca^{2+} j) Mg^{2+} k) PO_4^{3-} l) H^+ m) Ba^{2+}

C16 O'r rhestr isod, dewiswch:

SO_4^{2-} $\qquad$ Mg^{2+} $\qquad$ Kr $\qquad$ MgO $\qquad$ CO_2

a) enghraifft o nwy sy'n cynnwys atomau sengl.

b) enghraifft o sylwedd sydd wedi ei wneud o ïonau.

c) enghraifft o sylwedd sydd wedi ei wneud o foleciwlau.

d) enghraifft o gyfansoddyn.

e) enghraifft o ïon.

f) enghraifft o ïon moleciwlaidd (ïon cyfansawdd).

C17 Pa rai yn y rhestr isod sy'n briodweddau cyffredinol cyfansoddyn wedi ei fondio'n ïonig?

a) Berwbwynt uchel
b) Fel arfer yn hydoddi mewn dŵr
c) Dargludydd pan yw'n solid
d) Annargludydd wedi ei ymdoddi
e) Grymoedd gwan yn dal y moleciwlau at ei gilydd
f) Anghrisialog

C18 Os nad yw rhai o'r priodweddau a restrir yng nghwestiwn 17 yn briodweddau moleciwlau wedi eu bondio'n ïonig, yna cywirwch nhw. (e.e. *os nad oes ganddynt ferwbwynt uchel, rhaid bod ganddynt un isel*).

Gair i Gall: Ffurfir cyfansoddion ïonig wrth i atomau amnewid electronau gyda'i gilydd – unwaith eto er mwyn cael plisgyn allanol llawn. Cofiwch y gallant gynnwys metel ac anfetel – a pheidiwch ag anghofio pa ïonau sy'n bositif a pha rai sy'n negatif.

Adran Un – Dosbarthu Defnyddiau

Symbolau, Fformiwlâu a Hafaliadau

C1 Ysgrifennwch ugain elfen gyntaf y Tabl Cyfnodol gyda'u symbolau.

C2 Ysgrifennwch symbolau ar gyfer y canlynol:

haearn   plwm   sinc   tun   copr

C3 Cwblhewch y tabl hwn:

Enw	Fformiwla	Cyfran o bob elfen sy'n bresennol yn y sylwedd
Sinc ocsid	ZnO	1 sinc 1 ocsigen
Magnesiwm ocsid		
	NaCl	
	HCl	
Sylffwr deuocsid		
		1 carbon 2 ocsigen
		1 sodiwm 1 ocsigen 1 hydrogen
Potasiwm hydrocsid		
		1 calsiwm 1 carbon 3 ocsigen
Copr sylffad		
Potasiwm hydrocsid		
	H_2SO_4	
		2 haearn 3 ocsigen
	$MgCl_2$	
	H_2	
		2 glorin

C4 Cwblhewch y canlynol:

Wrth i GLORIN adweithio gydag elfen fetelig i wneud cyfansoddyn ïonig bydd yn ffurfio CLOR____.

Wrth i OCSIGEN adweithio gydag elfen fetelig i wneud cyfansoddyn ïonig bydd yn ffurfio OCS____.

Wrth i SYLFFWR adweithio gydag elfen fetelig i wneud cyfansoddyn ïonig bydd yn ffurfio SYLFF____.

C5 Pa enw fyddech chi'n ei roi ar gyfansoddyn wedi ei wneud o SODIWM a BROMIN?

C6 Pa enw fyddech chi'n ei roi ar gyfansoddyn wedi ei wneud o SODIWM a FFLWORIN?

C7 Os oes "--ad" ar ddiwedd enw cyfansoddyn, pa elfen fydd yn bresennol?

C8 Mae gan rai cyfansoddion "--it" ar ddiwedd eu henw, fel sodiwm clorit. Pa elfen fydd yn bresennol os oes "--it" mewn enw cyfansoddyn?

C9 Mae past dannedd yn cynnwys monofflworoffosffad.

Pa elfennau sydd yn y cyfansoddyn hwn?

C10 Cwblhewch yr hafaliadau geiriau canlynol:

a) Sodiwm + clorin → _____ _____

b) Carbon + _____ → Carbon deuocsid

c) Sylffwr + ocsigen → _____ _____

d) Sinc + ocsigen → _____ _____

e) _____ + _____ → Haearn sylffid

f) Potasiwm + clorin → _____ _____

g) Plwm + ocsigen → _____ _____

h) _____ + _____ → Calsiwm ocsid

Symbolau, Fformiwlâu a Hafaliadau

C11

ïonau 1+	ïonau 2+	ïonau 3+	4+/4-	3-	ïonau 2-	ïonau 1-
Li^+ (lithiwm)	Mg^{2+} (magnesiwm)	Al^{3+} (alwminiwm)	Prin dros ben	Gweddol brin	O^{2-} (ocsid)	F^- (ffloworid)
Na^+ (sodiwm)	Ca^{2+} (calsiwm)	Fe^{3+} (haearn(III))			S^{2-} (sylffid)	Cl^- (clorid)
K^+ (potasiwm)	Ba^{2+} (bariwm)	Cr^{3+} (cromiwm(III))				Br^- (bromid)
Cu^+ (copr(I))	Cu^{2+} (copr(II))					I^- (ïodid)
Ag^+ (arian)	Fe^{2+} (haearn(II))					NO_3^- (nitrad)
H^+ (hydrogen)	Zn^{2+} (sinc)				SO_4^{2-} (sylffad)	OH^- (hydrocsid)
NH_4^+ (amoniwm)	Pb^{2+} (plwm)				CO_3^{2-} (carbonad)	HCO_3^- (hydrogencarbonad)

Gan ddefnyddio'r wybodaeth uchod, rhowch yr ïonau a'r fformiwlâu cywir yn y tabl:

Cyfansoddyn	Ïon positif	Ïon negatif	Fformiwla
copr ocsid	Cu^{2+}	O^{2-}	CuO
sodiwm clorid			
sinc sylffad			
alwminiwm ïodid			
potasiwm hydrocsid			
calsiwm carbonad			
sinc bromid			
potasiwm carbonad			
sodiwm sylffad			
potasiwm sylffad			
potasiwm nitrad			
plwm sylffad			
magnesiwm bromid			
bariwm clorid			
arian nitrad			
sodiwm nitrad			

<u>Adeileddau</u>

C1   Isod gwelir diagram sy'n dosbarthu sylweddau yn ôl eu hadeileddau.

a) Ysgrifennwch y geiriau coll yn y bocsys "adeiledd".

b) Gellir rhannu'r sylweddau sydd yn y bocs isod yn grwpiau:
ysgrifennwch bob un yn y bocs "enghraifft" cywir ar y diagram.

Nicel coprog	C	Kl	Mg	SO_2	PCl_3	Zn	
I_2	C_2H_4	HCl	O_2	Ca	CO_2	KCl	SiO_2
Cu	S_8	P_5	NaCl	$CuSO_4$	Efydd		

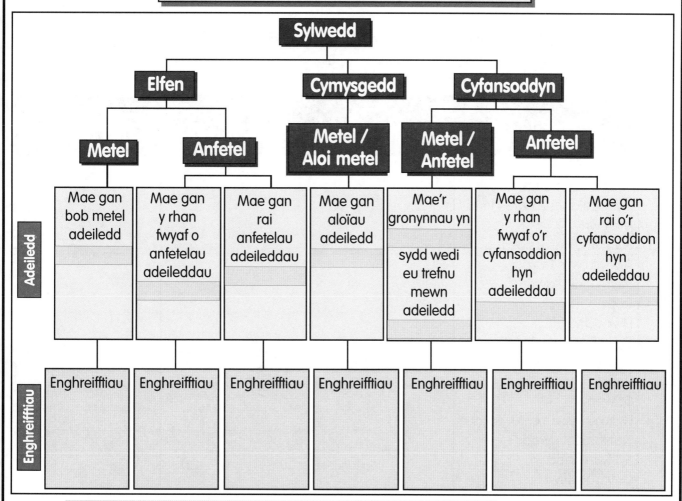

C2   Cwblhewch y tabl i grynhoi priodweddau gwahanol fathau o adeileddau:
(Defnyddiwch y geiriau isod):

Uchel / Isel   **Da / Gwael**

Bondio	Adeiledd	Ymdoddbwynt	Berwbwynt	Dargludedd Solid	Dargludedd Hylif	Dargludedd Hydoddiant dyfrllyd
Ïonig	Enfawr					
Cofalent	Enfawr					
Cofalent	Moleciwlaidd					
Metelig	Enfawr					Ddim yn gymwys

Adran Un – Dosbarthu Defnyddiau

Adeileddau

C3 "Mae gan sylweddau briodweddau ffisegol oherwydd eu priodweddau cemegol."

Eglurwch beth a olygir gan hyn a nodwch a ydych chi'n cytuno ai peidio.

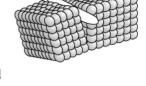

C4 Pam y mae sylweddau ïonig fel arfer yn frau?

C5 Pam y mae'r rhan fwyaf o sylweddau cofalent yn ymdoddi'n hawdd?

C6 Pa sylweddau cofalent sydd ddim yn ymdoddi'n hawdd?

C7 Pam mai dim ond yn y cyflwr tawdd neu wedi hydoddi mewn dŵr y bydd sylweddau ïonig yn dargludo trydan?

C8 Gan gyfeirio at y diagram gyferbyn eglurwch pam y mae grisialau ïonig yn hydoddi mewn dŵr.

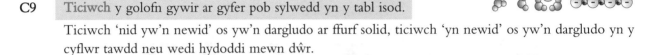

C9 Ticiwch y golofn gywir ar gyfer pob sylwedd yn y tabl isod.

Ticiwch 'nid yw'n newid' os yw'n dargludo ar ffurf solid, ticiwch 'yn newid' os yw'n dargludo yn y cyflwr tawdd neu wedi hydoddi mewn dŵr.

Sylwedd	Annargludydd	Dargludo ond nid yw'n newid	Dargludo ac yn newid
Graffit			
Sodiwm clorid tawdd			
Hydoddiant sodiwm clorid			
Mercwri			
Sodiwm hydrocsid (d)			
Alwminiwm tawdd			
Plwm ïodid tawdd			
Copr			
Dŵr distyll			
Cerosin (tanwydd jet)			
Hydoddiant siwgr dyfrllyd			
Petrol			
Tolwen			
Hydrogen clorid mewn hydoddiant			
Nafffthalen tawdd			
Sylffwr tawdd			
Daliant sylffwr			
Wrea			
Methanol			
Asid sylffwrig			
Cloroethan			
Dŵr môr			
Plwm			
Magnesiwm			
Magnesiwm clorid tawdd			

Gair i Gall: Bydd arholwyr byth a beunydd yn gofyn i chi ddangos eich bod chi'n gwybod priodweddau sylweddau moleciwlaidd ac enfawr, ac y gellwch gysylltu priodweddau ac adeiledd – dysgwch eich adeileddau er mwyn ennill marciau hawdd. Felly os cawsoch chi rai o'r cwestiynau hyn yn anghywir ... gwnewch nhw eto.

Metelau a Bondio Metelig

C1 Disgifiwch sut y mae atom o haearn yn cyfuno gydag atomau haearn eraill mewn bar haearn.

C2 Mae gan fetelau "adeileddau enfawr o atomau". Beth yw adeiledd enfawr?

C3 Beth yw "electronau rhydd" ac o ble y dônt?

C4 Lluniwch ddiagram i ddangos yr ïonau metel a'r electronau rhydd mewn adeiledd enfawr.

C5 Edrychwch ar y tabl gyferbyn:

a) Cwblhewch y tabl.

b) *Mae gan fetelau'r priodweddau a ddangosir yn y tabl oherwydd y bondio sydd ynddynt.*

Beth yw enw'r bond mewn metel?

Priodwedd metel	Enghraifft dda	Rheswm	Eithriad (os o gwbl)
Cryf			
Dargludydd gwres da			
Dargludydd trydan da			
Gellir ei rolio'n llenni (hydrin)			
Gellir ei dynnu'n wifrau (hydwyth)			

Atebwch y cwestiynau hyn ar aloïau:

C6 Beth yw aloi?

C7 Pam ein bod ni'n defnyddio aloïau metel?

C8 Edrychwch ar y diagram isod. Eglurwch pam y mae'r aloi yn gryfach na'r metel pur.

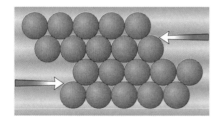

Metel pur

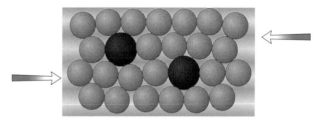

Aloi

Metel	Ymdodd-bwynt (°C)	Berw-bwynt (°C)	Cynhwysedd Gwres Spesiffig (J/Kg/°C)	Dwysedd (g/cm³)	Dargludedd Trydanol (S/m)	Adwaith gyda Dŵr
A	659	2447	900	2.7	0.41	dim
B	1083	2582	390	8.9	0.64	dim
C	1539	2887	470	7.9	0.11	gwan
D	328	1751	130	11.3	0.05	dim
E	98	890	1222	0.97	0.20	adweithiol dros ben
F	183	2500	130	7.3	0.66	dim
G	1063	2707	129	19.3	0.49	dim
H	3377	5527	135	19.3	0.20	dim

C9 Defnyddiwch y wybodaeth uchod i ddewis metel addas ar gyfer pob un o'r dibenion canlynol:

Eglurwch eich atebion bob tro:

a) Ffilament ar gyfer bwlb golau tŷ.

b) Metel y gellir ei ddefnyddio i wneud sodr.

c) Metel a ddefnyddir i wneud awyrennau.

d) Oerydd ar gyfer adweithydd niwclear.

e) Cebl pŵer uwchben.

Adran Un – Dosbarthu Defnyddiau

Nwyon

C1 Defnyddir pob un o'r setiau offer sydd ar y dudalen hon i wneud nwyon yn y labordy.

Ar gyfer pob un, dewiswch y nwy sy'n cael ei gasglu o'r bocs isod, a'i ysgrifennu **uwchben** yr offer.

Hydrogen	**Ocsigen**	**Carbon deuocsid**
Amonia		**Clorin**

C2 Nawr dewiswch yr hafaliad cywir ar gyfer pob un o'r bocs isod, a'i ysgrifennu **o dan** yr offer.

1) $H_2SO_4 + Zn \rightarrow ZnSO_4 + H_2$
2) $CaCO_3 + 2HCl \rightarrow CaCl_2 + CO_2 + H_2O$
3) $2KMnO_4 + 16HCl \rightarrow 2MnCl_2 + 8H_2O + 2KCl + 5Cl_2$
4) $2H_2O_2 \rightarrow 2H_2O + O_2$
5) $Ca(OH)_2 + 2NH_4Cl \rightarrow CaCl_2 + 2H_2O + 2NH_3$

a)

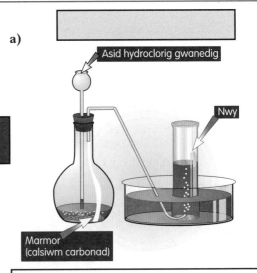

Asid hydroclorig gwanedig

Nwy

Marmor (calsiwm carbonad)

b)

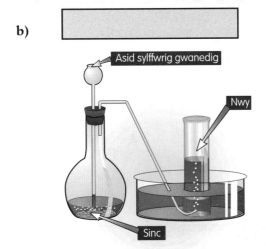

Asid sylffwrig gwanedig

Nwy

Sinc

c)

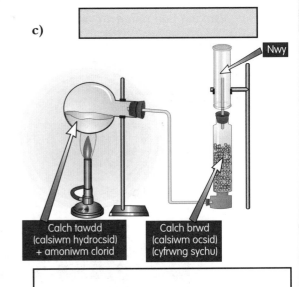

Nwy

Calch tawdd (calsiwm hydrocsid) + amoniwm clorid

Calch brwd (calsiwm ocsid) (cyfrwng sychu)

d)

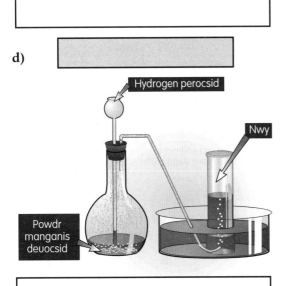

Hydrogen perocsid

Nwy

Powdr manganis deuocsid

e)

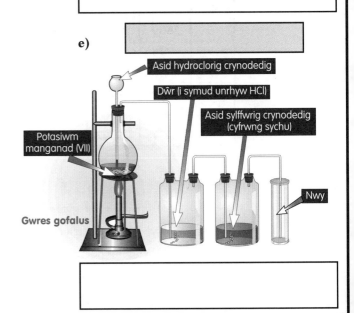

Asid hydroclorig crynodedig

Dŵr (i symud unrhyw HCl)

Asid sylffwrig crynodedig (cyfrwng sychu)

Potasiwm manganad (VII)

Nwy

Gwres gofalus

Peryglon

C1 Cysylltwch y symbolau *hazchem* gyda'r disgrifiad cywir, a rhowch enghraifft o bob un:

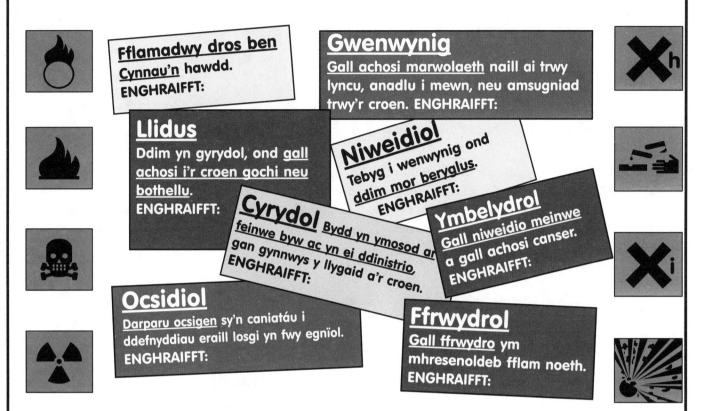

Fflamadwy dros ben
Cynnau'n hawdd.
ENGHRAIFFT:

Gwenwynig
Gall achosi marwolaeth naill ai trwy lyncu, anadlu i mewn, neu amsugniad trwy'r croen. ENGHRAIFFT:

Llidus
Ddim yn gyrydol, ond gall achosi i'r croen gochi neu bothellu.
ENGHRAIFFT:

Niweidiol
Tebyg i wenwynig ond ddim mor beryglus.
ENGHRAIFFT:

Cyrydol Bydd yn ymosod ar feinwe byw ac yn ei ddinistrio, gan gynnwys y llygaid a'r croen. ENGHRAIFFT:

Ymbelydrol
Gall niweidio meinwe a gall achosi canser. ENGHRAIFFT:

Ocsidiol
Darparu ocsigen sy'n caniatáu i ddefnyddiau eraill losgi yn fwy egnïol. ENGHRAIFFT:

Ffrwydrol
Gall ffrwydro ym mhresenoldeb fflam noeth. ENGHRAIFFT:

C2 Pam y mae gennym system o symbolau *hazchem*, a pham mai lluniau ac nid geiriau ydynt?

C3 Disgrifiwch sut y byddech chi'n trin "cemegyn cyrydol".

C4 Edrychwch ar y wybodaeth ganlynol oddi ar ochr tancer cemegau.

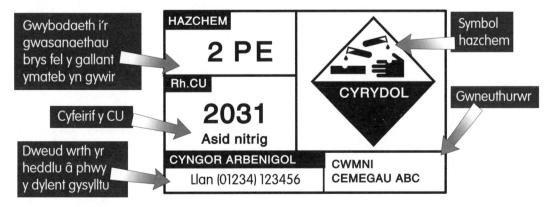

Gwybodaeth i'r gwasanaethau brys fel y gallant ymateb yn gywir

HAZCHEM

2 P E

Rh.CU

2031
Asid nitrig

Symbol hazchem

CYRYDOL

Gwneuthurwr

Cyfeirif y CU

Dweud wrth yr heddlu â phwy y dylent gysylltu

CYNGOR ARBENIGOL
Llan (01234) 123456

CWMNI
CEMEGAU ABC

a) Pam y mae gan y wybodaeth symbol hazchem?

b) Pam y byddai angen mwy o wybodaeth na'r symbol hazchem yn unig ar y gwasanaethau brys?

c) Pam y caiff rhif ffôn ei gynnwys bob tro?

d) Mae tancer yn troi drosodd mewn ardal siopa brysur, ond nid yw'n cracio. Mae'r label Hazchem yn dweud wrth y gwasanaethau brys bod y cynnwys yn gyrydol, a bod angen amddiffyn y corff yn gyfan gwbl wrth ei drafod, ond gellir ei olchi i lawr y draen. Ysgrifennwch grynodeb byr o'r camau pwysig y dylai'r swyddog tân sy'n delio â'r mater eu cymryd.

Olew Crai

Sut y Cafodd Olew ei Ffurfio:

Mae olew a nwy naturiol wedi ffurfio o weddillion planhigion a chreaduriaid y môr. Fe'u ffurfiwyd o ganlyniad i wres a gwasgedd ar weddillion planhigion ac anifeiliad dros filiynau o flynyddoedd yn absenoldeb aer. Mae olew a nwy yn codi trwy greigiau athraidd ac yn cael eu dal o dan greigiau anathraidd. Yna cânt eu hechdynnu oddi yno trwy ddrilio drwy'r creigiau.

Wrth chwilio am olew, mae Daearegwyr yn gwneud profion trwy ddrilio er mwyn dod o hyd i'r ffurfiannau creigiau sy'n trapio olew.

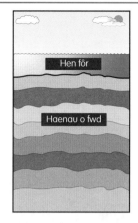
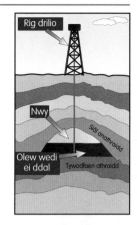

Mae'r rhan fwyaf o'r ffynhonnau rhwng 1000 a 5000 m o ddyfnder, ond gall rhai fod gymaint ag 8 km. Mae'r rhan fwyaf o'r olew ar wasgedd uchel ac felly gellir ei dynnu oddi yno yn hawdd. Weithiau, fodd bynnag, bydd angen pwmpio dŵr i lawr er mwyn gwthio'r dyddodion olew allan. Caiff olew ei gludo mewn tanceri neu trwy bibellau i burfa lle caiff y cymysgedd ei wahanu.

Atebwch y cwestiynau canlynol:

C1 **Eglurwch** yn eich geiriau eich hun sut y cafodd olew crai ei ffurfio.

C2 Beth yw **cymysgedd**?

C3 **Cymysgedd** o beth yw olew crai?

C4 Beth yw **hydrocarbon**?

C5 Pam y gelwir yr olew yn olew "**crai**"?

C6 **Pam** nad oes llawer o werth i olew crai heb ei buro?

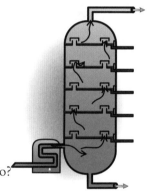

C7 Sut y caiff olew crai ei gludo i'r burfa?

C8 **Enwch** ddull arall o gludo olew, sydd heb ei nodi uchod.

C9 Pam y mae **colli olew** yn broblem i'r amgylchedd?

C10 Mae olew yn **anadnewyddadwy**. Beth yw **ystyr** hyn?

C11 Rhowch dair **mantais** a thair **anfantais** o losgi cynhyrchion olew.

Gair i Gall: Mae olew yn bwysig – fel **tanwydd** ac fel **adnodd** i wneud pethau defnyddiol eraill ohono. Yn bwysicach i chi – fe fydd yn yr arholiad, felly bydd angen i chi wybod sut y bydd olew yn ffurfio, sut y caiff ei **ddefnyddio** a pha broblemau **amgylcheddol** sy'n codi wrth golli olew a llosgi cynhyrchion olew.

Distyllu Fracsiynol

C1   Beth yw olew crai?

C2   Beth yw hydrocarbon? Rhowch enghraifft o hydrocarbon.

C3   Beth yw tanwydd ffosil?

C4   Cwblhewch y diagram isod trwy labelu A i E gyda'r ffracsiwn cywir.

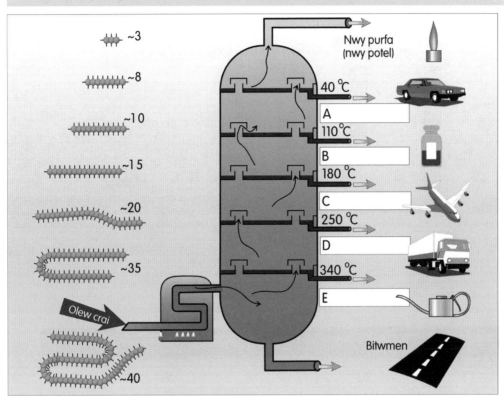

C5   Beth yw ystyr y termau canlynol?

a) Anweddol   b) Fflamadwy   c) Puro

d) Berwi i ffwrdd   e) Ffracsiwn   f) Distyllu

g) Gludiog   h) Nwy purfa   i) Cadwyn garbon

C6   Ym mha fodd y mae berwbwynt hydrocarbon yn newid wrth i hyd y gadwyn garbon gynyddu?

C7   Disgrifiwch sut y mae distyllu ffracsiynol olew crai yn gweithio.

C8   Pam y mae olew crai mor bwysig?

C9   Ym mha fodd y mae fflamadwyedd hydrocarbon yn newid wrth i hyd y gadwyn garbon gynyddu?

C10 Ym mha fodd y mae anweddolrwydd hydrocarbon yn newid wrth i hyd y gadwyn garbon gynyddu?

C11 Pa un fyddai'n llifo hawsaf – hydrocarbon wedi ei wneud o gadwyni carbon byr neu gadwyni carbon hir?

C12 Pa ffracsiynau fyddai'n tanio hawsaf – cadwyni carbon byr neu gadwyni carbon hir?

Mae olew yn adnodd meidraidd

C13 Beth yw ystyr meidraidd?

C14 Beth allech chi ei wneud er mwyn i olew bara'n hwy?

C15 Beth allai pob cenedl ei wneud er mwyn i olew bara'n hwy?

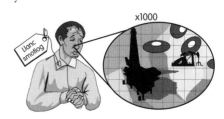

Adran Dau – Defnyddiau o'r Ddaear

Hydrocarbonau

Os yw hylif yn weddol "dew" ac yn cymryd tipyn o amser i lifo i lawr llethr, dywedir ei fod yn "ludiog". Gallwn fesur yr amser a gymerir i faint penodol o hylif redeg trwy fwred, a bydd hyn yn dangos pa mor ludiog yw'r hylif.

Mae olew iro mewn injan car yn cadw'r darnau metel symudol ar wahân. Mae olewau gludiog yn gwneud hyn yn well na rhai tenau; ond os ydynt yn rhy ludiog ni fyddant yn iro'r darnau symudol yn iawn.

Gwnaed yr arbrawf canlynol er mwyn darganfod pa un o'r ddau olew isod oedd y mwyaf gludiog.

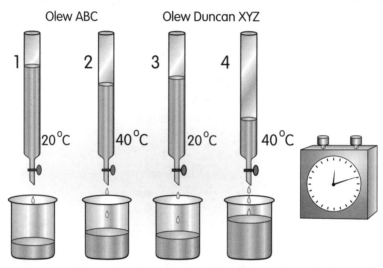

Nodwyd yr amser a gymerodd yr olew i redeg trwy'r bwred ar ddau dymheredd.

Bwred	Tymheredd / °C	Amser a gymerir i 50 cm³ o olew i lifo trwyddo / s
1	20	90
2	40	53
3	20	64
4	40	28

Defnyddiwch y tabl i ateb y cwestiynau canlynol:

C1 Lluniwch siart bar i ddangos y wybodaeth uchod.

C2 Pa olew yw'r mwyaf gludiog ar 20°C?

C3 Pa olew yw'r mwyaf gludiog ar 40°C?

C4 Mae'r tymereddau mewn injan dipyn yn uwch na 40°C. Beth fydd yn digwydd i ludedd yr olewau hyn ar dymheredd injan?

C5 Sut allech chi wella'r arbrawf er mwyn profi pa olew yw'r mwyaf gludiog o'i ddefnyddio mewn injan?

C6 Pe bai chi'n dylunio olew injan, a fyddech chi'n defnyddio hydrocarbonau â chadwyni byr neu gadwyni hir?

C7 Beth allai ddigwydd i olew gludiog iawn ar fore oer iawn?

C8 Ar un adeg, arferai gyrwyr lorïau gynhesu eu tanciau diesel trwy gynnau tân bychan o dan y tanc.

a) Pam ydych chi'n meddwl eu bod yn gwneud hyn?

b) Pa broblemau allai godi wrth wneud hyn?

c) Erbyn hyn rhoir ychwanegion mewn olew diesel, ond nid ar hyd y flwyddyn. Pam na chânt eu hychwanegu o hyd?

Adran Dau – Defnyddiau o'r Ddaear

Hydrocarbonau

C1 Beth yw cracio?

C2 Rhowch ddau reswm dros wneud hyn.

C3 Edrychwch ar y diagram ar y dde.

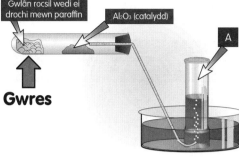

a) Enwch ddau amod sydd eu hangen er mwyn cracio paraffin.

b) *Mae nwy A a gynhyrchir yn yr adwaith hwn yn alcen.* Beth yw alcen?

c) Mae alcenau yn annirlawn. Beth yw ystyr hyn?

d) Nid yw paraffin yn dadliwio dŵr bromin oren/frown, ond mae nwy "A" a gesglir yn y jar nwy yn gwneud. Eglurwch yr arsylwadau hyn.

e) Cwblhewch yr hafaliad trwy lenwi'r bocs gyda fformiwla adeileddol A:

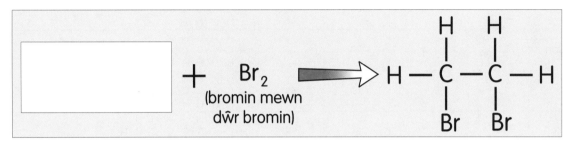

f) Enwch nwy "A".

C4 Dim ond ffracsiynau mwyaf distyllu olew crai a gaiff eu cracio. Pam?

C5 Cafodd $C_{16}H_{34}$ ei boethi'n gryf gyda chatalydd yn absenoldeb aer. Dyma un adwaith a ddigwyddodd:

$$C_{16}H_{34} \rightarrow 2C_2H_4 + C_6H_{12} + C_6H_{14}$$

a) Enwch y broses a ddangosir yn yr hafaliad.

b) Pa rai o'r moleciwlau hyn sy'n annirlawn?

c) Pa rai sy'n ddirlawn?

d) Pa foleciwlau fyddai'n:
   i) Dadliwio dŵr bromin?
   ii) Polymeru?

e) Pam y gwneir yr adwaith hwn yn absenoldeb aer?

f) Cwblhewch y diagram dot a chroes gyferbyn gan ddangos yr electronau allanol yn y moleciwl ethen.

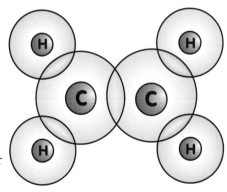

g) Rhowch ddau ddiben ar gyfer hydrocarbonau wedi'u "cracio".

h) Beth a gynhyrchir wrth i nifer o foleciwlau ethen gyfuno?

i) Wrth i ethen adweithio gyda chlorin, ffurfir cloroethen. Enwch y moleciwl sy'n ffurfio wrth i gloroethen bolymeru – a rhowch y talfyriad.

Gair i Gall: Mae angen torri hydrocarbonau hir i lawr er mwyn eu gwneud yn llai gludiog, ac yn bwysicach na hynny, i gynhyrchu alcenau. Wrth wneud hydrocarbon byr allan o hydrocarbon hir, rhaid bod y rhan sydd ar ôl yn alcen, neu ni fyddai digon o fondiau ar gael. Cofiwch fod gan alcenau fond C=C dwbl, a gallant gyfuno i ffurfio polymerau.

Alcanau

C1 Cwblhewch y tabl trwy ychwanegu'r wybodaeth goll:

Alcanau = C_nH_{2n+2}

Enw	Fformiwla	Nifer y carbonau	Ymdodd-bwynt (°C)	Berw-bwynt (°C)	Fformiwla Adeileddol
Methan	CH_4	1	-182	-164	H−C−H with H above and H below
Ethan	C_2H_6		-183	-89	H−C−C−H with H's
Propan	C_3H_8	3	-190	-42	
Bwtan	C_4H_{10}	4	-138	0	H−C−C−C−C−H
Pentan	C_5H_{12}	5	-130	36	H−C−C−C−C−C−H
Hecsan		6	-95	69	H−C−C−C−C−C−C−H
Heptan	C_7H_{16}	7	-91	99	H−C−C−C−C−C−C−C−H
Octan		8	-57	126	
Nonan	C_9H_{20}	9	-51	151	H−C−C−C−C−C−C−C−C−C−H
Decan	$C_{10}H_{22}$		-30	174	H−C−C−C−C−C−C−C−C−C−C−H

Defnyddiwch y tabl i'ch helpu i ateb y cwestiynau canlynol:

C2 Lluniwch graff gan ddefnyddio'r wybodaeth uchod, gyda nifer yr atomau carbon ar yr echelin llorweddol a'r berwbwynt ar yr echelin fertigol.

C3 Pa alcanau sy'n: **a)** solid **b)** hylif **c)** nwy ...ar dymheredd ystafell (25°C)?

C4 Beth yw'r cysylltiad rhwng berwbwynt alcanau a nifer yr atomau carbon sydd ynddynt?

C5 Pam y dylai berwbwynt cyfansoddyn sydd â moleciwlau trwm, hir fod yn wahanol i ferwbwynt cyfansoddyn â moleciwlau bychain, ysgafn?

C6 Amcangyfrifwch ferwbwynt $C_{11}H_{24}$.

C7 Lluniwch ddiagramau dot a chroes ar gyfer y pum alcan cyntaf. Mae methan eisoes wedi ei wneud i chi isod:

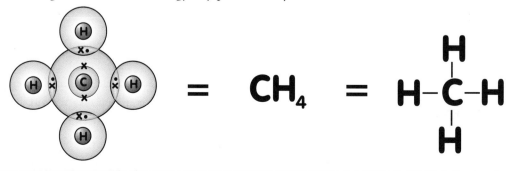

Alcanau

Cyfansoddion organig sy'n ffurfio cyfres homologaidd o hydrocarbonau yw'r alcanau. Dim ond bondiau cofalent sengl sydd ynddynt ac felly maent yn hydrocarbonau dirlawn. Maent yn foleciwlau 3D ond cânt eu llunio'n fflat fel arfer. Mae ganddynt oll y fformiwla gyffredinol C_nH_{2n+2}. Nid ydynt yn dadliwio dŵr bromin, ac maent yn llosgi'n lân i gynhyrchu carbon deuocsid a dŵr.

Atebwch y canlynol:

C8 Eglurwch ystyr "bond cofalent sengl".

C9 Beth yw ystyr y term "dirlawn"?

C10 Eglurwch pam nad yw alcanau yn adweithio gyda dŵr bromin.

C11 Cwblhewch yr hafaliadau canlynol ac yna'u cydbwyso:

i) **methan + ocsigen → carbon deuocsid +** [ ]
   CH_4 + [ ] **O_2 →** **CO_2 +** [ ]

ii) [ ] **+ ocsigen →** [ ] **+** [ ]
   $2C_2H_6$ + [ ] **O_2 →** [ ] **+** [ ]

iii) **propan + ocsigen →** [ ] **+** [ ]
   [ ] **+** [ ] **O_2 →** [ ] **+** [ ]

C12 Pam y mae'n beryglus llosgi alcanau lle bo ocsigen yn brin?

C13 Mae alcanau yn anadweithiol ac nid ydynt yn polymeru (cyfuno i wneud moleciwlau mawr). Eglurwch pam, gan ddefnyddio enghreifftiau. Enwch grŵp arall o gyfansoddion organig nad ydynt yn polymeru.

C14 Gellir defnyddio catalydd i dorri cadwyni hir moleciwlau alcanau i lawr yn foleciwlau llai, mwy defnyddiol. Beth yw enw'r broses hon?

C15 Pam y mae'n fwy synhwyrol newid alcanau anadweithiol yn gemegau mwy defnyddiol, yn hytrach na'u llosgi?

C16 Nodwch ddibenion ar gyfer methan, propan, bwtan ac octan.

C17 Does gan methan pur ddim arogl. Isod gwelir tri moleciwl a ddefnyddir i roi arogl i fethan.

$CH_3CH_2 - SH$ $(CH_3)_3C - SH$ $CH_3CH_2 - S - CH_2CH_3$

Pam ydych chi'n meddwl y gwneir hyn?

C18 Mae cemegyn â chanddo'r fformiwla $(CH_3)_2CH - SH$ yn gollwng o labordy ymchwil mewn prifysgol yng Ngogledd Cymru. Cwynodd nifer o'r trigolion lleol bod nwy wedi dianc, ac yn ôl pysgotwyr, gellid ei ogleuo o'r môr.

a) Eglurwch pam y soniodd y trigolion am arogl nwy naturiol.
b) Pam ydych chi'n meddwl y gallai pysgotwyr ogleuo'r nwy ar y môr?
c) A ddylai'r awdurdodau nwy fod wedi ymchwilio i bob un o'r cwynion hyn? Eglurwch eich ateb.

Gair i Gall: Anaml iawn y bydd alcanau'n adweithio o gwbl oherwydd does ganddynt ddim bondiau sbâr i wneud unrhyw beth – hylosgi a chracio yw'r prif adweithiau. Cofiwch hyn a dysgwch enwau a fformiwlâu pob alcan yng nghwestiwn 1, ac fe gewch chi lond sach o farciau.

Alcenau

C1 Hydrocarbonau annirlawn yw alcenau.

a) Beth yw ystyr y term annirlawn?

b) Pam y mae hyn yn gwneud alcenau yn ddefnyddiol?

C2 Mae'r tabl isod yn dangos rhai o briodweddau alcenau. Defnyddiwch hwn i ateb y cwestiynau.

Alcen	Ymdoddbwynt °C	Berwbwynt °C	Cyflwr ar TGY
Ethen	-168.9	-103. 6	Nwy
Propen	-185. 1	-47. 3	Nwy
Bwt-1-en	-185. 2	-6. 2	Nwy
Pent-1-en	-138	30	Hylif

a) Nodwch unrhyw dueddiadau a welwch:

i) yn yr ymdoddbwyntiau **ii)** yn y berwbwyntiau **iii)** yn y cyflyrau ar dymheredd a gwasgedd ystafell.

b) Amcangyfrifwch ymdoddbwyntiau a berwbwyntiau'r ddau alcen nesaf. Rhowch resymau am eich ateb.

c) Eglurwch y tueddiadau y soniwyd amdanynt yn rhan **a)**.

C3 Fformiwla gyffredinol yr alcenau yw C_nH_{2n}.

a) Eglurwch ystyr y fformiwla gyffredinol hon.

b) Dangosir fformiwla adeileddol ethen ar y dde.

i) Ysgrifennwch y fformiwla moleciwlaidd ar gyfer ethen.

ii) Fformiwla propen yw C_3H_6. Lluniwch fformiwla adeileddol ar gyfer propen.

Ethen

$$H - C = C - H$$

(with H atoms on each carbon)

C4 Gellir adio elfennau at alcenau'n hawdd. Gelwir y math hwn o adwaith yn adwaith adio.

a) Pam y mae alcenau mor barod i gymryd rhan mewn adweithiau adio?

b) Gall ethen adweithio gyda hydrogen mewn adwaith adio.

i) Ysgrifennwch hafaliad i ddangos yr adwaith hwn.

ii) Lluniwch fformiwlâu adeileddol y moleciwlau yn yr adwaith hwn.

iii) Beth yw enw'r cynnyrch?

C5 Fformiwla'r alcen ethen yw C_2H_4.

a) Cwblhewch y diagram dot a chroes ar gyfer ethen i ddangos y bondio (sylwch $^{12}_{6}C$ a $^{1}_{1}H$):

b) Ym mha fodd y mae'r moleciwl yn wahanol i foleciwl ethan?

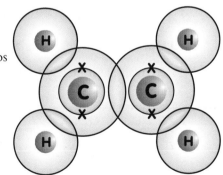

C6 Mae alcenau'n barod iawn i losgi mewn ocsigen.

a) Pa gynhyrchion fyddech chi'n eu disgwyl wrth losgi ethen mewn aer?

b) Ysgrifennwch hafaliad wedi ei gydbwyso i ddangos y cynhyrchion a geir wrth losgi ethen mewn aer.

c) Ysgrifennwch hafaliad geiriau i ddangos beth fyddai'n digwydd wrth losgi propen mewn aer.

d) Maent yn tueddu i losgi gyda fflam huddyglyd. Beth allai fod yn achosi'r huddygl?

Adran Dau – Defnyddiau o'r Ddaear

Alcenau

C7 Gellir defnyddio dŵr bromin i wahaniaethu rhwng ethan ac ethen.

   a) Beth sy'n digwydd wrth gymysgu: **i)** ethen **ii)** ethan ...gyda dŵr bromin?

   b) Ysgrifennwch hafaliad geiriau i ddangos yr hyn sy'n digwydd wrth i ethen a dŵr bromin adweithio (tybiwch mai Br_2 sy'n bresennol yn y dŵr bromin).

   c) Lluniwch fformiwla adeileddol ar gyfer cynhyrchion yr adwaith.

C8 Cwblhewch y tabl isod.

Alcen	Nifer yr atomau carbon	Fformiwla	Fformiwla adeileddol
Bwten			
Penten			
Hecsen			
Hepten			

C9 Dywedir bod ethen yn fonomer.

   a) Beth yw ystyr y term "monomer"?

   b) Gall moleciwlau ethen adio at ei gilydd i ffurfio cadwyni hir dros ben. Beth yw enw'r adwaith hwn?

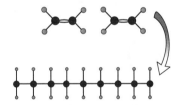

C10 "Mae ethen yn gynnyrch a ddaw o olew crai."

   a) A yw'r datganiad hwn yn gywir ai peidio? Rhowch resymau dros eich ateb.

   b) Pam y mae ethen mor bwysig yn ddiwydiannol?

C11 Cwblhewch yr hafaliadau hyn:

   a) | **Bwten + ocsigen** → |

   b) | **Bwten + clorin** → deucloro _____ |

   c) | **Bwten + bromin** → deubromo _____ |

   d) | **Propen + ocsigen** → |

Gair i Gall: Mae alcenau'n annirlawn (mae ganddynt fondiau dwbl) – bondiau sbâr sy'n barod i adweithio gyda chemegau eraill neu wneud polymerau. Oherwydd hyn maent ychydig yn fwy diddorol nag alcanau, ond mae'n rhaid i chi ddysgu'r enwau a'r fformiwlâu adeileddol o hyd, a rhaid i chi wybod y priodweddau ffisegol yn eithaf da.

Polymerau a Phlastigion

C1   Eglurwch ystyr y term "polymeriad".

C2   Gall ethen adweithio mewn nifer mawr o adweithiau adio i ffurfio polymerau cadwyn hir.

    a) Pa amodau adwaith sy'n angenrheidiol er mwyn i hyn ddigwydd?

    b) Pam y mae angen yr amodau hyn?

C3   Gall nifer o foleciwlau ethen gyfuno i ffurfio sylwedd defnyddiol iawn.

    a) Beth yw enw'r polymer hwn?

    b) Gan ddefnyddio'r moleciwl ethen, lluniwch ddiagram i ddangos sut y bydd monomerau ethen yn ffurfio eu polymer.

    c) Eglurwch o ble y daw enw'r polymer ethen.

    d) Pam mai ethen yw'r man cychwyn ar gyfer nifer o blastigion?

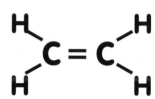

C4   Gan ddefnyddio'r wybodaeth o'r tabl isod, penderfynwch pa bolymer fyddai'r mwyaf addas ar gyfer y dibenion isod. Rhowch yr atebion yn yr ail dabl:

Down â rhoddion o Aur,
Thus..... a pholy-myrr

Polymer	Rhai priodweddau
1) Polystyren	Rhad, hawdd ei fowldio, gellir ei ehangu'n ewyn.
2) Polythen	Rhad, cryf, hawdd ei fowldio.
3) Polypropen	Ffurfio ffibrau cryf, elastig dros ben.
4) PTFE	Caled, cwyraidd, nid oes dim yn glynu wrtho.
5) Persbecs	Tryloyw, hawdd ei fowldio, nid yw'n chwalu'n hawdd.

Swydd	Plastig	Rheswm
a) Cynhwysydd bwyd poeth		
b) Bag plastig		
c) Carped		
d) Gwydrau picnic		
e) Bwcedi		
f) Rhaffau		
g) Deunydd pacio gyda swigod		
h) Deunydd ynysu		
i) Potiau iogyrt		
j) Pedyll ffrio gwrthlud		

Polymerau a Phlastigion

C5 Cwblhewch y paragraff isod trwy lenwi'r bylchau gyda'r geiriau cywir.

monomerau ethen	monomer ethen	carbon	catalydd	polythen	polymeriad
bond dwbl	monomer	polymer	plastigion	adio	dirlawn	gwasgedd uchel

Yr enw a roddir ar y broses o ffurfio moleciwlau cadwyn _____ hir trwy _____ unedau monomer unigol yw _____ . Daw priodweddau'r _____ o'r math o foleciwl sydd yn y _____ . Gwneir _____ o'r hydrocarbonau cadwyn hir hyn. Gwneir _____ o'r _____ . Daw'r _____ at ei gilydd o dan _____ dros _____ poeth. Caiff y _____ ei dorri gan ffurfio moleciwl _____ .

C6 Gall alcenau eraill dorri eu bond dwbl i ffurfio polymerau cadwyn hir hefyd.

Ar gyfer pob un o'r monomerau yn y tabl isod, lluniwch y polymer y byddech chi'n disgwyl ei weld ac yna enwch y polymer.

Monomer	Polymer	Enw
a) 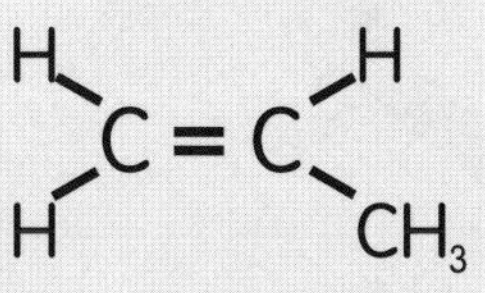		
b) 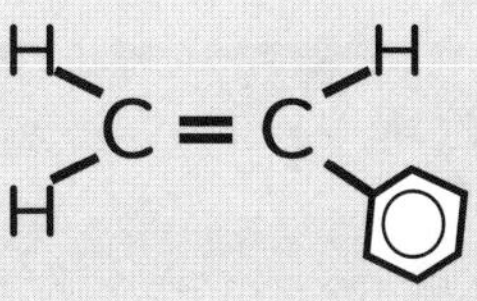		
c) 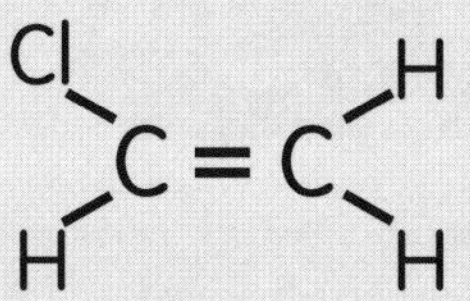		

C7 Trefnwch y canlynol yn rhestr o agweddau da ac agweddau drwg ar ddefnyddio plastigion.

Dwysedd isel

Gweddol rad

Gallant losgi

Gellir eu lliwio

Ynysyddion

Hawdd eu mowldio

Ni chânt eu heffeithio gan asidau nac alcalïau

Gallant gynhyrchu nwyon gwenwynig wrth losgi

Anniraddidwy

Gallant fod yn gryf iawn

Anodd cael eu gwared

Gair i Gall: Mewn polymeriad bydd catalydd ac ychydig o wasgedd yn peri i alcenau agor eu bondiau dwbl a chyfuno – y gwrthwyneb i gracio fwy neu lai. Mae'r polymerau hyn dipyn yn fwy defnyddiol na'r hydrocarbon gwreiddiol – a gellir rheoli hyd y polymer er mwyn gwneud y moleciwl perffaith ar gyfer swydd arbennig. Os nad yw hynny'n wefreiddiol, wn i ddim beth sydd...

Adran Dau – Defnyddiau o'r Ddaear

Mwynau Metel

C1 Beth yw mwyn metel?

C2 Rhowch enghraifft o fwyn metel.

C3 Ar ba ffurf y ceir metelau anadweithiol iawn yn y ddaear?

C4 Rhowch 3 enghraifft o fetelau a geir yn naturiol yn y ddaear.

C5 Ar ba ffurf y ceir metelau adweithiol yn y ddaear?

C6 Mae'r diagram isod yn dangos rhai o'r prosesau a ddefnyddir wrth echdynnu metel o'i fwyn. Cysylltwch bob llun **a)** – **f)** gyda'r mynegiad cywir o'r bocs canlynol

| Metel pur   Rhydwytho gyda charbon   Pridd yn cynnwys mwyn wedi ei echdynnu o'r ddaear   Electrolysis |
| Mwyn metel wedi ei ddarganfod yn y ddaear   Symud y pridd gwastraff er mwyn crynodi'r mwyn |

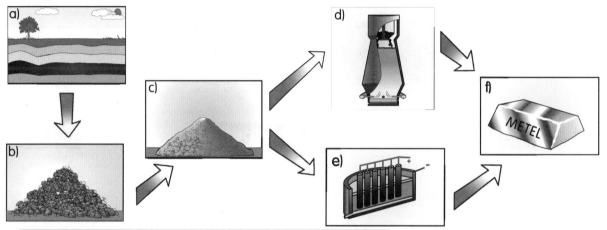

C7 Rhestrwch bob metel yn y bocs o dan y dull echdynnu cywir.

| **Dadelfeniad thermol y mwyn** | **Rhydwytho'r mwyn metel gyda charbon** | **Electroleiddio'r mwyn tawdd** | **Metelau'n bodoli'n naturiol** |

Haearn   Copr   Potasiwm   Magnesiwm   Alwminiwm
Arian   Sinc   Sodiwm   Plwm   Calsiwm   Aur

C8 Edrychwch ar y tabl gyferbyn.

a) Lluniwch siart bar i ddangos cyflenwad y metelau.
b) Beth yw ystyr "cyflenwad"?
c) Pa un o'r metelau a restrir yw'r mwyaf digonol?
d) Enwch fetel prin.
e) Ai'r metel sydd â'r cyflenwad uchaf oedd y cyntaf i'w echdynnu?
f) Beth yw'r berthynas rhwng adweithedd y metel a'r dyddiad y cafodd ei echdynnu am y tro cyntaf?

Metel	Y dyddiad y cafodd ei echdynnu am y tro cyntaf	% Cyflenwad yng nghramen y Ddaear
Alwminiwm	1827	8.1
Calsiwm	1808	3.6
Copr	Yn yr hen amser	<1.0
Aur	Yn yr hen amser	<1.0
Haearn	Yn yr hen amser (Oes haearn)	5.0
Potasiwm	1807	2.6

C9 Beth yw ystyr y term "metel cynhenid"?

C10 Mae cwmni mwyng loddio eisiau dechrau cloddio safle, felly rhaid ystyried nifer o gwestiynau:

i) Faint o'r metel sydd yno?
ii) A oes gweithlu'n agos?
iii) A oes cludiant yn yr ardal?
iv) A oes cyflenwad lleol o drydan rhad?
v) A oes yno fetel y gellir ei werthu?

Gosodwch y pwyntiau hyn yn y drefn y dylai'r cwmni mwyngloddio eu hystyried.

Adran Dau – Defnyddiau o'r Ddaear

Echdynnu Haearn – Y Ffwrnais Chwyth

C1 Gellir echdynnu haearn o'r mwyn mewn Ffwrnais Chwyth.

   a) Eglurwch pam y gellir echdynnu haearn yn y modd hwn, ond mae'n rhaid echdynnu sodiwm ac alwminiwm trwy electrolysis.

   b) Beth yw enw'r mwyn haearn mwyaf cyffredin a ddefnyddir?

   c) At beth y mae haearn wedi ei fondio yn y mwyn hwn?

   d) Beth yw fformiwla'r mwyn hwn?

C2 Mae'r diagram yn dangos rhan o ffwrnais chwyth.

   a) Pa dri solid a roddir i mewn yn y ffwrnais chwyth?

   b) Pam y caiff aer poeth ei chwythu i mewn i'r ffwrnais?

   c) Pam y mae'n rhaid i'r tymheredd fod mor boeth â 1500°C?

   d) Beth fyddech chi'n debygol o'i ddarganfod yn A a B ar y diagram?

C3 Cynhyrchir y nwy carbon deuocsid yn y cam cyntaf.

   a) Sut y caiff carbon deuocsid ei gynhyrchu?

   b) Ysgrifennwch hafaliad i ddangos yr adwaith.

C4 Y cam nesaf:

   Beth mae'r carbon deuocsid yn ei wneud yn y ffwrnais chwyth?

C5 Yn y cam olaf caiff yr haearn ocsid ei newid yn haearn.

   a) Ysgrifennwch hafaliad wedi ei gydbwyso i ddangos yr hyn sy'n digwydd.

   b) Beth sydd wedi digwydd i'r haearn ocsid?

   c) Ysgrifennwch hafaliad ïonig i ddangos yr adwaith yn a) (er enghraifft: $Fe^{3+} + rhywbeth \rightarrow a.y.b$).

   d) i) Ym mha gyflwr bydd yr haearn ar ddiwedd yr adwaith?
      ii) Sut y caiff ei dynnu o'r ffwrnais chwyth?

C6 Mae'n bwysig tynnu'r amhureddau ym mhob proses gemegol fel bo'r cynhyrchion yn bur.

   a) Beth yw'r prif amhuredd sydd wedi ei gymysgu gyda mwyn haearn?

   b) Mae calsiwm carbonad yn helpu i dynnu'r amhuredd hwn, ond rhaid iddo ddadelfennu yn gyntaf. Cwblhewch yr hafaliad sy'n dangos y dadelfennu hwn.

   $$CaCO_3 \rightarrow \underline{\hspace{2cm}} + \underline{\hspace{2cm}}$$

   c) Cwblhewch yr hafaliad sy'n dangos slag yn ffurfio:

   $$CaO + SiO_2 \rightarrow \underline{\hspace{2cm}}$$

   d) Pa ddefnydd y gellir ei wneud o'r slag hwn?

C7 Eglurwch pam y mae defnyddio ffwrnais chwyth yn peri i haearn fod yn rhatach na nifer o fetelau eraill.

C8 Gall haearn fodoli ar ddwy ffurf: haearn(III) a haearn(II). Cwblhewch y tabl gyferbyn sy'n dangos y gwahaniaethau rhwng dwy ffurf haearn ocsid.

   (Masau atomig cymharol: Haearn = 56, Ocsigen = 16)

	Haearn(III) ocsid	Haearn(II) ocsid
Fformiwla		
Yr ïon sy'n ffurfio	Fe^{3+}	
Màs fformiwla cymharol y cyfansoddyn		

C9 Rhowch ddau ddiben ar gyfer haearn.

C10 a) Enwch un metel arall y gellir ei echdynnu trwy rydwythiad o'i ocsid gyda golosg.

   b) Pam y mae'n anodd echdynnu magnesiwm trwy rydwytho gyda golosg?

Gair i Gall: Mae'r metelau i gyd yn ddefnyddiol, ond eu bod yn tueddu i fodoli ar ffurf mwynau yn y ddaear. Peidiwch ag anghofio bod y modd y cânt eu hechdynnu yn dibynnu ar eu hadweithedd.

Mae angen i chi wybod proses y ffwrnais chwyth ar gyfer echdynnu haearn, mae'n codi ei ben yn aml mewn arholiadau.

Echdynnu Alwminiwm

C1   Rhowch y saethau coll wrth y labeli yn y diagram:

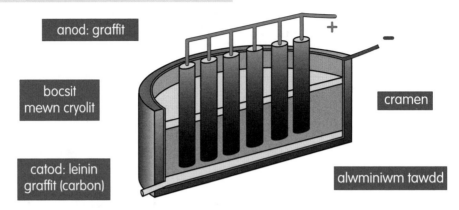

anod: graffit

bocsit mewn cryolit

cramen

catod: leinin graffit (carbon)

alwminiwm tawdd

C2   Cwblhewch y brawddegau gan ddefnyddio'r geiriau canlynol:

adweithiol	alwminiwm	mwyn	anodd	Al
O_2	bocsit	900°C	cryolit	

Mae alwminiwm lawer yn fwy _____ na charbon ac felly caiff ei echdynnu o'r _____ trwy electrolysis. Alwminiwm yw'r metel mwyaf digonol yng nghramen y Ddaear, ac mae wedi cyfuno gydag elfennau eraill, craig a chlai sy'n ei wneud yn _____ ei echdynnu. _____ yw enw mwyn alwminiwm, sef alwminiwm ocsid amhur. Caiff ei buro ac yna'i hydoddi mewn _____ tawdd (un o fwynau eraill alwminiwm) sy'n gostwng ei ymdoddbwynt o dros 2000°C hyd at oddeutu _____ °C. Mae trydan yn pasio trwy'r mwyn tawdd gan wahanu'r _____ o'r ocsigen.

Dyma'r hafaliad llawn: $2Al_2O_{3(h)} \rightarrow 4$_____$_{(h)} + 3$_____$_{(n)}$

C3   Pam y mae'n rhaid puro'r bocsit cyn ei electroleiddio?

C4   Pam y caiff cryolit ei ychwanegu?

C5   Rhowch ddau reswm da dros ychwanegu cryolit.

C6   Ysgrifennwch yr adweithiau sy'n digwydd wrth y catod ac wrth yr anod:

Wrth y catod (-if):

$Al^{3+} + 3$_____ $\rightarrow$ _____

Wrth yr anod (+if):

$2O^{2-}$ $\rightarrow$ _____ $+ 4$_____

C7   Wrth ba electrod y mae **a)** Rhydwytho **b)** Ocsidio ...yn digwydd?

C8   Pam y mae'n rhaid newid y rhodenni carbon bob hyn a hyn?

C9   Ysgrifennwch hafaliad geiriau ar gyfer yr adwaith sy'n defnyddio carbon yr electrod.

Adran Dau – Defnyddiau o'r Ddaear

Echdynnu Alwminiwm

C10   Atebwch y cwestiynau canlynol ar gynhyrchu alwminiwm:

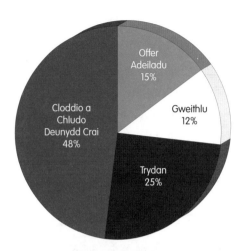

a) Nid yw'r rhan fwyaf o lefydd sy'n cloddio alwminiwm yn mwyndoddi'r metel (ei gynhyrchu o'i fwyn).

Eglurwch pam y caiff arian ei wario ar gludo mwyn at fannau mwyndoddi yn hytrach na mwyndoddi yn y fan a'r lle.

b) Rhowch enghraifft o ddull rhad a chyfleus o gynhyrchu trydan.

c) Enwch ddau fan yn y D.U. a allai fod yn addas ar gyfer cynhyrchu alwminiwm.

C11   Mae cwmni'n ystyried adeiladu ffatri mwyndoddi alwminiwm ger Fort George.

Edrychwch ar y map a rhestrwch bum priodwedd sy'n ei wneud yn lle addas ar gyfer codi ffwrnais fwyndoddi alwminiwm.

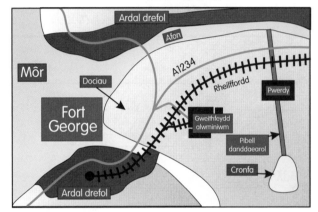

C12   Mae gan alwminiwm nifer o ddibenion. Dangosir rhai yn y diagram isod.

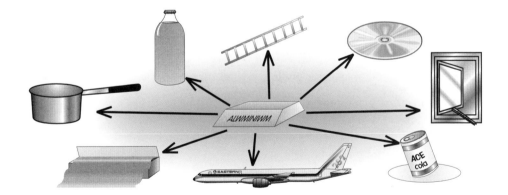

a) Rhowch label addas wrth ymyl pob un o'r dibenion uchod.

b) Pa rai o briodweddau alwminiwm sy'n ei wneud yn addas ar gyfer y dibenion uchod?

C13   Mae alwminiwm yn adweithio gydag ocsigen i ffurfio haen denau o alwminiwm ocsid. Pam y mae hyn yn fantais i alwminiwm?

C14   Nid yw alwminiwm yn gryf iawn, ond caiff ei ddefnyddio'n helaeth ar gyfer adeiladu. Beth sy'n rhaid ei wneud er mwyn gwella ei briodweddau?

Gair i Gall: Digon o fanylion i'w dysgu – pam y defnyddir electrolysis ac nid rhydwytho gyda charbon, pam y mae cost y trydan mor bwysig, sut y mae electrolysis yn gweithio, labelu cell rhydwytho a phriodweddau a dibenion alwminiwm. Mae yna dipyn i'w ddysgu yma.

Adran Dau – Defnyddiau o'r Ddaear

Copr

Gellir puro copr trwy electrolysis.

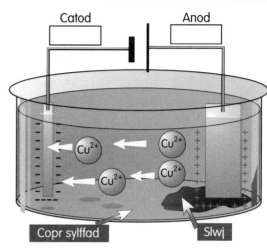

Catod   Anod

C1   Rhowch (+) a (-) ar y batri.

C2   Mae'r metel copr ar yr anod amhur yn newid yn ïonau copr Cu^{2+}. Pam y maent yn symud tuag at y catod?

C3   Beth fydd yr ïonau copr yn ei dderbyn wrth gyrraedd y catod?

C4   Ysgrifennwch hafaliad i ddangos hyn.

C5   Ysgrifennwch hafaliad i ddangos beth sy'n digwydd wrth yr anod.

Copr sylffad   Slwj

C6   Cwblhewch y paragraff canlynol trwy ddefnyddio'r geiriau yn y bocs. Gellwch eu defnyddio unwaith, mwy nag unwaith neu ddim o gwbl.

puro	positif	hollti	electrolyt	slwj	electrolysis
anod	trydan	electronau	copr	anod	metel copr

_____ cyfansoddyn trwy basio _____ trwyddo yw _____. Fe'i defnyddir i _____

metelau. Gellir puro _____ yn y modd hwn. Hydoddiant copr sylffad yw'r _____, sy'n cynhyrchu

ïonau _____ ac ïonau sylffad. Cysylltir y copr amhur at yr electrod _____, yr _____. Mae

hwn yn cynhyrchu ïonau _____ a atynnir at gatod negatif. Yma mae pob un yn ennill _____ er

mwyn newid yn fetel _____. Mae _____ o'r _____ amhur yn ffurfio o dan yr _____.

C7   Pam y mae copr yn gwrthsefyll cyrydiad yn well na metelau fel haearn?

C8   Pam y mae copr mor ddefnyddiol ar gyfer gwifrau trydan mewn tŷ.

C9   Rhowch ddau ddiben arall ar gyfer copr.

C10   Enwch ddau aloi copr.

C11   Ym mha ran o'r Tabl Cyfnodol y mae copr?

C12   A fyddech chi'n disgwyl i gyfansoddion copr fod yn wyn neu'n lliw?

C13   Pa un o briodweddau ffisegol copr sy'n ei wneud yn addas ar gyfer gwneud sosbenni?

C14   A yw copr yn adweithio gydag asidau mwynol gwanedig fel asid hydroclorig neu asid sylffwrig? Eglurwch eich ateb.

C15   Mae lithiwm yn fetel sy'n arnofio ar ddŵr. A yw copr yn arnofio. Eglurwch eich ateb.

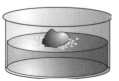

Gair i Gall: Daw copr allan o fwyn copr trwy rydwythiad, caiff copr ei buro trwy electrolysis. Cofiwch hyn, dysgwch y diagram a'r wybodaeth yng Nghwestiwn 1, cofiwch pa electrod yw'r copr amhur − a dyna chi wedi ennill rhagor o farciau defnyddiol.

Defnyddio Metelau

C1 Yn aml, caiff pobl sy'n torri coes neu ffêr/pigwrn bin wedi ei osod yn y goes er mwyn helpu'r esgyrn i wella – bydd y pin yn dal yr esgyrn yn eu lle ac yn eu cryfhau wrth iddynt wella.

Ceir rhestr o rai o'r defnyddiau y gellir eu defnyddio i wneud pin yn y tabl isod.

Defnydd	Cryfder	Adweithedd	Cost	Caledwch	Dwysedd	Gwydnwch
Titaniwm	U	I	U	U	U	U
Dur meddal	U	U	I	U	U	U
Alwminiwm	C	C	C	C	C	C
Ceramig	UI	I	I	UI	I	I

I = Isel   C = Canolig   U = Uchel   UI = Uchel Iawn

a) A oes angen i'r pin fod yn gryf?

b) Wrth edrych ar y golofn ar gyfer cryfder yn unig, pa enghraifft fyddech chi'n ei dewis ar gyfer y pin?

c) A oes angen i'r pin fod yn adweithiol?

d) Wrth edrych ar y golofn ar gyfer adweithedd yn unig, pa enghraifft fyddech chi'n ei dewis ar gyfer y pin?

e) A oes angen i'r pin fod yn rhad?

f) Wrth edrych ar y golofn ar gyfer cost yn unig, pa enghraifft fyddech chi'n ei dewis ar gyfer y pin?

g) A oes angen i'r pin fod yn galed?

h) Wrth edrych ar y golofn ar gyfer caledwch yn unig, pa enghraifft fyddech chi'n ei dewis ar gyfer y pin?

i) A oes angen i'r pin fod yn ddwys?

j) Wrth edrych ar y golofn ar gyfer dwysedd yn unig, pa enghraifft fyddech chi'n ei dewis ar gyfer y pin?

k) Ar ôl edrych ar yr holl wybodaeth eglurwch mor fanwl â phosib pa ddefnydd fyddech chi'n ei ddewis ar gyfer pin i'w osod mewn esgyrn wedi torri.

C2 Edrychwch ar y wybodaeth yn y tabl isod. Metelau yw R, S, T ac U. Eglurwch mor fanwl â phosib pa ddefnydd fyddai'r mwyaf addas ar gyfer adeiladu corff awyren.

Defnydd	Cryfder	Cost (£)	Dwysedd (g/cm³)	Ymdodd-bwynt (°C)
R	Uchel	100	3.0	1000
S	Canolig	90.0	9.0	150
T	Uchel	450	8.0	1200
U	Isel	200	11.0	1070

Adran Dau – Defnyddiau o'r Ddaear

Defnyddio Metelau

C3   Rhestrir nifer o briodweddau metelau yn y tabl isod.

Cwblhewch y tabl trwy roi dwy enghraifft addas, un eithriad ac un diben ar gyfer pob priodwedd. Mae un eisoes wedi ei wneud.

Priodwedd (Nodwedd)	Rhowch ddwy enghraifft	Rhowch eithriad i'r rheol (os yw'n bosib)	Ar gyfer beth mae'r priodwedd hwn yn ddefnyddiol
Mae metelau'n solid	Haearn Copr	Mercwri	Fe'u defnyddir wrth adeiladu
Mae metelau'n galed			
Mae metelau'n gryf (cryfder tynnol uchel)			
Mae metelau'n sgleiniog			
Mae metelau'n plygu			
Mae metelau'n wydn (anodd eu torri)			
Mae metelau fel arfer yn teimlo'n oer (dargludo gwres yn dda)			
Mae metelau'n dargludo trydan yn dda			
Mae metelau'n ddwys (yn drwm am eu maint)			
Mae rhai metelau'n fagnetig (cânt eu hatynnu at bolau magnetig)			
Mae metelau'n soniarus (creu sain tlws o'u taro)			
Mae metelau'n ehangu o'u gwresogi			
Mae metelau'n adweithio gyda'r ocsigen yn yr aer			
Mae metelau'n adweithio gydag asidau			

Gair i Gall: Y bond metelig sy'n gyfrifol am y rhan fwyaf o'r priodweddau hyn. Rhaid i chi sicrhau y medrwch restru pob un o'r priodweddau metelig hynny a dweud pam eu bod yn ddefnyddiol. Mae cwestiynau sy'n gofyn i chi ddewis metel ar gyfer diben arbennig yn gyffredin dros ben. Felly, dysgwch y priodweddau.

Adran Dau – Defnyddiau o'r Ddaear

Calchfaen

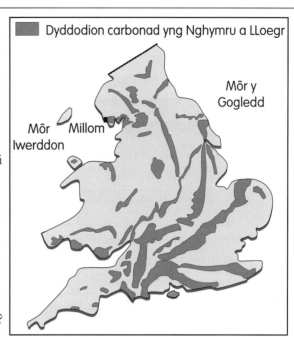

Dyddodion carbonad yng Nghymru a Lloegr

Môr y Gogledd

Môr Iwerddon   Millom

Atebwch y cwestiynau hyn am ffurfiad a dibenion calchfaen.

C1 Beth yw'r prif sylwedd mewn calchfaen?

C2 Pa fath o graig ydyw?

C3 Enwch ddwy graig arall sydd â chyfansoddiad tebyg i galchfaen.

C4 Enwch dair ardal ar y map sy'n cynnwys dyddodion carbonad.

C5 Sut y ffurfiodd calchfaen?

C6 Pam y caiff calchfaen ei ddefnyddio fel deunydd adeiladu?

C7 Pam y caiff calchfaen ei ddefnyddio fel carreg ffordd?

C8 Pa ddefnydd pwysig sy'n ffurfio wrth boethi calchfaen gyda thywod a sodiwm carbonad?

C9 Pa ddeunydd newydd sy'n ffurfio wrth wresogi calchfaen gyda chlai?

C10 Gellir cymysgu'r deunydd yng Nghwestiwn 9 gyda gro. Rhowch enw'r cymysgedd hwn ac un o'i ddibenion.

C11 Cymysgedd o galsiwm hydrocsid, tywod a dŵr yw morter. Wrth i'r dŵr sychu mae'r calsiwm hydrocsid yn adweithio gyda charbon deuocsid i ffurfio calsiwm carbonad.

Pa ddefnydd a wneir ohono?

C12 Defnyddir calchfaen wedi ei falu'n fân i niwtraleiddio pridd asidig. Sut mae'n niwtraleiddio'r pridd?

C13 Pam y bydd ffermwyr a garddwyr yn aml eisiau niwtraleiddio priddoedd?

C14 Bydd calsiwm hydrocsid yn ffurfio wrth ychwanegu dŵr at galsiwm ocsid.

Rhowch enw arall ar galsiwm hydrocsid.

C15 Defnyddir calsiwm hydrocsid i niwtraleiddio tir ffermio hefyd.

Pa fath o sylwedd yw calsiwm hydrocsid?

C16 Cwblhewch yr hafaliad:

Asid sylffwrig + Calsiwm carbonad → C_____ s_____ + D_____ + C_____ d_____
(o law asid)

C17 Pam y mae'r adwaith uchod yn niweidiol i adeiladau calchfaen?

C18 Defnyddir calchfaen yn y ffwrnais chwyth, a ddefnyddir i echdynnu metelau fel haearn.

Beth yw ei swydd yn y broses echdynnu hon?

Gair i Gall:
Calsiwm carbonad yn bennaf yw calchfaen. Rhaid i chi wybod sut caiff ei wneud yn galsiwm ocsid a chalsiwm hydrocsid, a sut y caiff y rhain eu defnyddio. Defnyddir calchfaen hefyd i ffurfio cynhyrchion mwy defnyddiol fyth megis sment a gwydr.

Adran Dau – Defnyddiau o'r Ddaear

Amonia a Gwrteithiau

C1 Pam y mae'r Broses Haber mor bwysig?

C2 Hydrogen a nitrogen yw'r ddau nwy a ddefnyddir yn y Broses Haber i wneud amonia.

a) O ble y daw'r nitrogen?

b) O ble y daw'r hydrogen?

C3 Edrychwch ar y diagram gyferbyn.

a) Pam y mae'r catalydd haearn ar hambyrddau mawr?

b) Pa effaith a gaiff hyn ar yr adwaith?

c) Beth yw swyddogaeth y cyddwysydd?

d) Pam y gwneir yr adwaith ar dymheredd o 450°C a gwasgedd o 200 atmosffer?

e) Ym mha fodd y byddai tymheredd isel iawn yn effeithio ar gyfradd yr adwaith?

f)
> Nitrogen + Hydrogen $\rightleftharpoons$ Amonia

i) Ysgrifennwch yr hafaliad hwn mewn symbolau a'i gydbwyso.

ii) Beth yw ystyr y symbol "$\rightleftharpoons$"?

g) Nid yw'r hydrogen a'r nitrogen i gyd sy'n mynd i mewn yn troi'n Amonia. Pam a sut y gwneir iawn am hyn?

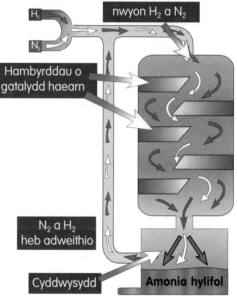

Gwasgedd 200 atmosffer
Tymheredd 450°C
Catalydd haearn

C4 Rhaid i'r broses o gynhyrchu amonia ar raddfa ddiwydiannol fod yn economaidd. Gellir dewis y tymheredd a'r gwasgedd i gael y cynnyrch mwyaf posib.

Eglurwch pam na wneir yr adwaith ar wasgedd uwch fyth er y byddai hynny'n cynyddu'r cynnyrch eto.

C5 Cwblhewch y paragraff canlynol trwy lenwi'r bylchau â'r geiriau coll o'r rhestr isod. Gellir defnyddio'r geiriau unwaith, mwy nag unwaith neu ddim o gwbl.

450	1000	amonia	moleciwl	hydrogen	nitrogen	atom
200	gwrteithiau	heb adweithio	Proses Haber	ailgylchu	gwasgedd	

Caiff _____ ei weithgynhyrchu yn y _____ _____ . Un o ddibenion amonia yw gwneud _____ . Daw'r nwyon _____ a _____ at ei gilydd o dan amodau arbennig o _____ °C a _____ o _____ atmosffer. Nid oes unrhyw wastraff – caiff unrhyw hydrogen neu amonia sydd _____ _____ eu _____ . Mae hydrogen a nitrogen yn cyfuno yn y gymhareb 3 _____ o _____ i 1 _____ o _____ .

C6 Wrth gynhyrchu amonia, bydd y cynnyrch yn cynyddu wrth gynyddu'r gwasgedd. Er hyn, ar wasgedd penodol, po isaf yw'r tymheredd yr uchaf yw'r cynnyrch.

a) Defnyddiwch y data o'r tabl gyferbyn i blotio graff o amrywiaeth y cynnyrch gyda'r gwasgedd, o gadw'r tymheredd ar 450°C.

b) Brasluniwch ail linell ar y graff i ddangos cynnyrch yr amonia y byddech chi'n ei ddisgwyl ar 350°C.

c) Pam na chaiff tymheredd is ei ddefnyddio wrth gynhyrchu amonia?

Gwasgedd yr adwaith ar 450°C (atm)	Cynnyrch yr amonia yn fras (% cyfaint)
100	10
200	25
300	40
400	45

Amonia a Gwrteithiau

C1 Dyma'r adwaith sy'n ffurfio amonia:

Nitrogen + Hydrogen $\rightleftharpoons$ Amonia

$$N_2 + 3H_2 \rightleftharpoons 2NH_3$$

a) Mae'r adwaith hwn yn ecsothermig. Beth yw ystyr hyn?

b) Beth fydd yn digwydd i gynnyrch yr amonia wrth gynyddu'r gwasgedd?

c) Bydd cynnyrch yr amonia yn lleihau wrth godi'r tymheredd, ond bydd cyfradd yr adwaith dipyn yn uwch. Pam?

d) Dewisir tymheredd uchel yn y broses ddiwydiannol er bod y cynnyrch yn is nag y medrai fod ar dymheredd is. Esboniwch pam y dewiswyd tymheredd mor uchel.

e) Byddai gwasgedd uchel yn rhoi cynnyrch uwch a chynnydd yng nghyfradd yr adwaith. Esboniwch y mynegiad hwn yn nhermau gronynnau, nwyon a'r theori gwrthdaro.

f) Haearn yw'r catalydd a ddefnyddir yn yr adwaith hwn. Pam y mae mor bwysig cael catalydd?

C2 Caiff amonia ei newid yn wrteithiau mewn tri phrif gam.
Yn gyntaf, rhaid newid yr amonia yn asid nitrig.

 Cam 1 $NH_{3(n)} + 5O_{2(n)} \xrightarrow{Pt} 4NO_{(n)} + H_2O_{(h)}$

a) Cydbwyswch yr hafaliad hwn ac enwch gynhyrchion yr adwaith.

b) Mae amonia yn adweithio gydag ocsigen fel y gwelir yn yr hafaliad uchod.
Pa amodau sydd eu hangen?

Cam 2 $NO_{(n)} + 3O_{2(n)} + H_2O_{(n)} \rightarrow HNO_{3(d)}$

c) Cydbwyswch yr hafaliad.

d) Enwch y cynnyrch a ffurfir o ganlyniad i'r adwaith hwn.

Cam 3   Yna rhaid trawsnewid asid nitrig yn amoniwm nitrad.

e) Pa fath o adwaith yw hwn?

f) Ysgrifennwch hafaliad geiriau a hafaliad symbolau cytbwys ar gyfer yr adwaith hwn.

g) Mae amoniwm nitrad yn wrtaith. Pa elfen yn yr amoniwm nitrad sy'n ddefnyddiol i blanhigion.

h) Pam y mae angen yr elfen hon ar blanhigion?

Gair i Gall: Rhaid i chi wybod pa ffactorau sy'n gwella cyfradd yr adwaith a'r cynnyrch. Peidiwch ag anghofio bod gwahanol ffactorau yn ffafrio'r cynnyrch a chyfradd yr adwaith, felly cyfaddawd yw'r amodau diwydiannol. Mae'r hafaliadau ar y dudalen hon braidd yn ddiflas ond mae angen i chi eu gwybod nhw i gyd.

Adran Dau – Defnyddiau o'r Ddaear

Amonia a Gwrteithiau

C3 Pe bai'r Broses Haber yn dod i ben a phe na wnaed cyfansoddion amonia, pa effaith fyddai hyn yn ei gael ar:

a) gynhyrchu gwrteithiau?

b) gynhyrchu cnydau?

C4 Mae cyfansoddion amonia yn gwneud gwrteithiau anorganig da.

Enwch wrtaith anorganig a nodwch sut y mae'n wahanol i wrteithiau organig.

C5 Cwblhewch y paragraff canlynol ynglŷn â chynhyrchu gwrteithiau gan ddefnyddio'r geiriau isod.

niwtraleiddio	amoniwm nitrad	ocsidio	oeri	gwrteithiau	nitrogen monocsid
ocsigen	asid nitrig	dŵr		asid nitrig	amonia

Caiff amonia ei _____ i roi asid nitrig. Yng ngham cyntaf cynhyrchu

_____, caiff _____ ei ffurfio ac mae angen ei

_____ cyn iddo fynd yn ei flaen at y cam nesaf. Mae'r nitrogen

monocsid yn adweithio gyda _____ ac _____ i ffurfio

_____ . Yna caiff yr _____ ei _____

gydag _____ i ffurfio'r gwrtaith _____.

C6 Pa un o briodweddau amoniwm nitrad sy'n ei wneud yn wrtaith defnyddiol?

Ym mha fodd y gall y priodwedd hwn fod yn broblem o bryd i'w gilydd?

C7 Mae nitradau yn hanfodol i blanhigion. Er hyn gall llawer ohono mewn nentydd achosi i algâu a phlanhigion dyfu allan o bob rheolaeth, a gall hyn newynu'r nant gan arwain at farwolaeth a phydredd.

a) Pa ficrobau sydd eu hangen er mwyn i bydru ddigwydd?

b) Pa elfen yn yr afon gaiff ei defnyddio yn y broses bydru, a sut y bydd hyn yn effeithio ar y pysgod?

c) Beth yw enw'r holl broses hon?

d) Yn eich geiriau eich hun, eglurwch pam y mae nitradau yn achosi i algâu a phlanhigion dyfu, a pham y gall hyn achosi marwolaeth.

e) Sut y gall ffermwyr atal hyn rhag digwydd?

Gair i Gall: Mae angen gwrteithiau i roi maetholynnau pwysig i blanhigion, yn enwedig cnydau bwyd. Peidiwch ag anghofio'r modd y gall gwrteithiau nitrad lygru dŵr a beth all ffermwyr ei wneud er mwyn lleihau'r broblem hon.

Adweithau Rhydocs

Atebwch y cwestiynau hyn ar Adweithiau Rhydocs:

C1 Disgrifiwch rydwythiad ac ocsidiad yn nhermau ennill a cholli ocsigen.

C2 Disgrifiwch rydwythiad ac ocsidiad yn nhermau ennill a cholli hydrogen.

C3 Disgrifiwch rydwythiad ac ocsidiad yn nhermau ennill a cholli electronau.

C4 Copïwch bob un o'r hafaliadau isod gan ychwanegu'r enwau a'r fformiwlâu cemegol.

Dyma lun bwch gafr i'ch diddanu rhag ofn i chi ddiflasu gyda'r gwaith!

Yna, gan ddefnyddio saethau, dangoswch y prosesau ocsidio a rhydwytho.

Rhydwytho

$$CuO + C \rightarrow Cu + CO_2$$
Copr ocsid + Carbon → Copr + Carbon deuocsid

Ocsidio

a) $CuO + H_2 \rightarrow Cu + H_2O$

b) $CuO + C \rightarrow Cu + CO$

c) $ZnO + CO \rightarrow Zn + CO_2$

d) $Fe_2O_3 + 3CO \rightarrow 2Fe + 3CO_2$

e) $MgO + 2Na \rightarrow Mg + Na_2O$

f) $ZnO + C \rightarrow Zn + CO$

g) $PbO_2 + 2CO \rightarrow Pb + 2CO_2$

h) $Pb_3O_4 + 4H_2 \rightarrow 4H_2O + 3Pb$

i) $Fe_3O_4 + 4CO \rightarrow 4CO_2 + 3Fe$

j) $CO_2 + C \rightarrow 2CO$

Gair i Gall: Dim ond adweithiau lle mae un peth yn rhoi electronau i rywbeth arall yw adweithiau RHYDwytho ac OCSidio. Ni ellir cael un heb y llall, ond gellir cael hafaliadau sydd ond yn dangos un – hafaliadau ïonig. Cofiwch mai OCSIDIO SY'N COLLI a RHYDWYTHO SY'N ENNILL – ac wrth gwrs sôn am electronau ydyn ni fan hyn nid ocsigen neu hydrogen.

Hafaliadau

C1   Cwblhewch yr hafaliadau geiriau canlynol:

a)	Haearn	+	sylffwr	→	
b)	Haearn	+	ocsigen	→	
c)	Magnesiwm	+	ocsigen	→	
d)	Sylffwr	+	ocsigen	→	
e)	Hydrogen	+	ocsigen	→	
f)	Magnesiwm	+	sylffwr	→	
g)	Alwminiwm	+	clorin	→	
h)	Hydrogen	+	ïodin	→	
i)	Carbon	+	ocsigen	→	
h)	Haearn	+	bromin	→	
k)	Potasiwm	+	clorin	→	
l)	Haearn	+	sylffwr	→	
m)	Plwm	+	ocsigen	→	
n)	Calsiwm	+	ocsigen	→	

C2   Ysgrifennwch yr hafaliadau symbolau canlynol mewn geiriau (nid ydynt wedi eu cydbwyso).

a) $CaCO_3$ → CaO + CO_2

b) MgO + $HCl_{(d)}$ → $MgCl_2$ + H_2O

c) SO_2 + O_2 → SO_3

d) Na_2CO_3 + $HNO_{3(d)}$ → $NaNO_3$ + H_2O + CO_2

e) N_2 + H_2 → NH_3

C3   Ysgrifennwch yr hafaliadau symbolau o dan yr hafaliadau geiriau:

a)   Carbon + ocsigen   →   carbon deuocsid

b)   Sinc + asid sylffwrig   →   sinc sylffad + hydrogen

c)   Copr + clorin   →   copr clorid

d)   Hydrogen + copr ocsid   →   copr + dŵr

e)   Magnesiwm + asid sylffwrig   →   magnesiwm sylffad + hydrogen

f)   Magnesiwm + copr sylffad   →   copr + magnesiwm sylffad

g)   Copr carbonad   →   copr ocsid + carbon deuocsid

h)   Potasiwm hydrocsid + asid hydroclorig   →   potasiwm clorid + dŵr

i)   Sodiwm hydrocsid + asid hydroclorig   →   sodiwm clorid + dŵr

j)   Calsiwm carbonad + asid sylffwrig   →   calsiwm sylffad + dŵr + carbon deuocsid

Hafaliadau

C1   Edrychwch ar yr hafaliad canlynol:

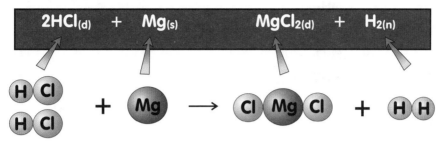

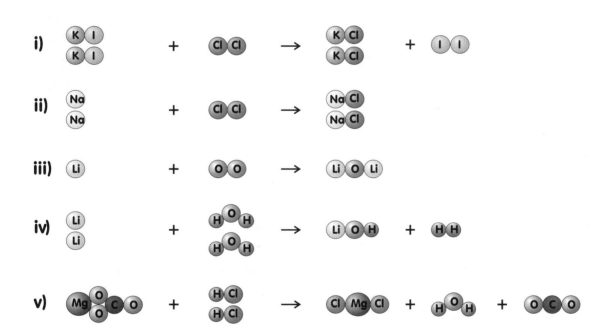

a) Beth yw ystyr y termau (n), (d) a (s)? Pa symbol tebyg arall allai gael ei ddefnyddio?

b) Beth yw ystyr y 2 o flaen yr HCl?

c) Pam mai $MgCl_2$ ac nid MgCl sy'n gywir?

d) Pam mai H_2 ac nid H ar ei ben ei hun sy'n gywir?

e) Ysgrifennwch yr hafaliadau symbolau o dan yr hafaliadau lluniau a'u cydbwyso:

i)

ii)

iii)

iv)

v)

C2   Ysgrifennwch yr hafaliadau isod allan a'u cydbwyso.

a) $CaCO_3$			→	CaO	+	CO_2	
b) MgO	+	HCl	→	$MgCl_2$	+	H_2O	
c) SO_2	+	O_2	→	SO_3			
d) Na_2CO_3	+	HNO_3	→	$NaNO_3$	+	H_2O	+ CO_2
e) N_2	+	H_2	→	NH_3			

Gair i Gall: Wedi i chi wirio pob elfen ewch yn ôl i'w gwirio eto. Gwnewch hyn drosodd a thro hyd nes na fydd angen newid dim – yna byddwch chi'n gwybod bod pob dim yn gywir. Beth bynnag wnewch chi, peidiwch â newid y rhifau o fewn y fformiwlâu – byddai hynny'n newid yr adwaith yn llwyr.

Hafaliadau

C1 Cydbwyswch yr hafaliadau canlynol trwy roi'r rhifau cywir cyn y fformiwlâu.

a) N_2 + H_2 → NH_3

b) $CaCO_3$ + H_2SO_4 → $CaSO_4$ + H_2O + CO_2

c) H_2 + O_2 → H_2O

d) Mg + O_2 → MgO

e) Ca + O_2 → CaO

f) H_2 + I_2 → HI

Dyma ragor...

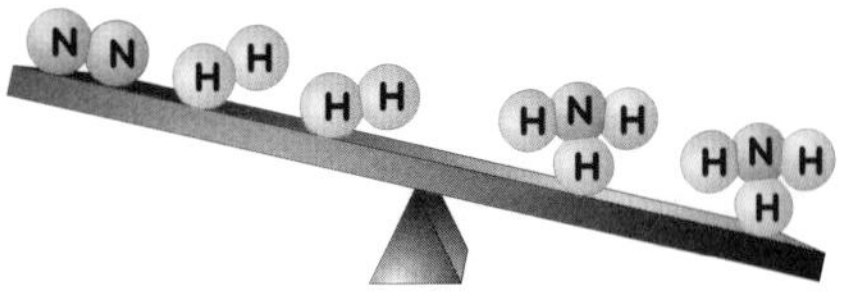

g) Mg + H_2SO_4 → $MgSO_4$ + H_2

h) H_2SO_4 + $NaOH$ → Na_2SO_4 + H_2O

i) Ca + H_2SO_4 → $CaSO_4$ + H_2

j) H_2SO_4 + KOH → K_2SO_4 + H_2O

k) HCl + MgO → $MgCl_2$ + H_2O

l) CH_4 + O_2 → CO_2 + H_2O

m) H_2 + NO → H_2O + N_2

n) HCl + $Ca(OH)_2$ → $CaCl_2$ + H_2O

A rhagor eto...

o) Fe_2O_3 + CO → Fe + CO_2

p) $C_6H_{12}O_6$ + O_2 → CO_2 + H_2O

q) CO_2 + H_2O → $C_6H_{12}O_6$ + O_2

r) C_4H_{10} + O_2 → CO_2 + H_2O

s) C_2H_4 + O_2 → CO_2 + H_2O

t) C_3H_8 + O_2 → CO_2 + H_2O

u) C_5H_{12} + O_2 → CO_2 + H_2O

v) C_3H_6 + O_2 → CO_2 + H_2O

w) C_2H_6 + O_2 → CO_2 + H_2O

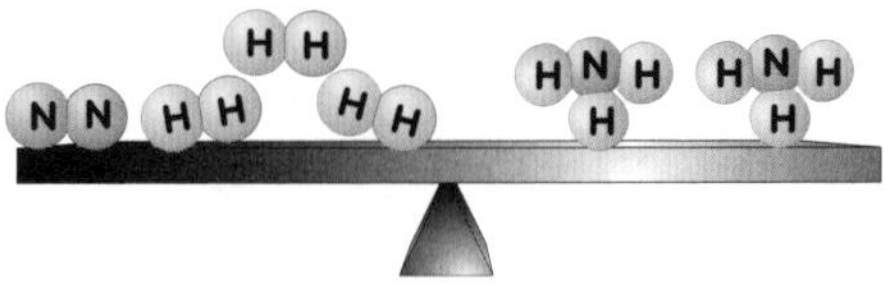

C2 Ticiwch yr hafaliadau canlynol os ydynt wedi eu cydbwyso. Os nad ydynt yn gytbwys cywirwch nhw.

a) $4NH_{3(n)}$ + $5O_2$ → $NO_{(n)}$ + $H_2O_{(h)}$

b) $HCl_{(d)}$ + $NaOH_{(d)}$ → $NaCl_{(d)}$ + $H_2O_{(d)}$

c) $Na_{(s)}$ + $H_2O_{(h)}$ → $2NaOH_{(d)}$ + $H_{2(n)}$

d) $KI_{(d)}$ + $Cl_{2(n)}$ → $2KCl_{(d)}$ + $I_{2(d)}$

e) $Al_{(s)}$ + $Cl_{2(n)}$ → $2AlCl_{3(s)}$

f) $CaCO_{3(s)}$ + $HCl_{(d)}$ → $CaCl_{2(d)}$ + $H_2O_{(h)}$ + $CO_{2(n)}$

g) $ZnO_{(s)}$ + $C_{(s)}$ → $Zn_{(s)}$ + $CO_{2(n)}$

h) $CuCO_{3(s)}$ → $CuO_{(s)}$ + $CO_{2(n)}$

i) $CuO_{(s)}$ + $CH_{4(n)}$ → $Cu_{(s)}$ + $CO_{2(n)}$ + $H_2O_{(h)}$

% Elfen Mewn Cyfansoddyn

$$\% \text{ Màs elfen mewn cyfansoddyn} = \frac{A_r \times \text{Nifer atomau (yr elfen honno)}}{M_r \text{ (y cyfansoddyn cyfan)}} \times 100$$

Dyma enghraifft sydd wedi ei gwneud i chi:

Darganfyddwch % y sodiwm yn Na_2SO_4

$$\% \text{ Na} = \frac{A_r \times n}{M_r} \times 100 = \frac{23 \times 2}{142} \times 100$$
$$= \underline{32.4\%}$$

(Cofiwch A_r = Màs Atomig Cymharol; M_r = Màs Moleciwlaidd Cymharol)

Defnyddiwch y Tabl Cyfnodol ar ddechrau'r llyfr i ateb y canlynol:

Ar gyfer y cyfansoddion syml hyn, darganfyddwch:

C1   % y carbon yn CO_2

C2   % y carbon yn CO

C3   % y potasiwm yn KCl

C4   % y sodiwm yn NaF

C5   % y copr yn CuO

C6   % y sylffwr yn SO_2

C7   % yr ocsigen yn SO_2

C8   % y sylffwr yn SO_3

C9   % yr ocsigen yn SO_3

C10 % yr hydrogen yn H_2O

Ar gyfer y cyfansoddion syml hyn, darganfyddwch:

C11 % y nitrogen yn NH_3

C12 % y sodiwm yn $NaOH$

C13 % y dŵr yn $CuSO_4.5H_2O$

C14 % yr alwminiwm yn Al_2O_3

C15 % y copr yn $CuCO_3$

C16 % y copr yn $CuSO_4$

C17 % y potasiwm yn KNO_3

C18 % y ffosfforws yn $(NH_4)_3PO_4$

C19 % y nitrogen yn NH_4NO_3

C20 % y nitrogen yn $(NH_4)_2SO_4$

C21   Pa un sydd â'r gyfran uchaf o garbon?   a) CH_4 b) C_6H_6 c) C_2H_5OH

Dangoswch sut y gwnaethoch chi gyfrifo'r ateb.

C22   Pa un sydd â'r gyfran uchaf o alwminiwm?   a) Al_2O_3 b) Na_3AlF_6

C23   Ym mha un o'r mwynau haearn hyn y ceir y mwyaf o haearn yn ôl canran màs?

   a) siderit ($FeCO_3$)   b) haematit (Fe_2O_3)   c) magnetit (Fe_3O_4)   d) haearn pyrit (FeS_2)

C24   Cyfrifwch gyfran y metel yn: a) $NaCl$ b) $MgCO_3$ c) Zn d) KOH

C25   Mae gan haemoglobin fàs molar o oddeutu 33939g.
       Os oes dau atom haearn ym mhob moleciwl, pa ganran o'r moleciwl sy'n haearn?

Gair i Gall: Gall hyn ymddangos ychydig yn gymhleth, ond yr un dechneg a ddefnyddir bob tro – felly wedi i chi ei ddysgu, bydd y cyfan yn hawdd. Dysgwch rai o'r masau atomig cyffredin er mwyn cyflymu'r broses ychydig – a defnyddiwch yr amser ychwanegol i wirio'r atebion – mae'n hawdd gwneud camgymeriadau.

Fformiwlâu Empirig

Er mwyn darganfod fformiwla empirig cyfansoddyn yn gyntaf rhaid darganfod faint o bob elfen sydd ynddo, ac yna cyfrifo'r gymhareb rhif cyfan mwyaf syml ar gyfer y meintiau hynny. Edrychwch ar yr enghraifft isod.

Mae cyfansoddyn yn cynnwys 75% carbon a 25% hydrogen. Beth yw ei fformiwla empirig?

Tybiwch fod y sampl yn pwyso 100g ☞

Bydd hwn yn ei newid yn gymhareb syml ar gyfer y fformiwla ☞

Elfen	Carbon	Hydrogen
% yr Elfen	= 75	= 25
Màs (g)	= 75	= 25
Rhannwch gyda'r A_r ar gyfer pob elfen	$= \dfrac{75}{12} = 6.25$	$= \dfrac{25}{1} = 25$
$\dfrac{\text{Maint}}{\text{Maint lleiaf}}$	$= \dfrac{6.25}{6.25}$	$= \dfrac{25}{6.25}$
Cymhareb y meintiau =	1 : 4	

C_1H_4 neu'n hytrach $\boxed{CH_4}$

Atebwch y cwestiynau dwy elfen hyn:

C1 Mae hydrocarbon yn cynnwys 80% carbon a 20% hydrogen. Darganfyddwch ei fformiwla empirig.

C2 Mae cyfansoddyn yn cynnwys 82% nitrogen a 18% hydrogen. Darganfyddwch ei fformiwla empirig.

C3 Mae ocsid carbon yn cynnwys 27% carbon. Darganfyddwch ei fformiwla empirig.

C4 Mae ocsid sylffwr yn cynnwys 40% sylffwr. Darganfyddwch ei fformiwla empirig.

C5 Mae fflworspar wedi ei wneud o galsiwm a fflworin. Os yw 51% ohono'n galsiwm, cyfrifwch y fformiwla empirig.

C6 Mae magnetit yn fwyn ocsid haearn. Os yw 72% ohono'n haearn, beth yw ei fformiwla empirig?

Atebwch y cwestiynau tair elfen hyn:

C7 Mae cryolit yn fwyn alwminiwm a ddefnyddir wrth echdynnu alwminiwm o focsit. Mae'n cynnwys 33% sodiwm, 13% alwminiwm a 54% fflworin.

Cyfrifwch ei fformiwla empirig.

C8 Gwrtaith amoniwm yw nitram sy'n cynnwys 35% nitrogen, 5% hydrogen a 60% ocsigen.

Cyfrifwch ei fformiwla empirig.

C9 Halwyn potasiwm yw solpitar sy'n cynnwys 13.9% nitrogen, 38.6% potasiwm a 47.5% ocsigen.

Cyfrifwch ei fformiwla empirig.

C10 Alcali cryf sy'n cynnwys sodiwm yw soda brwd. Mae'n cynnwys 40.0% ocsigen, 57.5% sodiwm a 2.5% hydrogen.

Cyfrifwch ei fformiwla empirig.

Fformiwlâu Empirig

Defnyddir % yr elfen sydd mewn cyfansoddyn yn y dull a ddefnyddir ar Dudalen 45 – ond gellir defnyddio'r un dull os yw màs yr elfen yn hysbys. Dyma enghraifft:

Cyfrifwch fformiwla empirig cyfansoddyn a wnaed trwy gyfuno 1.92 g o fagnesiwm gyda 5.68 g o glorin.

	Magnesiwm	**Clorin**
Màs (g)	= 1.92	= 5.68
Màs Molar (g)	= 24	= 35.5
Rhannwch gyda'r A_r ar gyfer pob elfen	$= \dfrac{1.92}{24} = 0.08$	$= \dfrac{5.68}{35.5} = 0.16$
$\dfrac{\textbf{Maint}}{\textbf{Maint lleiaf}}$	$= \dfrac{0.08}{0.08} = 1$	$= \dfrac{0.16}{0.08} = 2$
Cymhareb y meintiau =	1	: 2

Mg_1Cl_2 neu'n hytrach $\boxed{MgCl_2}$

Defnyddiwch yr enghraifft i'ch helpu i ateb y cwestiynau dwy elfen hyn:

C1   Caiff 2.70g o alwminiwm ei gyfuno gyda 10.65g o glorin.
Beth yw fformiwla empirig y cyfansoddyn newydd?

C2   Caiff 1.68g o haearn ei gyfuno gyda 0.48g o ocsigen.
Beth yw fformiwla empirig y cyfansoddyn newydd?

C3   Gwresogwyd 1.6g o sylffwr mewn ocsigen. Cynyddodd y màs i 4.0g. Beth yw enw'r ocsid sylffwr hwn? Dangoswch sut y canfuwyd hyn trwy gyfrifo ei fformiwla empirig.

C4   Mae 190.5g o gopr yn adweithio gyda 48g o ocsigen. Cyfrifwch y fformiwla empirig.

C5   Darganfuwyd bod sampl o blwm clorid yn cynnwys 82.2g o blwm a 28.4g o glorin.
Beth yw ei fformiwla empirig?

C6   Gwresogwyd 0.48g o fagnesiwm yn gryf mewn crwsibl nes iddo adweithio'n llwyr gyda'r ocsigen yn yr aer. Roedd gan y cyfansoddyn newydd fàs o 0.80g.

a) Enwch y cyfansoddyn newydd.

b) Cyfrifwch fàs yr ocsigen a ychwanegwyd at y magnesiwm.

c) Cyfrifwch y fformiwla empirig.

Defnyddiwch yr enghraifft i'ch helpu i ateb y cwestiynau tair elfen hyn:

C7   Mae 1.48g o gyfansoddyn calsiwm yn cynnwys 0.8g o galsiwm, 0.64g o ocsigen a 0.04g o hydrogen. Cyfrifwch y fformiwla empirig ac enwch y cyfansoddyn.

C8   Mae grisialau copr sylffad yn cynnwys dŵr grisialu (dŵr yn ei adeiledd grisialog) ac mae ganddo'r fformiwla $CuSO_4.xH_2O$, lle mae x yn rhif. Darganfuwyd bod sampl o 49.9g o gopr sylffad yn cynnwys 18g o ddŵr grisialu. Cyfrifwch x.

Gair i Gall: Nid yw fformiwlâu empirig yr un peth â fformiwlâu iawn (moleciwlaidd) – rhaid i chi ganslo'r rhifau hynny. Felly fformiwla foleciwlaidd ethen yw C_2H_4 ond CH_2 yw ei fformiwla empirig – rydych chi'n ysgrifennu cymhareb nifer y molau yn ei ffurf symlaf.

<u>Màs Fformiwla Cymharol</u>

Mae rhai meysydd llafur yn gofyn: *"Darganfyddwch fàs un môl o...."*

ac eraill yn gofyn: *"Darganfyddwch Fàs Fformiwla Cymharol...."*

...Mae'r ddau yn golygu'r un peth (ond bod gan y cyntaf gramau ar ei ôl).

Edrychwch ar yr enghraifft hon o gwestiwn ynglŷn ag elfennau:

Cwestiwn Enghreifftiol:

Darganfyddwch fàs atomig cymharol sinc (sydd yr un fath â gofyn ..."Darganfyddwch Fàs Un Môl o Sinc")

Edrychwch ar y tabl cyfnodol (tu blaen y llyfr) am fàs atomig cymharol sinc, sef 65.

(Ychwanegwch "g" am gramau os gofynnir am fôl.)

<u>**Ateb**</u> = <u>**65**</u>

Darganfyddwch fàs atomig cymharol...

C1	calsiwm (Ca)	C11	bromin	
C2	sodiwm (Na)	C12	argon	
C3	haearn (Fe)	C13	titaniwm	
C4	copr (Cu)	C14	alwminiwm	
C5	nitrogen (N)	C15	aur	
C6	carbon (C)	C16	arian	
C7	hydrogen (H)	C17	twngsten	
C8	clorin(Cl)	C18	cesiwm	
C9	potasiwm (K)	C19	mercwri	
C10	lithiwm (Li)	C20	plwm	

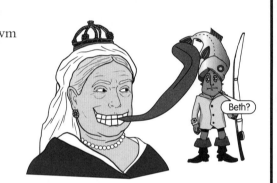

Beth?

Edrychwch ar yr enghraifft hon o gwestiwn ynglŷn â moleciwlau:

Cwestiwn Enghreifftiol:

Darganfyddwch fàs fformiwla cymharol sinc ocsid (sydd yr un fath â gofyn ... "Darganfyddwch Fàs Un Môl o Sinc ocsid")

Edrychwch ar y tabl cyfnodol (tu blaen y llyfr) am fasau atomig cymharol sinc ac ocsigen (65 ac 16), a'u hadio.

(Ychwanegwch "g" am gramau os gofynnir am fôl.)

Fformiwla sinc ocsid yw ZnO, ac mae'n cynnwys

$$= (1 \times Zn) + (1 \times O)$$
$$= (1 \times 65) + (1 \times 16)$$
$$= \quad 65 \quad + \quad 16$$
$$= \quad \underline{81}$$

Darganfyddwch Fàs Fformiwla Cymharol ...

C21	moleciwlau hydrogen (H_2)	C25	moleciwlau bromin (Br_2)	
C22	moleciwlau ocsigen (O_2)	C26	moleciwlau nitrogen (N_2)	
C23	moleciwlau clorin (Cl_2)	C27	moleciwlau fflworin (F_2)	
C24	moleciwlau ïodin (I_2)	C28	astatin (At_2)	

Màs Fformiwla Cymharol

Cyfrifwch fàs fformiwla cymharol y cyfansoddion canlynol....

C1	copr ocsid (CuO)		C6	sodiwm clorid (NaCl)
C2	magnesiwm ocsid (MgO)		C7	potasiwm bromid (KBr)
C3	potasiwm ïodid (KI)		C8	carbon monocsid (CO)
C4	potasiwm clorid (KCl)		C9	sodiwm bromid (NaBr)
C5	hydrogen clorid (HCl)		C10	lithiwm ïodid (LiI)

Cyfrifwch fàs fformiwla cymharol y cyfansoddion mwy cymhleth hyn.

C11	copr sylffad ($CuSO_4$)		C21	sylffwr deuocsid (SO_2)
C12	carbon deuocsid (CO_2)		C22	copr carbonad ($CuCO_3$)
C13	dŵr (H_2O)		C23	sinc clorid ($ZnCl_2$)
C14	methan (CH_4)		C24	ethan (C_2H_6)
C15	amonia (NH_3)		C25	bariwm sylffad ($BaSO_4$)
C16	calsiwm clorid ($CaCl_2$)		C26	asid nitrig (HNO_3)
C17	ethen (C_2H_4)		C27	plwm ïodid (PbI_2)
C18	magnesiwm clorid ($MgCl_2$)		C28	asid sylffwrig (H_2SO_4)
C19	alwminiwm clorid ($AlCl_3$)		C29	alwminiwm ocsid (Al_2O_3)
C20	alwminiwm ïodid (AlI_3)		C30	potasiwm nitrad (KNO_3)

Ac yn olaf, y cyfansoddion hyn sy'n ffiaidd o gymhleth.

C31	calsiwm carbonad ($CaCO_3$)		C41	amoniwm hydrocsid (NH_4OH)
C32	sodiwm carbonad (Na_2CO_3)		C42	amoniwm nitrad (NH_4NO_3)
C33	alwminiwm hydrocsid ($Al(OH)_3$)		C43	amoniwm sylffad (($NH_4)_2SO_4$)
C34	glwcos ($C_6H_{12}O_6$)		C44	amoniwm ffosffad (($NH_4)_3PO_4$)
C35	potasiwm manganad (VII) ($KMnO_4$)		C45	calsiwm hydrocsid ($Ca(OH)_2$)
C36	sodiwm sylffad (Na_2SO_4)		C46	alwminiwm sylffad ($Al_2(SO_4)_3$)
C37	tetracloromethan (CCl_4)		C47	copr nitrad ($Cu(NO_3)_2$)
C38	asid citrig ($C_6H_8O_7$)		C48	plwm nitrad ($Pb(NO_3)_2$)
C39	asid ethanoig ($C_2H_4O_2$)		C49	calsiwm nitrad ($Ca(NO_3)_2$)
C40	sodiwm hydrogen sylffad ($NaHSO_4$)		C50	potasiwm deucromad ($K_2Cr_3O_7$)

Gair i Gall: Yr holl wahanol dermau yw'r peth anoddaf – màs molar, màs fformiwla cymharol, màs un môl. Rydych chi'n eu cyfrifo nhw i gyd yn yr un modd – cofiwch os yw rhywbeth yn gymharol yna caiff ei gymharu gyda rhywbeth arall, felly rhif yn unig (cymhareb) ydyw – does dim angen gramau ar ei ôl.

Adran Tri – Hafaliadau

Masau a Molau

Edrychwch ar yr enghraifft hon sy'n dangos sut i gyfrifo'r màs o nifer y molau:

Màs y sylwedd = nifer y molau x màs 1 môl

Sydd yr un fath â dweud ...

Màs = nifer y molau x Màs Fformiwla Cymharol

$$m = n \times M_r$$

Enghraifft | **Beth yw màs 2 fôl o garbon?**

m	=	n	x	M_r
	=	2	x	12
	=	24g		

Defnyddiwch y Tabl Cyfnodol ar du blaen y llyfr i ateb y cwestiynau hyn:

C1 Beth yw màs...?

a) 1 môl o atomau carbon

b) 2 fôl o atomau sodiwm

c) 2 fôl o atomau alwminiwm

d) 3 môl o atomau lithiwm

e) 10 môl o atomau ïodin

f) 1 môl o foleciwlau ocsigen

g) 2 fôl o foleciwlau clorin

h) 1 môl o foleciwlau nitrogen

i) 0.5 môl o foleciwlau nitrogen

j) 0.1 môl o foleciwlau carbon

C2 Beth yw màs ...?

a) 1 môl o garbon deuocsid (CO_2)

b) 5 môl o garbon deuocsid (CO_2)

c) 3 môl o ddŵr (H_2O)

d) 2 fôl o sylffwr triocsid (SO_3)

e) 3 môl o asid nitrig (HNO_3)

f) 10 môl o asid hydroclorig (HCl)

g) 100 môl o asid sylffwrig (H_2SO_4)

h) 50 môl o sodiwm hydrocsid (NaOH)

i) 30 môl o galsiwm ocsid (CaO)

j) 25 môl o sodiwm clorid (NaCl)

C3 Beth yw màs ...?

a) 0.1 môl o gopr ocsid (CuO)

b) 0.1 môl o galsiwm carbonad ($CaCO_3$)

c) 0.01 môl o asid sylffwrig (H_2SO_4)

d) 0.2 môl o galsiwm clorid ($CaCl_2$)

e) 0.25 môl o sodiwm carbonad (Na_2CO_3)

f) 0.05 môl o sodiwm hydrocsid (NaOH)

g) 0.58 môl o alwminiwm ocsid (Al_2O_3)

h) 0.1 môl o asid propanoig (C_2H_5COOH)

i) 0.5 môl o botasiwm manganad (VII) ($KMnO_4$)

j) 0.25 môl o Fagnesiwm Sylffad Hydradol ($MgSO_4.7H_2O$)

Masau a Molau

Enghraifft arall i'w darllen. Y tro yma cyfrifo nifer y molau o fâs hysbys.

> **Nifer y molau** $= \dfrac{\text{màs y sylwedd}}{\text{màs 1 môl o'r sylwedd}}$
>
> $n = \dfrac{m}{M_r}$

Enghraifft

Sawl môl sydd mewn 88g o CO_2?

màs 1 môl

$$n = \frac{88}{44}$$

$$= \underline{2\ \text{fôl}}$$

C1   Sawl môl sydd mewn ...?

a) 2g o atomau heliwm

b) 6g o atomau carbon

c) 16g o atomau heliwm

d) 4g o atomau sylffwr

e) 4g o atomau hydrogen

f) 4g o foleciwlau ocsigen

g) 213g o foleciwlau clorin

h) 254g o foleciwlau ïodin

i) 0.8g o foleciwlau ocsigen

j) 0.56g o foleciwlau nitrogen

C2   Sawl môl sydd mewn ...?

a) 88g o garbon deuocsid (CO_2)

b) 3.1g o sylffwr deuocsid (SO_2)

c) 73g o hydrogen clorid (HCl)

d) 4g o sodiwm hydrocsid (NaOH)

e) 560g o botasiwm hydrocsid (KOH)

f) 392g o asid sylffwrig (H_2SO_4)

g) 120g o fagnesiwm ocsid (MgO)

h) 4g o gopr ocsid (CuO)

i) 2.8g o garbon monocsid (CO)

j) 170g o amonia (NH_3)

C3   Sawl môl sydd mewn ...?

a) 15.8g o botasiwm manganad (VII) ($KMnO_4$)

b) 40.5g o sinc ocsid (ZnO)

c) 1.6g o fromin (Br_2)

d) 5.6g o galsiwm ocsid (CaO)

e) 37g o galsiwm hydrocsid ($Ca(OH)_2$)

f) 47.3g o sodiwm sylffad (Na_2SO_4)

g) 0.78g o alwminiwm hydrocsid ($Al(OH)_3$)

h) 8g o amoniwm nitrad (NH_4NO_3)

i) 298g o amoniwm ffosffad (($NH_4)_3PO_4$)

j) 0.92g o ethanol (C_2H_5OH)

Gair i Gall: Rhaid i chi fedru amnewid rhwng màs a molau – felly bydd angen y triongl fformiwla arnoch. Sicrhewch eich bod chi wir yn ei ddeall ac fe fydd dipyn yn haws i'w gofio.

Cyfrifiadau Meintiau Adweithio

Defnyddiwch yr hafaliadau i ateb y cwestiynau hyn:

C1 Cyfrifwch fàs yr haearn sylffid a gynhyrchir wrth i 5.6g o haearn adweithio'n llwyr gyda gormodedd o sylffwr.

$$Fe + S \rightarrow FeS$$

C2 Cyfrifwch fàs yr haearn sylffid a gynhyrchir wrth i 320g o sylffwr adweithio gyda gormodedd o haearn.

C3 Cyfrifwch fàs yr haearn sydd ei angen i gynhyrchu 8.8g o haearn sylffid trwy adweithio haearn gyda sylffwr.

C4 Pa fàs o fagnesiwm ocsid a gynhyrchir wrth ocsidio 48g o fagnesiwm mewn aer?

$$2Mg + O_2 \rightarrow 2MgO$$

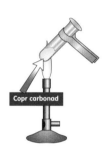

C5 Cyfrifwch fàs y carbon deuocsid a ryddheir wrth i 20g o galsiwm carbonad ddadelfennu o'i wresogi.

Calsiwm carbonad

$$CaCO_3 \rightarrow CaO + CO_2$$

C6 Pa fàs o galsiwm carbonad sydd ei angen i gynhyrchu 560g o galsiwm ocsid?

C7 Mae copr carbonad yn dadelfennu wrth boethi i ffurfio copr ocsid. Pa fàs o gopr carbonad sydd ei angen i gynhyrchu 8g o gopr ocsid?

Copr carbonad

C8 Faint o garbon fyddai ei angen i gynhyrchu 8.8g o garbon deuocsid?

$$C + O_2 \rightarrow CO_2$$

Atebwch y cwestiynau diwydiannol hyn:

C9 Pa fàs o haearn a gynhyrchir gan 160 tunnell o haearn(III) ocsid?

$$Fe_2O_3 + 3CO \rightarrow 2Fe + 3CO_2$$

Mwyn haearn, golosg a chalchfaen
1500°C
AER POETH
Haearn tawdd   Slag tawdd

C10 Gweithgynhyrchir amonia trwy'r Broses Haber, sy'n cynnwys yr adwaith canlynol rhwng nitrogen a hydrogen:

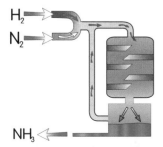
H₂
N₂
NH₃

$$N_2 + 3H_2 \rightarrow 2NH_3$$

Pa fàs o **a)** nitrogen
b) hydrogen
... fyddai ei angen i gynhyrchu 340g o amonia?

Cyfrifiadau Meintiau Adweithio

C1 Pa un sy'n cynnwys y nifer mwyaf o atomau:

230g o sodiwm neu 230g o botasiwm?

C2 Pa un sy'n cynnwys y nifer lleiaf o atomau:

5g o nwy hydrogen neu 10g o heliwm?

C3 Pa fâs o nwy nitrogen sy'n cynnwys yr un nifer o ronynnau â 320g o nwy ocsigen?

C4 Faint o $CuSO_4$ anhydrus a gynhyrchir wrth wresogi copr sylffad hydradol ($CuSO_4.5H_2O$) yn dyner?

C5 Faint o alwminiwm ocsid fyddai ei angen er mwyn cynhyrchu'r meintiau canlynol o alwminiwm?

a) 1kg **b)** 2kg **c)** 4.5kg **ch)** 1 dunnell (1 dunnell = 1000kg)

$$2Al_2O_3 \rightarrow 4Al + 3O_2$$

C6 Gellir paratoi potasiwm clorid trwy niwtraleiddio asid hydroclorig gyda photasiwm hydrocsid.

i) Nodwch fâs un môl o botasiwm hydrocsid (KOH).

ii) Pa fâs o botasiwm clorid (KCl) a gynhyrchir wrth i un môl o botasiwm hydrocsid adweithio'n llwyr gydag asid hydroclorig?

$$HCl + KOH \rightarrow KCl + NaOH$$

C7 Gellir rhydwytho copr ocsid yn gopr wrth ddefnyddio methan.

Faint o gopr ocsid fyddai ei angen i gynhyrchu 19.2g o gopr?

$$4CuO + CH_4 \rightarrow 4Cu + CO_2 + 2H_2O$$

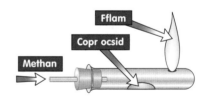

C8 Faint o galsiwm ocsid a gynhyrchir wrth wresogi 25 tunnell o galsiwm carbonad?

$$CaCO_3 \rightarrow CaO + CO_2$$

C9 Pa fâs o ddŵr a gynhyrchir wrth losgi 15kg o fwtan yn llwyr?

$$2C_4H_{10} + 13O_2 \rightarrow 8CO_2 + 10H_2O$$

Gair i Gall: Dim ond cyfrifiadau môl mewn gwisg ffansi yw'r rhain – ond maent yn gwestiynau arholiad nodweddiadol. Rhaid i chi edrych ar yr hafaliad cyfan yn lle un fformiwla yn unig – ond mae'r dull yr un peth yn y bôn. Cofiwch wrth gwrs, yn ymarferol chewch chi byth gymaint o gynnyrch ag y cyfrifwyd yma – bydd ychydig yn dal heb adweithio o hyd. Hynny yw, bydd y cynnyrch yn llai na 100%.

Cyfrifo Cyfeintiau

Er mwyn ateb y cwestiynau hyn rhaid i chi wybod bod màs M_r unrhyw nwy, mewn gramau, o hyd yn llenwi 24 litr (sef 24,000 cm³) ar dymheredd a gwasgedd ystafell (TGY).

TGY yw ...
25°C
gwasgedd 1 atmosffer

Os gofynnir i chi newid màs nwy yn gyfaint nwy, yn gyntaf bydd yn rhaid i chi fedru newid y màs yn folau – neu gofio'r hafaliad hwn:

$$\frac{\text{Cyfaint nwy (mewn cm}^3)}{24,000} = \frac{\text{Màs y nwy}}{M_r \text{ y nwy}}$$

Edrychwch ar yr enghraifft hon:

Beth yw cyfaint 0.2g o H_2?

$$\frac{\text{Cyf. y nwy}}{24,000} = \frac{0.2}{2} \qquad \text{Cyf. y nwy} = \frac{0.2 \times 24,000}{2} = 2,400 \text{ cm}^3$$

C1   Cyfrifwch gyfaint y canlynol ar TGY:

a) 8g o heliwm (He) mewn litrau

b) 4g o argon (Ar) mewn litrau

c) 8.4g o grypton (Kr) mewn litrau

d) 2.6g o senon (Xe) mewn cm³

e) 32g o ocsigen (O_2) mewn cm³

f) 7.1g o glorin (Cl_2) mewn cm³

C2   Cyfrifwch gyfaint y canlynol ar TGY:

a) 11g o CO_2 mewn litrau

b) 40g o CH_4 mewn litrau

c) 8g o SO_3 mewn cm³

d) 25.5g o NH_3 mewn cm³

e) 131.75g o CH_3NH_2 mewn cm³
   (wn i ddim os yw hwn yn nwy ar TGY, ond rwy'n hoff o'r fformiwla!)

Cyfrifo Cyfeintiau

Os yw'r cwestiwn yn rhoi'r cyfaint ac yn gofyn am y màs, mae'n bosib ei gyfrifo gyda'r hafaliad ar ben y dudalen flaenorol. Ceisiwch ymarfer gyda'r rhain.

C3 Cyfrifwch fàs y cyfeintiau canlynol o nwy (ar TGY):

a) 24 litr o He

b) 3 litr o He

c) 18 litr o O_2

d) 2000 cm³ o O_3

e) 3000 cm³ o H_2

C4 Cyfrifwch fàs y cyfeintiau canlynol o nwy (ar TGY):

a) 24 litr o C_2H_4

b) 30 litr o NH_3

c) 6200 cm³ o SO_2

d) 9600 cm³ o CH_3NH_2
   (dal ddim yn siŵr os yw hwn yn nwy ar TGY, ond yn dal i fod yn hoff o'r fformiwla!)

C5 Ystyriwch yr hafaliad:

$$Mg + H_2SO_4 \rightarrow MgSO_4 + H_2$$

a) Cyfrifwch fàs yr hydrogen a gynhyrchir wrth i 2.4g o fagnesiwm adweithio'n llwyr gyda'r asid.

b) Cyfrifwch gyfaint yr hydrogen a gynhyrchir ar TGY yn rhan **a)**.

c) Cyfrifwch fàs y magnesiwm sydd ei angen i gynhyrchu 4g o hydrogen.

d) Cyfrifwch gyfaint 4g o hydrogen.

e) Cyfrifwch fàs y magnesiwm sydd ei angen i gynhyrchu 1,200cm³ o hydrogen.

Gair i Gall: Nid yw'r cyfaint yn dibynnu ar y math o nwy. Bydd tymheredd a gwasgedd yn effeithio arno, ond byddant yn gyson mewn cwestiwn arholiad – TGY mae'n siŵr (gwnewch yn siŵr y gellwch chi ddiffinio hwn). Rydych chi'n siŵr o feddwl y gallwch chi anghofio gwaith cymhleth fel hwn, ond gall hyd at 5% o'r arholiad fod arno, sydd bron â bod yn radd ...felly daliwch ati i ymarfer nes bod POB UN yn gywir bob tro.

Electrolysis

C1 Atebwch y cwestiynau hyn ar electrolysis:

a) Beth yw'r enw cywir ar yr electrod positif?

b) Beth yw'r enw cywir ar yr electrod negatif?

c) Beth yw ystyr y termau hyn?

Cl^- Na^+ $NaCl_{(s)}$ $Cl_{2(n)}$

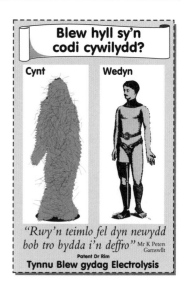

C2 Mae'r diagram yn dangos electrolysis yn digwydd.

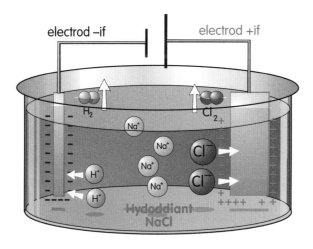

a) Sawl electron fyddai ei angen i niwtraleiddio un ïon sodiwm (Na^+)?

b) Sawl electron fyddai ei angen i niwtraleiddio un môl o ïonau sodiwm (Na^+)? (1 môl $= 6.02 \times 10^{23}$)

c) Beth yw màs un môl o sodiwm? (h.y. Beth yw'r Màs Fformiwla Cymharol)

C3 Atebwch y cwestiynau isod:

a) Cwblhewch y frawddeg:

> Os cyflenwir un môl o _____ i un môl o
> _____ , cânt eu niwtraleiddio i gynhyrchu
> _____ g o atomau sodiwm.

$$2Cl^- \rightarrow Cl_2 + 2e^-$$

b) Bydd dau ïon clorid yn cynhyrchu dau electron ac un moleciwl o glorin:

i) Sawl môl o nwy clorin a gynhyrchir wrth niwtraleiddio dau fôl o ïonau clorid?

ii) Pa gyfaint, mewn cm^3, byddai'r nifer hwn o folau o glorin yn ei lenwi ar TGY?

Yr Atmosffer

C1 Rhoddwyd naddion copr mewn tiwb wedi ei gysylltu at ddwy chwistrell nwy fel y gwelir yn y diagram isod. Pasiwyd yr aer yn y chwistrelli yn ôl ac ymlaen dros y copr wrth ei boethi. Wedi poethi'r offer am bum munud gadawyd iddo oeri a nodwyd cyfaint yr aer oedd ar ôl yn y chwistrell.

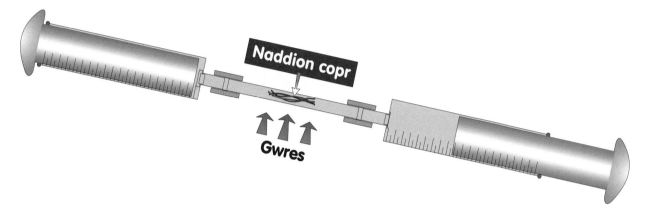

Naddion copr

Gwres

Canlyniadau.

	Cyfaint yr aer	Copr	
Cychwyn	200cm³	oren	
Diwedd	158cm³	du	

a) O'r canlyniadau, cyfrifwch y gostyngiad yng nghyfaint yr aer.

b) Cyfrifwch hyn fel canran o'r aer.

c) Beth yw enw cydran actif yr aer sydd yn ôl pob tebyg wedi diflannu?

d) I ble ydych chi'n credu yr aeth y nwy?

e) Lluniwch hafaliad geiriau i ddangos beth yn union sydd wedi digwydd i'r copr.

f) Pam ydych chi'n credu y gadawyd i'r offer oeri cyn darllen y mesuriad olaf?

g) Enwch nwy sy'n dal yn bresennol yn y chwistrelli ar ddiwedd yr arbrawf a rhowch ddiben i'r nwy hwn.

Yr Atmosffer

Mae'r graffiau isod yn dangos cynnwys atmosffer y Ddaear filiynau o flynyddoedd yn ôl a heddiw.

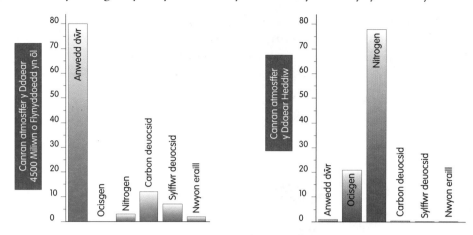

C1   A allai'r atmosffer cynnar gynnal bywyd fel yr ydym ni'n ei adnabod? Eglurwch eich ateb.

C2   Dechreuodd organebau syml ffotosyntheseiddio oddeutu 3,000 miliwn o flynyddoedd yn ôl. Pa nwy a dynnwyd o'r atmosffer cynnar gan hyn? Ysgrifennwch hafaliad geiriau a symbolau ar gyfer yr adwaith hwn.

C3   Pa organebau a achosodd y cynnydd yn yr ocsigen a'r gostyngiad yn y carbon deuocsid?

C4   Beth oedd rhan y cefnfor wrth leihau'r carbon deuocsid?

C5   Beth allai fod yn gyfrifol am leihau'r anwedd dŵr?

C6   Roedd nwyon fel methan ac amonia yn atmosffer cynnar y Ddaear. Edrychwch ar yr hafaliadau isod a defnyddiwch hwy i egluro'r newidiadau yng nghyfansoddiad atmosffer y Ddaear.

$$\text{Amonia} + \text{Ocsigen} \rightarrow \text{Nitrogen} + \text{Dŵr}$$
$$4NH_{3(n)} + 3O_{2(n)} \rightarrow 2N_{2(n)} + 6H_2O_{(n)}$$

$$\text{Methan} + \text{Ocsigen} \rightarrow \text{Carbon deuocsid} + \text{Dŵr}$$
$$CH_{4(n)} + 2O_{2(n)} \rightarrow CO_{2(n)} + 2H_2O_{(n)}$$

C7   Mae bacteria yn newid amonia yn nitradau. Ym mha fodd y bydd hyn yn helpu twf planhigion?

C8   Dechreuodd anifeiliaid ddatblygu oddeutu 350 miliwn o flynyddoedd yn ôl. Does dim angen golau'r haul ar anifeiliaid i wneud bwyd. Pa nwy sy'n angenrheidiol iddynt oroesi?

C9   Mae anifeiliaid yn resbiradu. Ysgrifennwch hafaliad geiriau ar gyfer resbiradaeth.

C10   Caiff carbon sydd wedi ei gloi i fyny ers miliynau o flynyddoedd ei ryddhau yn ôl i'r atmosffer wrth i danwyddau ffosil losgi. Ysgrifennwch hafaliad ar gyfer yr adwaith hwn.

C11   Mae'r môr a phlanhigion yn tynnu carbon deuocsid o'r atmosffer.

      Beth fyddai'n digwydd pe bai'r prosesau sy'n amsugno'r carbon deuocsid ychwanegol a ryddheir i'r atmosffer o ganlyniad i hylosgi tanwyddau ffosil yn cael eu hatal?

Gair i Gall: Yn syml iawn mae'n rhaid i chi wybod am yr atmosffer a sut y bydd prosesau megis resbiradaeth, ffotosynthesis a llosgi yn effeithio arno. Gwnewch yn siŵr eich bod chi'n gwybod yn fras pa ganran o'r aer sy'n nitrogen, ocsigen, argon ac yn garbon deuocsid (mae'r rhain ar gyfer aer sych o hyd, gan fod yr anwedd dŵr yn amrywiol dros ben). Cofiwch hefyd os caiff rhywbeth ei losgi neu ei ocsidio gellir rhyddhau nwyon – felly meddyliwch am yr hafaliad o hyd.

Yr Effaith Tŷ Gwydr

Mae'r rhan fwyaf o wyddonwyr yn credu bod yr Effaith Tŷ Gwydr yn ychwanegu at gynhesu byd-eang. Mae hyn yn digwydd oherwydd bod nwyon tŷ gwydr fel carbon deuocsid a methan yn dal ymbelydredd isgoch o fewn yr atmosffer, gan achosi iddo gynhesu. Gallai'r tymereddau uwch beri i'r capiau rhew ymdoddi – gan godi lefel y môr. Gallai'r cynnydd hwn yn y dŵr foddi ardaloedd isel iawn, tra gallai ardaloedd eraill yn y byd ddioddef o sychder.

C1 Eglurwch, gan ddefnyddio'r diagram gyferbyn, ym mha fodd y mae tŷ gwydr yn cadw planhigion yn gynnes.

C2 Sut y caiff egni ymbelydrol yr haul ei ddal yn y tŷ gwydr?

C3 Eglurwch gan ddefnyddio'r diagram gyferbyn sut all yr atmosffer ymddwyn fel tŷ gwydr gan gynhesu'r blaned (nid yw'r atmosffer wedi ei luniadu wrth raddfa).

C4 Beth all ddigwydd i'r tymereddau byd-eang wrth i'r effaith tŷ gwydr barhau i gynyddu?

C5 Mae'r tabl gyferbyn yn rhestru'r prif nwyon sy'n cyfrannu at yr effaith tŷ gwydr.

a) Lluniwch siart cylch i ddangos y canlyniadau hyn.

b) Pa nwy sy'n cyfrannu'n bennaf at yr effaith hon?

c) Beth mae dyn yn ei wneud i gynyddu lefelau'r nwy hwn yn yr atmosffer?

d) Ym mhle fyddech chi'n debygol o ddod o hyd i CFC?

e) Beth yw ystyr CFC?

f) Beth mae gweithgynhyrchwyr a arferai ddefnyddio nwyon CFC yn ei wneud i helpu atal cynhesu byd-eang a niwed i'r haen oson?

g) Mae llystyfiant sy'n pydru yn ychwanegu at yr effaith tŷ gwydr trwy gynhyrchu methan. Ym mha ffordd arall y gallai methan fynd i'r atmosffer?

Nwy	% Nwy Tŷ Gwydr
Methan	14
CFC	14
Nitrogen	5
Carbon deuocsid	57
Oson arwynebol	10

C6 Edrychwch ar y tabl gyferbyn.

a) Beth ddigwyddodd yn y 1800au cynnar i achosi'r cynnydd yn y tymheredd byd-eang?

b) Dangosir ffigurau estynedig ar gyfer 2050 a 2100. Beth allwn ni ei wneud er mwyn sicrhau na chyrhaeddir y ffigurau hyn?

Blwyddyn	Newid bras yn y tymheredd byd-eang
1800	0.0
1850	0.1
1900	0.2
1950	0.5
2000	1.0
2050	2.0
2100	4.0

Glaw Asid

Mae dŵr glaw yn naturiol asidig oherwydd y carbon deuocsid sydd yn yr atmosffer. Mae hwn yn hydoddi mewn dŵr i ffurfio hydoddiant asidig gwan.

Carbon deuocsid + Dŵr → Asid carbonig

Er hyn mae hylosgi tanwyddau ffosil yn rhyddhau llygryddion fel sylffwr deuocsid ac ocsidau nitrogen i'r atmosffer. Mae'r rhain hefyd yn adweithio gyda dŵr ac yn ffurfio hydoddiant mwy asidig fyth.

Sylffwr deuocsid + Dŵr → Asid sylffyraidd
(Mae ocsidio ymhellach yn cynhyrchu asid sylffwrig)

Ar dymereddau uchel dros ben y tu mewn i injan car, caiff nitrogen ei ocsidio i ocsidau nitrogen, a ysgrifennir yn aml fel NO_x (gan fod nifer o ocsidau'n ffurfio). Gall y rhain ffurfio asid nitrig wrth adweithio gyda dŵr. Mae'r glaw asid yn disgyn i'r Ddaear gan niweidio'r amgylchedd.

C1 Pam y mae glaw asid yn naturiol asidig? Pa asid sydd ynddo'n naturiol?

C2 Ysgrifennwch hafaliad symbolau ar gyfer adwaith carbon deuocsid gyda dŵr.

C3 Beth yw tanwydd ffosil?

C4 Enwch dri thanwydd ffosil.

C5 Rhowch enw arall ar hylosgi.

C6 Enwch dri nwy a gaiff eu rhyddhau wrth hylosgi rhai tanwyddau ffosil ac sy'n achosi llygredd.

C7 Enwch ddau asid nad ydynt yn naturiol mewn glaw.

C8 Pa effaith ydych chi'n credu a gaiff glaw asid ar **a)** pysgod mewn llynnoedd a **b)** coed mewn coedwigoedd?

C9 Daw'r rhan helaeth o'r sylffwr deuocsid a gynhyrchir yn fyd-eang o ddiwydiant a phwerdai.

   a) Beth y mae pwerdai'n ei losgi er mwyn cynhyrchu sylffwr deuocsid?

   b) Beth ydych chi'n credu y dylent ei wneud er mwyn gostwng lefel y nwy hwn yn yr atmosffer?

C10 Mae gan bwerdai erbyn hyn gemegau glanhau sy'n tynnu'r nwyon asidig o'r allyriannau. Enwch un math o adwaith a fyddai'n cael gwared ar y nwyon asidig.

C11 Enwch sylwedd rhad a allai gael ei ddefnyddio i gael gwared ar y nwyon.

C12 Mae traffig yn cynhyrchu llawer iawn o ocsidau nitrogen.

   a) Beth sydd gan bob car newydd ym Mhrydain er mwyn lleihau allyrru'r nwyon hyn?

   b) Pa nwy niweidiol dros ben arall sydd i'w gael mewn mygdarthau o bibell wacáu ceir?

   c) Gellir defnyddio nicel a rhodiwm i leihau allyriannau gwacáu o geir trwy newid carbon monocsid yn garbon deuocsid ac ocsidau nitrogen yn nitrogen. Nodwch fanteision ac anfanteision hyn.

Gair i Gall: Mae hyn oll yn dangos pa mor fregus yw'r atmosffer mewn gwirionedd. Ceir tair rhan bwysig yma – yr effaith tŷ gwydr, glaw asid a'r twll oson – a gan eu bod yn bynciau llosg ar hyn o bryd, maent yn debygol o ymddangos yn yr arholiad. Maent yn dri pheth gwahanol – sicrhewch eich bod chi'n deall pam. Ceisiwch lunio diagram llif ar gyfer pob effaith – bydd hynny'n dweud wrthych a ydych chi wedi eu meistroli ai peidio. Gwnewch yn siŵr eich bod chi'n gwybod achosion ac effeithiau pob un.

Y Gylchred Garbon

C1 Mae carbon yn elfen naturiol bwysig sydd i'w ganfod ym mhob peth byw.

Enwch dri maetholyn mewn planhigion ac anifeiliaid sy'n cynnwys carbon.

C2 Rhowch un rheswm pam y mae carbon mor hanfodol bwysig i bopeth byw.

C3 Mae glwcos yn cyfuno gydag ocsigen yn y celloedd i ryddhau egni.

a) Beth yw enw'r broses hon?

b) Ysgrifennwch hafaliad sy'n disgrifio'r broses.

c) Pam y mae'r broses hon mor bwysig yn y gylchred garbon?

C4 Sut y bydd planhigion ac anifeiliaid yn cadw cydbwysedd carbon deuocsid yn yr atmosffer?

C5 Pa ganran o'r atmosffer sy'n garbon deuocsid?

C6 Mae ffotosynthesis yn broses bwysig wrth gadw cydbwysedd y carbon deuocsid yn yr atmosffer.

Ysgrifennwch hafaliad ar gyfer yr adwaith hwn.

C7 Sut y caiff carbon ei drosglwyddo o blanhigion ac anifeiliaid i ddyn?

C8 Mae'n bosib bod y carbon mewn moleciwl o garbon deuocsid y gwnaethoch chi ei anadlu allan wedi ffeindio ei hun mewn moleciwl protein mewn corff buwch.

Eglurwch mor fanwl â phosib sut y gallai hyn fod wedi digwydd.

C9 Caiff CO_2 ei dynnu o'r atmosffer a'i ychwanegu ato'n gyson.
Pa rai o'r prosesau yn y bocsys canlynol sy'n ychwanegu carbon deuocsid at yr atmosffer, a pha rai sy'n ei dynnu oddi yno?

Dadelfennu	Ffotosynthesis	Amsugno i'r cefnforoedd
Gwneud dyddodion carbonad	Resbiradaeth	Hylosgiad

C10 Sut y mae'n bosib i gyfansoddion carbon sydd wedi eu "cloi i fyny" am filiynau o flynyddoedd o dan y ddaear gael eu rhyddhau i'r atmosffer ar ffurf CO_2? Enwch y broses hon.

C11 Eglurwch yn fras sut y cafodd glo ac olew eu ffurfio.

C12 Edrychwch ar y diagram gyferbyn sy'n cynrychioli rhan o'r gylchred garbon.

a) Enwch ddadelfennydd yn y gylchred garbon.

b) Beth yw swydd dadelfennydd?

c) Sut y gallant ryddhau CO_2 yn ôl i'r atmosffer?

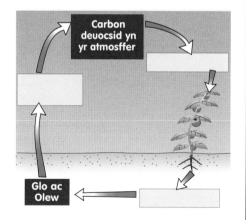

C13 Llenwch y geiriau coll yn niagram y gylchred garbon.

C14 Mae gan anifeiliaid fel gwartheg a defaid ran bwysig yn y gylchred garbon boed yn fyw neu'n farw.

Eglurwch pam.

C15 Mae ocsigen yn bwysig i barhau'r gylchred garbon.

Eglurwch pam mor fanwl â phosib.

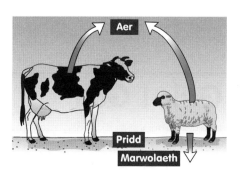

Y Gylchred Garbon

C16 Sut y gall carbon fel CO_2 yn yr aer ddod yn rhan o ddarn o lo yn ddwfn o dan y ddaear dros filiynau o flynyddoedd?

C17 Edrychwch ar y gosodiad a wnaed gan y gwyddonydd:

> "Pe bai'r gylchred garbon yn dod i ben ni allai bywyd fynd yn ei flaen."

A ydych chi'n cytuno â'r gosodiad hwn? Eglurwch eich ateb.

C18 Yr Haul sy'n gyrru'r gylchred garbon. A yw hyn yn wir ai peidio? Eglurwch eich rhesymegu.

C19 Pam y mae mor bwysig i ailgylchu carbon o un organeb i'r nesaf?

C20 Eglurwch pam y caiff rhai elfennau fel carbon, nitrogen, ocsigen a hydrogen eu disgrifio fel "blociau adeiladu bywyd".

C21 Sut y gall datgoedwigo ar raddfa fawr effeithio ar y gylchred garbon yn fyd-eang?

C22 Gallai anghydbwysedd yn lefel y carbon deuocsid beri difrod mawr i'r Ddaear. Caiff carbon deuocsid ei ychwanegu at yr atmosffer o ganlyniad i "losgi tanwyddau" er mwyn cynhyrchu trydan.

a) Cwblhewch yr hafaliad ar gyfer llosgi'r tanwydd methan:

> **methan + ocsigen →** _____ **+** _____

b) Sut allai hyn gyfrannu at yr "effaith tŷ gwydr"?

C23 Cwblhewch y bocsys isod gyda'r geiriau cywir (ar y dde).

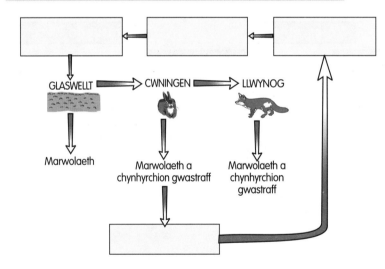

Rhoi carbon deuocsid yn ôl i'r atmosffer

Defnyddio carbon deuocsid ar gyfer ffotosynthesis

Carbon deuocsid yn yr atmosffer

Dadelfenyddion yn rhyddhau carbon deuocsid o weddillion pethau byw

C24 Pam y mae'r canlynol yn bwysig yn y gylchred garbon?

a) Golau. **b)** Ocsigen. **c)** Gwres.

C25 Ysgrifennwch grynodeb byr o'r gylchred garbon gan ddechrau gyda charbon deuocsid yn yr atmosffer.

Gair i Gall: Mae hyn i gyd yn bwysig – mae bywyd yn dibynnu ar garbon. Er hyn peidiwch ag anghofio bod gan ddyn ei ran – felly peidiwch ag anghofio am y tanwyddau ffosil. Llunio diagram llif yw'r ffordd orau o ddysgu cylchredau am wn i – cyn belled â'ch bod chi'n eu gwirio nhw wedyn. Rhag i chi anghofio, ceisiwch feddwl ble y mae'r rhain yn ffitio yn y gylchred – tir, cefnforoedd, anifeiliaid, bacteria a dyn.

Y Gylchred Greigiau

C1 Edrychwch ar ddiagram y gylchred greigiau gyferbyn.

a) Llenwch y bocsys gyda geiriau o'r rhestr isod:

Trawsgludiad

Creigiau metamorffig

Dyddodiad

Ymdoddi

Hindreuliad

Claddu a chywasgu

Creigiau igneaidd

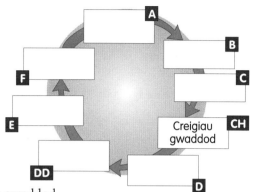

Creigiau gwaddod

b) Eglurwch sut y gall gwres a gwasgedd effeithio ar greigiau gwaddod.

c) "Mae creigiau metamorffig yn ffurfio trwy ailgrisialu". Beth yw ystyr hyn?

d) Rhowch ddwy enghraifft i ddangos sut y caiff creigiau eu hindreulio.

C2 Mae'r diagram gyferbyn yn dangos rhan o'r gylchred greigiau.

a) Labelwch rannau (i) i (iv).

b) Eglurwch y gwahaniaeth rhwng magma a lafa.

c) Beth sy'n mynd i ddigwydd i'r graig yn rhan (v) sydd wedi ei liwio?

d) Pa fath o graig fyddech chi'n disgwyl dod o hyd iddi yn (v) a pham?

e) Beth sy'n mynd i ddigwydd i'r graig yn (vi) yn y pen draw?

f) Eglurwch y gwahaniaeth rhwng y creigiau a ffurfiwyd yn (i) a (iv) ar y diagram.

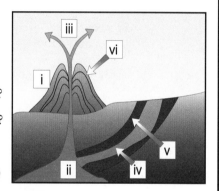

C3 Cwblhewch y tabl i egluro'r geiriau canlynol a'u perthynas â'r gylchred greigiau.

Disgrifiad	Ystyr	Ynghlwm wrth ffurfio:
a) Dyddodiad		Craig waddod
b) Claddu		Craig waddod a metamorffig
c) Ymdoddi		
d) Cywasgu		
e) Ailgrisialu		

C4 Cwblhewch y paragraff canlynol trwy ddewis y geiriau coll o'r rhestr:

claddu igneaidd metamorffig hindreulio claddu cywasgu gwres
ymdoddi magma gwaddod miliynau gwaddod metamorffig
môr gwasgedd magma llosgfynydd echdorri cylchred greigiau

Dros _____ o flynyddoedd mae creigiau yn newid o un ffurf yn ffurf arall. Yr enw a roddir ar hyn yw'r _____ . _____ , _____ ac igneaidd yw'r tri phrif math o graig. Caiff gronynnau o graig eu golchi i'r _____ oherwydd cânt eu _____ a'u cludo. Dros filiynau o flynyddoedd cânt eu _____ a'u _____ , gan ffurfio creigiau _____ . Weithiau caiff y creigiau hyn eu _____ yn ddyfnach yn y Ddaear lle cânt eu newid yn greigiau _____ gan _____ a _____ . Gellir claddu'r graig fetamorffig yn ddyfnach fyth lle caiff ei newid yn _____ ar ôl _____ yn llwyr. Mae gwasgedd yn gwthio'r _____ i fyny lle mae'n _____ ar ffurf _____ neu'n mynd i graciau sydd eisoes yn bodoli i ffurfio creigiau _____ .

Y Gylchred Greigiau

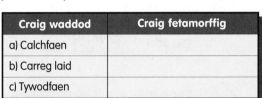

C5 Beth yw ystyr metamorffig?

C6 Beth yw'r term cyffredinol a ddefnyddir ar gyfer:

a) craig igneaidd sy'n ffurfio y tu allan i'r gramen (o losgfynyddoedd).

b) craig igneaidd sy'n oeri mewn craciau yn y creigiau sydd eisoes yn bodoli.

C7 Cwblhewch y tabl trwy enwi'r creigiau metamorffig sy'n ffurfio o'r creigiau gwaddod.

Craig waddod	Craig fetamorffig
a) Calchfaen	
b) Carreg laid	
c) Tywodfaen	

C8 Mae creigiau gwaddod a metamorffig yn ffurfio'n ddwfn o dan y ddaear.

Eglurwch pam y mae'n bosib gweld y creigiau hyn ar wyneb y Ddaear.

C9 O ystyried sut y caiff pob math o graig ei ffurfio, eglurwch pam y mae creigiau igneaidd yn gwrthsefyll hindreuliad yn well na chreigiau gwaddod.

C10 Rhowch ddau wahaniaeth rhwng creigiau metamorffig a chreigiau igneaidd.

C11 Beth yw'r enw a roddir i'r gronynnau sy'n hindreulio ac yn setlo yn y môr?

C12 Mae'r diagram isod yn dangos amlinelliad o'r gylchred greigiau.

a) Labelwch bob man byddech chi'n disgwyl dod o hyd i'r canlynol:
i) creigiau metamorffig. **ii)** creigiau gwaddod. **iii)** creigiau igneaidd.

b) Rhowch y labeli canlynol ar y diagram:

i) hindreulio
ii) gwres a gwasgedd
iii) ymdoddi
iv) cywasgu
v) claddu
vi) ailgrisialu
vii) echdorri
viii) dyddodi
ix) cludiant

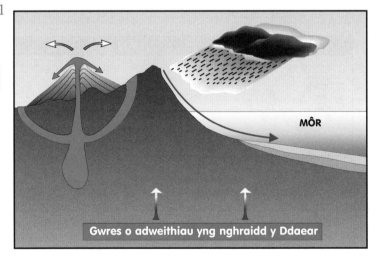

MÔR

Gwres o adweithiau yng nghraidd y Ddaear

c) Eglurwch yn eich geiriau eich hun:

i) sut y caiff creigiau gwaddod eu newid yn greigiau metamorffig.

ii) sut y caiff creigiau metamorffig eu newid yn greigiau igneaidd.

iii) sut y caiff creigiau igneaidd a metamorffig eu newid yn greigiau gwaddod.

Gair i Gall: Cylchred arall i'w dysgu. Ond gan mai dim ond tri phrif math o graig sydd i'w cael, nid yw pethau cynddrwg â hynny. Lluniwch nhw mewn triongl, yna meddyliwch sut y caiff pob un ei newid yn un o'r ddau arall – a rhowch y saethau i mewn. Dim ond chwe chyfuniad sydd, felly rydych chi'n siŵr o wybod os ydych chi wedi anghofio un. Gwnewch yn siŵr y gallwch chi enwi pob proses ac eich bod chi'n gwybod yr amodau sydd eu hangen arnynt.

Creigiau Gwaddod

C1 Mae'r diagram yn dangos ffurfiant creigiau gwaddod.

a) Eglurwch beth sy'n digwydd wrth roi gwasgedd ar haen o graig waddod.

b) Sut caiff y sment sy'n dal y darnau o graig waddod gyda'i gilydd ei ffurfio?

c) Pam y ceir hyd i ffosiliau mewn creigiau gwaddod ond nid mewn creigiau igneaidd na metamorffig?

d) Tynnwch saethau ar y diagram i ddangos ym mha gyfeiriad bydd y canlynol yn digwydd:

i) cludiant   ii) gwasgedd

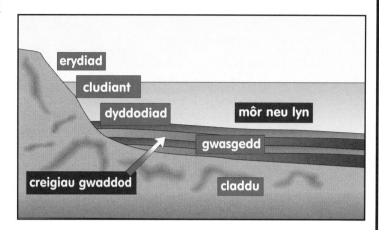

e) Mae gweddillion planhigion ac anifeiliaid yn pydru mewn creigiau gwaddod i ffurfio sylwedd defnyddiol. Enwch y sylwedd defnyddiol hwn.

C2 Darnau o greigiau eraill mewn sment naturiol yw creigiau gwaddod.
Eglurwch pam ei fod dal yn bosib adnabod y creigiau sydd wedi eu ffurfio.

C3 Cysylltwch y graig gyda'r disgrifiadau cywir isod:

a) Calchfaen
b) Siâl
c) Clymfaen
d) Tywodfaen

i) Wedi'i ffurfio o ronynnau bychain llwyd eu lliw. Gall hollti'n haenau yn hawdd.

ii) Cerigos a darnau o graig mewn sment.

iii) Wedi'i wneud o dywod. Y gronynnau wedi eu glynu wrth ei gilydd.

iv) Wedi'i ffurfio o gregyn, calsiwm carbonad yn bennaf, lliw llwyd/gwyn.

C4 Esboniwch sut y defnyddir ffosiliau a ddarganfyddir mewn creigiau gwaddod i ddyddio'r creigiau.

C5 Edrychwch ar y diagram isod.

a) i) Ym mha haen(au) byddai'n bosib dod o hyd i galchfaen?
ii) Ym mha haen(au) byddai'n bosib dod o hyd i farmor?

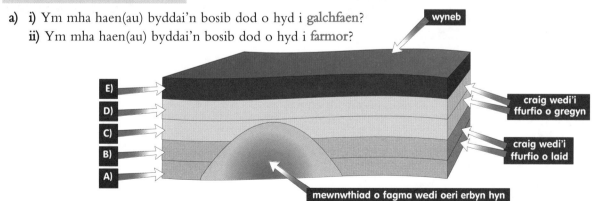

b) Ym mha haen(au) fyddech chi'n disgwyl dod o hyd i'r nifer lleiaf o ffosiliau?

c) Pa haen yw: i) y graig hynaf, ii) y graig ieuengaf?

d) Mae rhai o'r haenau hyn yn greigiau gwaddod.
Eglurwch beth ddywed hyn wrthym am ffurfiad y tir hwn.

e) Pa fath o graig fyddai'r magma wedi ffurfio?

Creigiau Gwaddod

C6   Mae symudiadau'r Ddaear yn peri i haenau o graig waddod symud. Dangosir enghraifft yn y diagram isod.

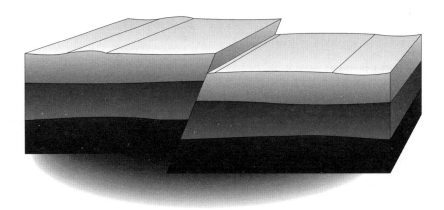

a) Sut fedrwch chi ddweud bod cramen y Ddaear wedi symud?

b) Beth yw enw'r ffurfiant hwn?

c) Er ei bod hi'n bosib gweld bod y creigiau hyn wedi symud, dyddio'r creigiau gwaddod sy'n dweud wrthym eu bod o'r un oed.

Eglurwch sut y gellir dyddio creigiau gwaddod.

C7   Edrychwch ar y diagramau isod sy'n dangos gwahanol ddarnau o greigiau.

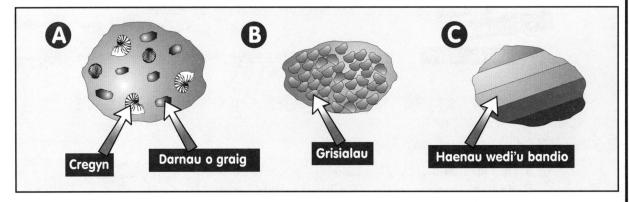

A   Cregyn   Darnau o graig

B   Grisialau

C   Haenau wedi'u bandio

a) Nodwch ai craig igneaidd, waddod neu fetamorffig yw A, B ac C. Rhowch reswm dros eich dewis bob tro.

b) Enwch enghraifft bosib o bob math o graig.

C8   Mae gwenithfaen dipyn yn galetach na chalchfaen. Eglurwch pam.

Gair i Gall: Mae'r creigiau gwaddod hyn yn eithaf syml â dweud y gwir – nifer o ronynnau wedi eu glynu mewn sment, dyna'r cyfan ydynt. Er hyn rhaid i chi wybod beth yw'r sment ac o ble y daw. Gall arholwr ofyn i chi adnabod craig waddod o lun, felly gwell i chi ddysgu ychydig ohonynt. Dylech o leiaf wybod y gwahaniaeth rhwng tywodfaen, calchfaen, carreg laid (siâl) a chlymfeini.

Creigiau Igneaidd

C1 Mae maint grisialau craig igneaidd yn dibynnu ar gyfradd oeri'r graig wrth iddi ffurfio. Mae'n bosib gwneud arbrawf yn y labordy gan ddefnyddio SALOL i ymchwilio i'r berthynas rhwng maint y grisialau a'r gyfradd oeri. Dangosir yr offer isod. Mae'r salol yn ymdoddi i ffurfio hylif clir. Gellir tynnu'r hylif hwn o'r bath dŵr a'i ailgrisialu.

a) Pam y mae'n well defnyddio bath dŵr na phoethi'r grisialau yn uniongyrchol dros losgydd Bunsen?

b) Eglurwch ddull y gellir ei ddefnyddio i sicrhau
i) bod y salol yn oeri'n gyflym
ii) bod y salol yn oeri'n araf

c) Pa un fyddai'n cynhyrchu'r grisialau mwyaf?

C2 Mae'r grisialau'n weladwy mewn rhai creigiau igneaidd ond nid mewn rhai eraill.

Eglurwch y canlynol: **a)** pam y mae gan rai creigiau igneaidd risialau bychain
b) pam y mae gan rai creigiau igneaidd risialau mawr

C3 Labelwch y diagram ar y dde.

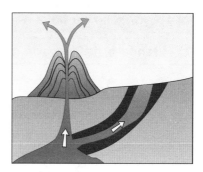

a) Dangoswch ble fyddech chi'n debygol o ddod o hyd i'r canlynol:
i) Craig igneaidd allwthiol.
ii) Craig igneaidd fewnwthiol.
iii) Magma.
iv) Lafa.

b) Enwch un graig igneaidd fewnwthiol ac un allwthiol.

C4 Mae'r diagram isod yn dangos darn o graig igneaidd ymysg haenau o graig waddod.

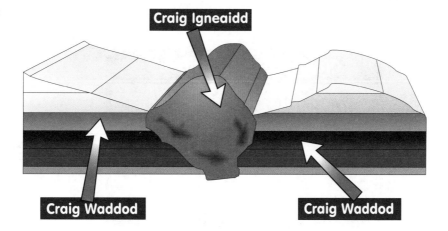

Craig Igneaidd

Craig Waddod **Craig Waddod**

a) Sut, yn eich barn chi, y daeth y graig igneaidd i fod yma?

b) Eglurwch pam y bydd y darn hwn o graig igneaidd, mewn ychydig filoedd o flynyddoedd, yn siŵr o sefyll uwchben gweddill y tirwedd.

C5 Gall rhai creigiau igneaidd, fel pwmis, fod yn ysgafn dros ben gyda thyllau ynddo. Eglurwch sut y caiff pwmis ei ffurfio a pham ei fod ar y ffurf hon.

Creigiau Metamorffig

C1 Beth sy'n achosi'r grymoedd mawr ar greigiau sydd o dan y ddaear?

C2 Mae'r diagram isod yn dangos rhan o'r gylchred greigiau lle caiff creigiau metamorffig eu ffurfio.

a) Ysgrifennwch ar y diagram:
   i) ym mhle y mae gwasgedd yn gweithredu.
   ii) o ble y daw gwres.
b) Pam y mae creigiau metamorffig yn ailgrisialu?
c) Ym mhle ar y diagram y gallai magma ffurfio?
d) O ble y daw'r gwres sy'n peri newidiadau yn y creigiau?

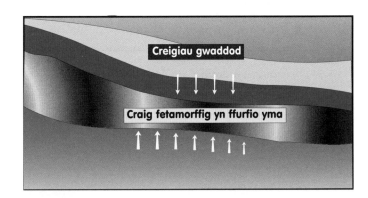

Creigiau gwaddod

Craig fetamorffig yn ffurfio yma

C3 Enwch y creigiau metamorffig canlynol o'r disgrifiadau:

> **a) Grisialau bychain fel siwgr, gwyn/llwyd eu lliw**

> **b) Llwyd, gellir eu hollti'n haenau**

> **c) Haenau o risialau gan gynnwys mica tywyll**

C4 Caiff llechfaen a sgist ill dau eu ffurfio o garreg laid a siâl.

Beth sy'n achosi'r gwahaniaeth rhyngddynt?

C5 Mae pobl yn mynnu tyfu cnydau mewn ardaloedd llosgfynyddig er bod posibilrwydd y bydd y llosgfynyddoedd yn echdorri.

Eglurwch pam y mae'r pridd yno mor ffrwythlon.

C6 Edrychwch ar y tabl isod.

a) Cwblhewch y tabl trwy roi dibenion ar gyfer y gwahanol fathau o graig.

Craig	Diben
Tywodfaen	
Calchfaen	
Llechfaen	
Marmor	

b) Pam y mae creigiau metamorffig yn gyffredinol yn galetach na chreigiau gwaddod ac yn gwrthsefyll erydiad yn well?

Gair i Gall: Un o'r ffefrynnau mewn arholiad yw'r berthynas rhwng maint grisialau creigiau igneaidd a'r gyfradd oeri, a sut y ffurfiodd creigiau metamorffig penodol. Felly dysgwch eich llechi eich marmor a'ch sgist – gan wybod o beth y maent wedi eu gwneud ac o dan pa amodau. Cofiwch hefyd ddysgu'r gwahaniaeth rhwng creigiau igneaidd mewnwthiol a'r rhai allwthiol.

Crynodeb o'r Mathau o Greigiau

C1 Cysylltwch y graig gywir â'r math:

Marmor

Tywodfaen

Igneaidd

Siâl

Sgist

Gwaddod

Llechfaen

Gwenithfaen

Metamorffig

C2 Cwblhewch y brawddegau canlynol trwy ddefnyddio'r geiriau cywir o'r rhestr isod:

metamorffig	grisialu	mawr	sment	ffosiliau	ymdoddi	basalt
dŵr	gwenithfaen	gwasgedd	smentio	ymdoddi	gwaddod	magma

Mae _____ yn enghraifft o graig igneaidd fewnwthiol. Mae ganddo risialau _____ . Mae _____ yn enghraifft o graig igneaidd allwthiol. Mae creigiau gwaddod yn cynnwys _____ nad ydynt yn bresennol mewn creigiau igneaidd na metamorffig oherwydd byddent wedi _____ neu newid. Mae creigiau gwaddod yn cynnwys _____ naturiol sy'n ffurfio oherwydd bod _____ yn gwasgu'r _____ allan ac mae halwynau yn _____ , sy'n _____ y gronynnau at ei gilydd. Caiff creigiau metamorffig eu ffurfio wrth i greigiau _____ gael eu gwresogi a'u cywasgu. Nid yw'r graig waddod yn _____ neu fe fyddai _____ yn ffurfio ac nid craig _____ .

C3 Cwblhewch y brawddegau canlynol gan ddefnyddio'r geiriau cywir o'r rhestr isod:

llosgfynydd	mewnwthiol	magma	bychain	mawr	allwthiol	echdorri

a) Mae creigiau igneaidd _____ yn oeri'n araf ac mae ganddynt risialau _____ . Mae _____ yn mynd i graciau sydd eisoes yn bodoli yn y graig.

b) Mae creigiau igneaidd _____ yn oeri'n gyflym ac mae ganddynt risialau _____ . Mae magma yn _____ o'r tu mewn i'r Ddaear mewn _____ .

C4 Cwblhewch y brawddegau canlynol gan ddefnydio'r geiriau cywir o'r rhestr isod:

gwres	gwaddod	poethi	ymdoddi	gwead	chwistrelliad	metamorffig	Daear	gwasgedd

Caiff creigiau _____ eu newid yn greigiau _____ gan _____ a _____ . Mae symudiadau'r _____ yn gwthio creigiau o dan y ddaear. Caiff _____ creigiau metamorffig ei newid ond nid yw'r creigiau yn _____ . Pe baent yn gwneud hynny, ni fyddent yn greigiau metamorffig. Gall creigiau metamorffig hefyd ffurfio wrth i _____ o fagma mewn craciau mewn creigiau sydd eisoes yn bod beri i'r creigiau o amgylch _____ .

Y Gylchred Ddŵr

C1   Mae pedair rhan amlwg i'r gylchred ddŵr. Defnyddiwch y geiriau yn y bocs i labelu'r diagram:

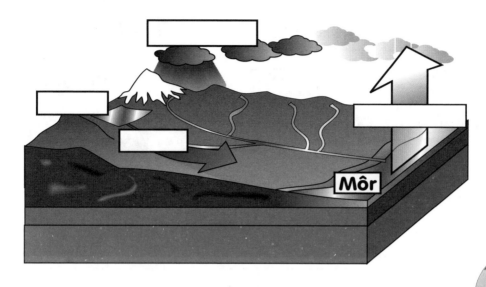

Anweddiad
Dyddodiad
Dŵr-ffo
Storio

Môr

C2   Pam y gelwir y gylchred ddŵr yn "gylchred"?

C3   Enwch dri lle ym Mhrydain lle gellir storio dŵr ar dir.

C4   Enwch ddwy gronfa ddŵr ffres fwyaf y byd.

C5   Sut y mae dŵr yn mynd i'r môr?

C6   Beth yw'r ffynhonnell egni ar gyfer y gylchred ddŵr?

C7   Beth yw trydarthiad?

C8   Ble yn y byd y byddai trydarthiad yn digwydd mwyaf?

C9   Beth mae'r anwedd dŵr yn ffurfio wedi iddo anweddu?

C10 Wrth i'r anwedd dŵr godi i'r atmosffer mae'n oeri ac yn newid yn darth dŵr mân.
     Beth yw'r enw ar y broses ffisegol hon?

C11 Enwch dri math o ddyddodiad.

C12 Ble yn y byd ydych chi'n meddwl y mae 74% o'r holl ddyddodiad yn disgyn?

C13 Ble yn y byd ydych chi'n meddwl y mae 84% o'r holl anweddiad yn digwydd?

C14 Rhestrwch ddau fath o dywydd a fyddai'n cynyddu'r gyfradd anweddu.

C15 Pam y mae'r gylchred ddŵr mor bwysig?

C16 Rhowch enw arall ar y gylchred ddŵr.

C17 Mae anwedd dŵr yn nwy tŷ gwydr. Beth yw ystyr hyn?

C18 A yw gweithgareddau dyn yn effeithio'n fawr ar faint o ddŵr sydd yn
     yr atmosffer?

C19 Gan ddechrau mewn cefnfor, disgrifiwch daith gronyn dŵr o amgylch
     y gylchred ddŵr.

C20 Edrychwch ar y diagram gyferbyn. Sut y mae'r diagram hwn yn debyg
     i'r gylchred ddŵr?

Adran Pedwar – Aer a Chreigiau

Hindreuliad ac Erydiad

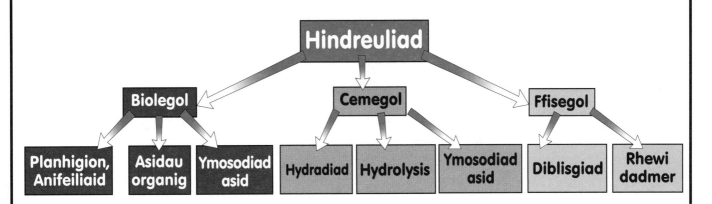

Hindreuliad

Biolegol — Cemegol — Ffisegol

Planhigion, Anifeiliaid | Asidau organig | Ymosodiad asid | Hydradiad | Hydrolysis | Ymosodiad asid | Diblisgiad | Rhewi dadmer

C1 Beth yw hindreuliad?

C2 Enwch y tri math o hindreuliad.

C3 Rhowch un enghraifft o sut all planhigyn hindreulio craig.

C4 Rhowch un enghraifft o sut all anifail hindreulio craig.

C5 Yn aml, gelwir diblisgiad yn hindreulio croen nionyn. Eglurwch ystyr hyn.

C6 Sut y mae diblisgiad yn gweithio?

C7 Gall asidau organig fel asid hwmig ffurfio mewn rhai priddoedd.

Enwch graig a allai gael ei hindreulio, ac felly ei wanhau, gan yr asid hwn.

C8 Mae carbon deuocsid yn yr aer yn peri i ddŵr glaw fod yn asid naturiol, felly wrth iddo ddisgyn ar graig carbonad gall achosi adwaith.

Ym mha fodd y mae dyn yn ychwanegu at y math hwn o hindreuliad?

Cynt | Wedyn

C9 Gosododd myfyriwr diwb sampl gwydr llawn dŵr mewn rhewgell dros nos. Erbyn y bore roedd y gwydr wedi cracio.

a) Pam wnaeth y tiwb gracio?

b) Sut all y canlyniad fod o gymorth i ni wrth esbonio hindreuliad rhewi-dadmer?

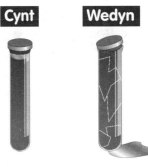

C10 Pa un o'r tri phrif math o graig yw'r hawsaf ei hindreulio yn gyffredinol?

C11 Wedi eu hindreulio mae creigiau yn aml yn ffurfio dyddodiad mân a gaiff ei gludo gan y gwynt neu ddŵr.

Enwch dair ffordd y gall dŵr gludo dyddodiad i ffwrdd.

C12 Beth yw erydiad a pha brosesau a gaiff eu cynnwys?

C13 Caiff creigiau gwaddod eu ffurfio gan y dyddodiad a ffurfir gan erydiad.

Pa sylwedd hanfodol bwysig arall a ffurfir gan y broses hon?

Gair i Gall: Yn syml iawn, creigiau yn torri i fyny oherwydd asidau a phethau yn mynd i mewn iddynt yw hindreuliad. Os yw'r wyneb yn treulio i ffwrdd ac nid asid sydd ar fai, yna gellir bod yn weddol sicr mai erydiad sy'n gyfrifol. Pan ddeallwch hynny, does dim ond rhaid i chi wybod am y gwahanol fathau o hindreuliad – ynghyd â rhai enghreifftiau.

Y Tabl Cyfnodol

C1 Beth yw ystyr Grŵp yn y Tabl Cyfnodol?

C2 Beth yw ystyr Cyfnod yn y Tabl Cyfnodol?

C3 Oddeutu sawl elfen sydd yno?

C4 Ym mha drefn caiff yr elfennau eu rhestru?

C5 Beth allai fod yn debyg rhwng elfennau yn yr un grŵp?

C6 Beth allai fod yn debyg rhwng elfennau yn yr un cyfnod?

C7 Syniad pwy oedd rhoi'r elfennau yn y drefn hon?

C8 Os yw elfen yng Ngrŵp I sawl electron fydd yn ei phlisgyn electronau allanol?

C9 Os oes gan ïon wefr 2+ ym mha grŵp y mae'n debygol o fod?

C10 Os oes gan ïon wefr 1– ym mha grŵp y mae'n debygol o fod?

C11 Yn y Tabl Cyfnodol hwn, dangosir rhai elfennau gan lythrennau:

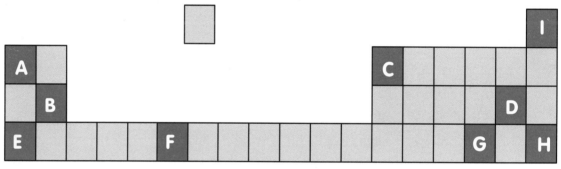

NID y symbol cywir ar gyfer yr elfennau yw'r llythrennau hyn.

Dewiswch un llythyren o'r Tabl Cyfnodol uchod i ateb pob un o'r cwestiynau canlynol:

PA ELFEN(NAU)....

(a) sy'n nwyon Nobl?

(b) sy'n Halogenau?

(c) sydd yng ngrŵp II?

(d) sydd yn yr un cyfnod â D?

(e) sydd â thri electron yn ei phlisgyn allanol?

(f) sydd â rhif atomig o 3?

(g) sy'n anfetelau?

(h) sy'n elfen drosiannol?

(i) fyddai'n ffurfio ÏON gyda gwefr 1+?

(j) na fyddai'n ffurfio ïon yn hawdd?

(k) a fyddai'n ffurfio ïon trwy ennill 2 electron i bob atom?

(l) a fyddai'n ffurfio ïon gyda'r un nifer o electronau ag atom o elfen (I)?

(m) yw'r lleiaf adweithiol o'r rhai a ddangosir yn y tabl?

C12 Cwblhewch y tabl hwn trwy ddangos ffurfweddau electronig yr elfennau:

Cyfnod	Grŵp 1		Grŵp 2	Grŵp 3	Grŵp 7	Grŵp 0
2	Li	2,1	Be	B	F	Ne
3	Na		Mg	Al	Cl	Ar 2,8, 8

Y Tabl Cyfnodol

C13 Dewiswch y geiriau *mewn italig* cywir i ddisgrifio Grŵp I:

a) Mae'r elfennau i gyd yn *fetelau / anfetelau*.

b) Maent i gyd yn sylweddau *caled / meddal* gyda dwysedd *uchel / isel*.

c) Maent i gyd yn *adweithiol / anadweithiol* dros ben ac fe'u cedwir mewn potel o *olew / ddŵr*.

d) Maent yn tarneisio'n *hawdd / gydag anhawster* mewn aer.

e) Maent yn mynd yn *fwy / llai* adweithiol wrth ddisgyn i lawr y Grŵp.

f) Mae *sodiwm / calsiwm* yn aelod nodweddiadol o'r grŵp.

g) Maent yn ffurfio ïonau *1⁺ / 1⁻*.

C14 Dewiswch y geiriau *mewn italig* cywir i ddisgrifio Grŵp VII:

a) Mae'r elfennau i gyd yn *fetelig / anfetelig*.

b) Mae'r rhan fwyaf yn *ddargludyddion / annargludyddion* trydanol.

c) Wrth fynd i lawr y Grŵp mae eu hymdoddbwyntiau yn *cynyddu / gostwng*.

d) Mae clorin yn *solid / hylif / nwy* ar TGY.

e) Mae bromin yn *solid / hylif / nwy* ar TGY.

f) Mae ïodin yn *solid / hylif / nwy* ar TGY.

g) Wrth fynd i lawr y Grŵp mae eu lliw yn *goleuo / tywyllu*.

h) Maent yn ffurfio ïonau *1⁺ / 1⁻*.

Dmitri Mendeléev

C15 Mae nifer o Dablau Cyfnodol yn dangos llinell igam-ogam. Beth gaiff eu rhannu gan y linell hon?

C16 Ble mae'r metelau yn y Tabl Cyfnodol mewn perthynas â'r llinell hon?

C17 Ble mae'r anfetelau yn y Tabl Cyfnodol mewn perthynas â'r llinell hon?

C18 Gelwir rhai efennau yn lled-fetelau neu'n feteloidau.

a) Ble mae'r elfennau hyn yn y Tabl Cyfnodol?

b) Rhowch un enghraifft o elfen led-fetel.

C19 Mae un elfen yn annhebyg i bob un arall ac nid yw'n aelod o unrhyw grŵp. Enwch yr elfen hon.

C20 Ble yn y Tabl Cyfnodol y mae'r metelau trosiannol?

C21 Mae aelodau Grŵp III yn ffurfio ïonau 3+. Pa ïonau gaiff eu ffurfio gan aelodau Grŵp II?

C22 Beth yw'r wefr ar ïon a ffurfir gan elfen yng Ngrŵp VI?

C23 Pa un yw aelod mwyaf adweithiol Grŵp I?

C24 Pa un yw aelod mwyaf adweithiol Grŵp II?

C25 Mae gan sodiwm rif atomig o 11 a rhif màs 23.

Eglurwch mor fanwl â phosib beth ddywed hyn am un atom o sodiwm.

Gair i Gall: Cofiwch fod pethau sydd â phriodweddau tebyg wedi eu "grwpio" mewn grwpiau, tra bo'r cyfnodau yn dangos "amrywiaeth cyfnodol" wrth i chi eu croesi – yna dylech gofio pa un yw p'un. Rhaid i chi wybod sut y bydd maint ac adweithedd yn amrywio o amgylch y tabl – a gwnewch yn siŵr eich bod yn gwybod lle i ddod o hyd i'r metelau, yr anfetelau a'r nwyon nobl.

Grŵp 0 – Y Nwyon Nobl

C1 Pam y caiff y nwyon Nobl eu hadnabod fel Grŵp VIII weithiau?

C2 Mae'r nwyon Nobl yn "anadweithiol". Beth yw ystyr hyn?

C3 Trwy gyfeirio at eu hadeiledd atomig eglurwch pam y mae'r nwyon Nobl yn anadweithiol.

C4 Defnyddiwch y tabl i ateb y cwestiynau hyn:

a) Pam fyddech chi'n disgwyl i hydrogen a heliwm fod yn nwyon ar dymheredd a gwasgedd ystafell?

b) Ar gyfer nifer penodol o atomau, ai heliwm neu hydrogen yw'r trymaf?

	Hydrogen	Heliwm
Adeiledd yr Atom	(H) x	(He) x
Berwbwynt °C	-253	-269
Ymdoddbwynt °C	-259	-272
Rhif Atomig	1	2
Rhif Màs	2	4

c) Ysgrifennwch nifer y protonau, electronau a niwtronau mewn atom hydrogen ac atom heliwm.

d) Eglurwch pam y mae sampl o heliwm yn fwy dwys na sampl o hydrogen o dan yr un amodau.

e) Wrth losgi nwy clorin mewn hydrogen, bydd adwaith yn digwydd i ffurfio hydrogen clorid. Beth feddyliech chi fyddai'n digwydd wrth losgi clorin mewn heliwm? Eglurwch eich ateb.

C5 Pam mai heliwm ac nid hydrogen a ddefnyddir mewn awyrlongau?

C6 Cwblhewch y paragraff isod o'r rhestr geiriau. Gellir defnyddio'r geiriau unwaith, mwy nag unwaith neu ddim o gwbl.

Cyfnodol	anadweithiol	1%	Nobl	cynyddu	plisgyn	isel	llawn
heliwm	argon	neon	electronau	radon	ymbelydrol	0	

Ceir hyd i'r nwyon _____ yng Ngrŵp _____ y Tabl _____. Fe'u gelwir yn nwyon Nobl gan nad ydynt yn adweithio gydag unrhyw elfennau eraill, oherwydd bod ganddynt _____ _____ allanol _____ . Fe'u gelwir yn nwyon _____ weithiau hefyd. Mae gan y nwyon Nobl ferwbwyntiau _____ dros ben sy'n _____ wrth fynd i lawr y grŵp. _____ yw'r nwy nobl sydd â'r atomau mwyaf a _____ sydd â'r atomau lleiaf. Mae tua _____ o'r aer yn nwyon nobl.

C7 Mae'r tabl isod yn dangos ychydig o wybodaeth am y nwyon Nobl. Defnyddiwch y tabl i ateb y cwestiynau hyn:

a) Ym mha fodd y mae ymdoddbwyntiau a berwbwyntiau'r nwyon yn newid wrth fynd i lawr y grŵp?

b) Cwblhewch y tabl trwy amcangyfrif ymdoddbwynt a berwbwynt radon.

Nwy Nobl	Rhif Atomig	Dwysedd ar TGS g/cm³	Ymdodd-bwynt °C	Berwbwynt °C
Heliwm	2	0.00017	-272	-269
Neon	10	0.00084	-248	-246
Argon	18	0.0016	-189	-186
Crypton	36	0.0034	-157	-153
Senon	54	0.006	-112	-107
Radon	86	0.01		

c) Pam y mae dwyseddau y nwyon Nobl yn cynyddu wrth fynd i lawr y grŵp?

Grŵp 0 – Y Nwyon Nobl

C8 Edrychwch ar y tabl gyferbyn.

Elfen	Pryd cafodd ei ddarganfod
Haearn	Yn yr hen amser
Heliwm	1895
Neon	1898
Ocsigen	1774
Ffosfforws	1669

a) Pam yn eich barn chi yr oedd y nwyon Nobl yn fwy anodd eu darganfod nag elfennau eraill?

b) Dyma ganrannau'r nwyon Nobl yn yr aer:
Ar 0.93%, Ne 0.0018%, He 0.0005%, Kr 0.0001%, Xe 0.0001%.

Oddeutu pa ganran o'r aer sy'n nwyon Nobl?

c) Pam roedd hi, o bosob, yn haws darganfod argon na'r nwyon Nobl eraill?

Mae Neon yn wych!

C9 Pam y caiff neon ei ddefnyddio mewn arwyddion hysbysebu?

C10 Rhowch ddefnydd cyffredin ar gyfer argon a nodwch pam y caiff ei ddefnyddio fel hyn.

C11 Pam y caiff heliwm ei ddefnyddio mewn balwnau meteorolegol yn hytrach nag argon?

C12 Mae'r tabl isod yn dangos manylion am y nwyon Nobl.

a) Llenwch y bylchau yn y tabl.

b) Ysgrifennwch enw elfen yng Ngrŵp 0 sy'n gweddu i'r disgrifiadau hyn:
i) Mae'n cynhyrchu golau os caiff cerrynt ei basio trwyddo.
ii) Llai dwys nag aer.
iii) Fe'i defnyddir mewn laserau.

Nwy Nobl	Symbol	Rhif Atomig	Rhif Màs	Nifer y Protonau	Nifer yr Electronau	Nifer y Niwtronau
	He		4	2		
Neon			20	10		
	Ar	18	40			
Crypton			84	36		
Senon		54	131		54	
Radon		86	222			

C13 Tynnwch lun un atom o Neon ($^{20}_{10}$**Ne**) ac Argon ($^{40}_{18}$**Ar**) gan ddangos eu ffurfweddau electronig.

C14 Pam y byddech chi'n disgwyl i briodweddau elfennau Grŵp 0 fod yn debyg?

C15 Pan ddaw lithiwm yn ïon lithiwm, Li$^+$, bydd ganddo'r un nifer o electronau â heliwm.

a) Lluniwch ïon lithiwm, Li$^+$ ac atom heliwm, $^4_2$**He**.

b) Labelwch nifer y protonau, niwtronau ac electronau ar y ddau atom.

c) Er bod ganddynt yr un ffurfwedd electronig erbyn hyn, nid yr un atom ydynt. Pam?

C16 Pan ddaw atom potasiwm yn ïon potasiwm (K$^+$), mae ganddo'r un ffurfwedd electronig â pha nwy Nobl?

C17 Pa nwyon Nobl sydd â'r un ffurfwedd electronig â'r canlynol?

a) Ïon ocsid, O^{2-}   **b) Ïon sodiwm, Na$^+$**   **c) Ïon clorid, Cl$^-$**

C18 Os oes gan argon ymdoddbwynt o -189°C a berwbwynt o -186°C ar dymheredd a gwasgedd safonol, dros ba amrediad tymheredd y bydd yn hylif ac yn nwy?

Gair i Gall: Yr hyn sy'n ddiddorol am y nwyon Nobl yw nad ydynt yn gwneud unrhyw beth. Wrth gwrs bydd yn rhaid i chi wybod pam – mae'r arholwyr yn hoff o ofyn. Peidiwch wrth gwrs ag anghofio eu bod i gyd yn nwyon un-atom. Heblaw am hynny, does ond yn rhaid i chi wybod sut cânt eu defnyddio – pa rai a ddefnyddir mewn balwnau, tiwbiau dadwefrio, bylbiau a laserau.

Adran pump – Tueddiadau Cyfnodol

Grŵp I – Y Metelau Alcalïaidd

C1 Gelwir Grŵp I y Tabl Cyfnodol yn Fetelau Alcalïaidd.

a) Pam y gelwir Grŵp I y Tabl Cyfnodol yn Fetelau Alcalïaidd?

b) Pam y cânt eu galw'n "Grŵp I" yn y Tabl Cyfnodol?

C2 Sut caiff y metelau alcalïaidd eu storio a pham?

C3 Mae metelau alcalïaidd yn adweithio gyda dŵr i gynhyrchu nwy a hydoddiant.

a) Pa liw fyddai'r hydoddiant a gynhyrchir wrth ychwanegu dangosydd cyffredinol ato?

b) Beth fyddai pH yr hydoddiant?

C4 Mae'r tabl ar y dde yn dangos pedwar metel alcalïadd a rhai o'u priodweddau ffisegol.

Metel alcalïaidd	Màs Atomig	Symbol	Berwbwynt °C	Ymdodd-bwynt °C	Dwysedd g/cm³
Lithiwm	7		1342	181	0.535
Sodiwm	23		880	98	0.971
Potasiwm	39		760	63	0.862
Rwbidiwm	85.5		688	39	1.53

a) Cwblhewch y tabl trwy ychwanegu'r symbolau.

b) Cesiwm yw'r metel alcalïaidd nesaf. Amcangyfrifwch: **i)** ei ferwbwynt **ii)** ei ymdoddbwynt **iii)** ei ddwysedd

c) Eglurwch pam y mae trawstoriad yr atomau yn cynyddu wrth fynd i lawr y grŵp.

d) Pa aelod o'r grŵp yw'r mwyaf dwys?

e) Beth sy'n rhaid gwanhau er mwyn i'r ymdoddbwynt ostwng wrth fynd i lawr y grŵp?

f) Dros pa amrediadau tymheredd fyddech chi'n disgwyl i **i)** Rwbidiwm, **ii)** Potasiwm fod yn hylifau?

C5 Eglurwch pam y mae gan ddarn o sodiwm sydd newydd ei dorri wyneb sgleiniog, ond ar ôl ychydig amser bydd yn troi'n wyn.

C6 Cwblhewch y tabl isod yna atebwch y cwestiynau sy'n dilyn:

Metel Alcalïaidd	Nifer y Protonau	Nifer y Niwtronau	Nifer yr Electronau	Rhif Atomig	Rhif Màs
Lithiwm				3	7
Sodiwm	11				23
Potasiwm	19	20			
Rwbidiwm				37	85
Cesiwm	55				133

a) Tynnwch lun atom sodiwm gan ddangos ei drefniant electronig.

b) Faint o electronau sydd ym mhlisgyn allanol sodiwm?

c) Pam y mae hyn yn gwneud sodiwm mor adweithiol?

d) Beth sy'n rhaid digwydd i atom sodiwm er mwyn iddo gael plisgyn allanol llawn?

e) Beth yw gwefr ïon sodiwm? Eglurwch eich ateb.

f) Wrth i sodiwm fondio mae'n newid o fod yn atom i fod yn ïon. Beth yw ystyr y term "ïon"?

C7 Dangosir diagram o ddau atom isod.

a) Cwblhewch yr atomau trwy ychwanegu nifer cywir yr electronau ym mhob plisgyn.

b) Sut all lithiwm a photasiwm ennill plisgyn electronau allanol llawn?

c) Beth fyddai'r wefr ar yr ïonau?

d) Ysgrifennwch y symbol ar gyfer yr ïonau a ffurfir.

e) Yn gyffredinol, y pellaf yw'r electron allanol o'r niwclews, yr hawsaf ydyw i'w dynnu.

Pa un fyddech chi'n disgwyl yw'r mwyaf adweithiol, lithiwm neu potasiwm? Eglurwch eich ateb.

Lithiwm $^{7}_{3}$Li

Potasiwm $^{39}_{19}$K

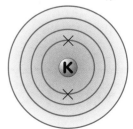

Grŵp I – Y Metelau Alcalïaidd

C8 Rhowch y metelau yn y bocs yn nhrefn eu hadweithedd – y mwyaf adweithiol yn gyntaf.

> **Cesiwm, Potasiwm, Lithiwm, Sodiwm, Rwbidiwm.**

C9 Cysylltwch y metel alcalïaidd â'i adwaith mewn dŵr:

A) Potasiwm	**1) Cynnau gyda fflam felen/oren, ffisian yn rymus.**
B) Sodiwm	**2) Dim fflam ond mae'n ffisian.**
C) Lithiwm	**3) Gwneud sŵn 'pop' ac yn cynnau gyda fflam leilac, ffisian yn rymus dros ben.**

C10 Wrth i fetel alcalïaidd adweithio gyda dŵr, cynhyrchir nwy.

a) Enwch y nwy a gynhyrchir.   **Sodiwm + dŵr →** ☐

b) Sut allech chi brofi am y nwy hwn?   **Lithiwm + dŵr →** ☐

c) Cwblhewch yr hafaliadau ar y dde.

d) i) Cwblhewch a chydbwyswch yr hafaliad hwn: $K_{(s)} + H_2O_{(h)} \rightarrow KOH_{(d)} +$ ☐

ii) Beth yw ystyr y symbolau (s), (h), (d) a (n) mewn hafaliadau cemegol?

C11 Enwch ddau ïon sy'n bresennol mewn hydoddiant potasiwm hydrocsid dyfrllyd.

C12 Mae lithiwm yn llosgi mewn aer i ffurfio lithiwm ocsid.

a) i) Defnyddiwch y diagramau i esbonio sut mae hyn yn digwydd.
ii) Ysgrifennwch fformiwla'r cyfansoddyn lithiwm ocsid.
iii) Cwblhewch yr hafaliadau isod a'u cydbwyso:

Lithiwm + ocsigen →	☐	**Li + O₂ →**	☐
Sodiwm + ocsigen →	☐	**Na + O₂ →**	☐

b) Byddai'r holl fetelau alcalïaidd yng Ngrŵp I yn adweithio mewn modd tebyg gydag ocsigen a dŵr. Eglurwch pam.

C13 Cwblhewch y tabl isod gan ddefnyddio'r geiriau a'r brawddegau hyn:

> **tarneisio'n gyflym i roi haen ocsid**   **tarneisio'n araf i roi haen ocsid**
>
> **tarneisio'n gyflym dros ben i roi haen ocsid**

	Adwaith y Metel mewn Aer
Lithiwm	
Sodiwm	
Potasiwm	

C14 Mae rwbidiwm a chesiwm yn beryglus dros ben.

a) Rhagfynegwch sut y byddant yn adweithio gyda dŵr.

b) Rhagfynegwch sut y byddant yn adweithio gydag aer.

c) Pam y mae'r ddau fetel hyn mor adweithiol?

Gair i Gall: Gan mai dim ond un electron sydd yn eu plisg allanol does gan y metelau hyn ddim llawer i'w golli – maent yn go adweithiol. Mae'r arholiad yn fwyaf tebygol o ofyn am dueddiadau yn y grŵp – gwnewch yn siŵr eich bod yn gwybod sut y bydd maint, adweithedd, dwysedd a berwbwynt ac ymdoddbwynt yn amrywio i lawr y grŵp – a pham.

Grŵp VII – Yr Halogenau

C1 Pam y gelwir yr halogenau yn elfennau Grŵp VII?

C2 Cwblhewch y tabl isod ac atebwch y cwestiynau.

Halogen	Nifer yr electronau yn y plisgyn allanol	Cyflwr ar dymheredd ystafell	Lliw ar dymheredd ystafell	Symbol
Fflworin	7			
Clorin		nwy		
Bromin			brown	
Ïodin				I

a) Hylif anweddol brown yw bromin. Beth yw ystyr anweddol?
b) Pam y mae'r atomau'n fwy wrth i chi fynd i lawr y grŵp?
c) Ym mha fodd y mae'r adweithedd yn newid i lawr y grŵp?

C3 Mae gan glorin ymdoddbwynt o -101°C a berwbwynt o -35°C ar wasgedd atmosfferig.

Rhwng pa dymereddau y bydd clorin yn a) Solid   b) Hylif   c) Nwy?

C4 Edrychwch ar y wybodaeth yn y tabl.

a) Amcangyfrifwch ymdoddbwynt ïodin o'r wybodaeth a geir.
b) Disgrifiwch y patrymau (tueddiadau) yn yr ymdoddbwyntiau a'r berwbwyntiau wrth fynd i lawr y grŵp.

Halogen	Ymdoddbwynt °C	Berwbwynt °C
Fflworin	-220	-188
Clorin	-101	-35
Bromin	-7	58
Ïodin		184

C5 Mae gan atom fflworin y symbol cemegol → $^{19}_{9}F$

a) Tynnwch lun atom fflworin o'r wybodaeth hon.
b) Ysgrifennwch y canlynol ar eich diagram: i) nifer y protonau   ii) nifer y niwtronau   iii) nifer yr electronau   iv) y ffurfwedd electronig.

C6 Mae'r halogenau i gyd yn ffurfio moleciwlau deuatomig.

a) Eglurwch ystyr deuatomig.
b) Ysgrifennwch fformiwla ar gyfer: i) moleciwl clorin   ii) moleciwl ïodin.

C7 Mae'r diagram ar y chwith yn dangos atom clorin.

a) Lluniwch foleciwl clorin gan ddefnyddio'r atom hwn i'ch cynorthwyo.
b) Pa fath o fondio yw hyn?

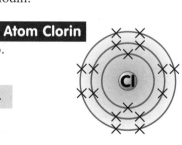
Atom Clorin

C8 Gall yr halogenau ffurfio math arall o fond hefyd trwy ennill un electron.

a) Beth yw enw'r math yma o fond?
b) Beth fyddai gwefr ïon halogen?
c) Enwch gyfansoddyn sy'n cynnwys clorin wedi ennill electron.
d) Enwch gyfansoddyn sy'n cynnwys clorin yn rhannu electron.

C9 Lluniwch yr adeiledd atomig ac ysgrifennwch enwau'r cyfansoddion a fydd yn ffurfio:

a) Wrth i fflworin gyfuno â lithiwm, b) Wrth i glorin gyfuno â hydrogen.

C10 Nodwch pa fath o fondio sydd yn y cyfansoddion halogen canlynol:

a) Hydrogen fflworid, HF b) Lithiwm clorid, LiCl c) Tetracloromethan d) Potasiwm bromid.
Sut y gwyddoch chi pa fath o fondio a geir bob tro? A oes rheol gyffredinol i'w dilyn?

C11 Llenwch y bylchau i gwblhau'r tabl hwn:

Halogen	Symbol	Nifer y protonau	Nifer y niwtronau	Nifer yr electronau	Màs Atomig	Rhif Atomig
Fflworin	F				19	9
Clorin	Cl	17	18		35	
Bromin	Br	35			80	
Ïodin	I				127	53
Astatin	At	85			210	

Grŵp VII – Yr Halogenau

C12 Mae adweithedd yr halogenau yn lleihau wrth fynd i lawr y grŵp, ond mae adweithedd y metelau alcalïaidd yn cynyddu wrth fynd i lawr y grŵp. Esboniwch y gwahaniaeth hwn.

C13 Gall ïodin newid yn hawdd o fod yn solid llwyd tywyll i fod yn anwedd porffor. Nid yw'n troi'n hylif. Beth yw enw'r newid hwn?

C14 Mae halogenau yn adweithio gyda metelau i ffurfio halwynau.

    a) Beth yw halwyn?

    b) O gofio bod Halogenau yn wenwynig, ble y dylid gwneud adweithiau rhwng metelau a halogenau?

    c) Ysgrifennwch enw'r halwynau sy'n ffurfio yn yr adweithiau canlynol:

    d) Ai cyfansoddion ïonig neu gofalent yw'r halwynau? Eglurwch eich ateb.

Haearn + Clorin	→	
Alwminiwm + Bromin	→	
Tun + Clorin	→	

C15 Mae'r rhan fwyaf o'r halidau yn hydawdd ond nid yw halidau arian (e.e. arian clorid). Gellir eu defnyddio i brofi am halwynau halid oherwydd eu bod yn cynhyrchu dyddodion lliw, anhydawdd.

    a) Beth yw ystyr y term "dyddodiad"?

    b) Pa symbol sy'n dangos dyddodiad mewn adwaith?

    c) Cysylltwch yr halid arian gyda lliw y dyddodiad sy'n ffurfio:

    d) Edrychwch ar yr adwaith isod.

Halid Arian	**Dyddodiad**
arian clorid	melyn
arian bromid	gwyn
arian ïodid	lliw hufennog

Arian nitrad + Sodiwm clorid → Arian clorid + Sodiwm nitrad

Ysgrifennwch hafaliadau ar gyfer adwaith arian nitrad gyda: **i)** sodiwm bromid **ii)** sodiwm ïodid.

C16 Pa effaith gaiff nwy clorin ar bapur litmws glas, llaith?

C17 Mae gennych sampl o gyfansoddyn solid, X, ac fe wyddoch ei fod yn halwyn halid. Esboniwch yr arbrawf y gellir ei wneud er mwyn darganfod pa halid sy'n bresennol yn X.

C18 Caiff clorin ei fyrlymu trwy sodiwm bromid fel y dangosir yn y diagram.

    a) Beth fyddech chi'n ei weld yn digwydd yn y tiwb prawf?

    b) Ai clorin neu bromin yw'r mwyaf adweithiol?

    c) Sut fedrwch chi esbonio canlyniadau'r adwaith hwn?

    d) Ysgrifennwch hafaliad i egluro'r adwaith.

    e) Cwblhewch yr hafaliadau isod trwy ysgrifennu'r symbolau a'u cydbwyso.

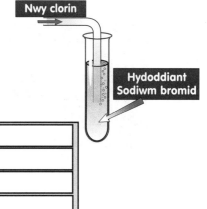

Nwy clorin

Hydoddiant Sodiwm bromid

i)	**Fflworin + Sodiwm ïodid**	→	
ii)	**Clorin + Sodiwm bromid**	→	
iii)	**Clorin + Potasiwm fflworid**	→	
iv)	**Bromin + Potasiwm ïodid**	→	

Gair i Gall: Mae adweithedd yr halogenau yn amrywio'n groes i adweithedd grŵp I – gwnewch yn siŵr eich bod chi'n deall pam. Dysgwch sut y mae maint, lliw ac ymdoddbwyntiau a berwbwyntiau yn amrywio wrth fynd i lawr y grŵp. Y cyfan fydd ar ôl i'w wybod wedyn fydd y peryglon, sut i brofi amdanynt, a'u hadweithiau dadleoli.

Halen Diwydiannol

C1   Beth yw prif ddiben halen craig, sy'n bwysig dros ben yn ystod misoedd y gaeaf?

C2   Ble y ceir dyddodion halen mawr ym Mhrydain?

C3   Sut y ceir y rhan fwyaf o'r halen o'r ddaear?

C4   Beth yw'r enw cyffredin ar hydoddiant crynodedig o sodiwm clorid?

C5   Mae gwresogi yn cynyddu faint o halwyn y gellir ei hydoddi mewn cyfaint penodol o ddŵr.

    a) Beth yw hydoddiant dirlawn?

    b) Mae'r graff yn dangos hydoddedd dau halwyn.
       Pa halwyn yw'r mwyaf hydawdd: **i)** ar dymereddau isel   **ii)** ar dymereddau uchel?

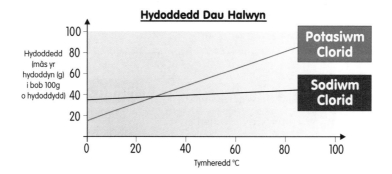

C6   Pam y caiff dŵr y môr ei adael mewn tanciau mawr, agored mewn rhai gwledydd poeth?

C7   Mae gan sodiwm hydrocsid nifer o ddibenion. Fe'i ceir yn ddiwydiannol o halen craig trwy electrolysis. Beth yw electrolysis?

C8   Caiff sodiwm clorid ei wneud yn hydoddiant cyn ei electroleiddio.

    a) Beth yw enw'r hydoddiant hwn?
    b) Pam y mae'n rhaid gwneud sodiwm clorid yn hydoddiant cyn electrolysis?

C9   Labelwch y diagram isod sy'n dangos electrolysis hydoddiant sodiwm clorid. Defnyddiwch y labeli canlynol:

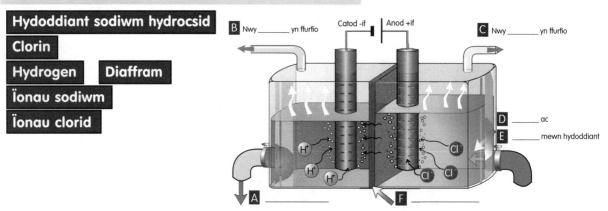

C10   Pam y mae'n bwysig i'r amgylchedd bod cynhyrchion electrolysis halwynau yn cael eu storio'n ofalus?

C11   Pam na chaiff sodiwm ei gynhyrchu wrth y catod yn y broses electrolysis hon?

Adran pump – Tueddiadau Cyfnodol

Halen Diwydiannol

C12 Cwblhewch y brawddegau canlynol trwy lenwi'r bylchau gyda'r geiriau coll (gellir defnyddio'r geiriau unwaith, mwy nag unwaith neu ddim o gwbl).

heli	electrolysis	hydrogen	colli	Na+	atom clorin
halen craig	sodiwm hydrocsid	Cl-	moleciwl clorin	ïonau Cl-
ennill	moleciwl hydrogen	diwydiannol	Cl	clorin
clorid	H+	atom hydrogen	yn ddiwydiannol

Mae gan sodiwm clorid nifer o ddibenion _____ . Caiff halen ei gloddio ar ffurf _____ _____. Caiff hwn ei buro i roi sodiwm clorid. Gellir cael cynhyrchion defnyddiol o _____ , sef hydoddiant sodiwm clorid trwy _____ . Cynhyrchir yr ïonau H+, OH-, _____ a _____ . Caiff yr ïonau _____ eu dyddodi wrth yr anod. Maent yn _____ electronau i newid yn atomau _____ . Mae dau _____ _____ yn cyfuno i ffurfio un _____ _____ . Caiff yr ïonau _____ eu dyddodi wrth y catod. Maent yn _____ electron i newid yn atom _____ . Mae dau _____ _____ yn cyfuno i ffurfio un _____ _____ . Gellir defnyddio pob un o gynhyrchion electrolysis heli gan fod hydoddiant _____ _____ ar ôl yn y cynhwysydd adweithio.

C13 Cwblhewch a chydbwyswch yr hafaliad hwn i ddangos sut y caiff moleciwl hydrogen ei ffurfio:

$$H^+ \; + \; \underline{\hspace{3cm}} \; \rightarrow \; \underline{\hspace{3cm}}$$

C14 Lluniwch adeiledd electronig y trawsffurfiadau canlynol sy'n digwydd yn ystod electrolysis sodiwm clorid:

ïon clorid → Atom clorin

C15 Pam y mae'n rhaid i atomau hydrogen a chlorin ffurfio moleciwlau cyn y cânt eu rhyddhau wrth yr electrodau?

C16 Edrychwch ar yr hafaliadau isod. Ai adweithiau ocsidio neu rydwytho ydynt?

i) $Cl^- \rightarrow Cl + e^-$

ii) $H^+ + e^- \rightarrow H$

C17 Caiff clorin a hydrogen eu cynhyrchu wrth electroleiddio heli.

Os cesglir tiwb prawf o bob un, sut fedrech chi brofi pa un sy'n cynnwys clorin a pha un sy'n cynnwys yr hydrogen (heb edrych ar y lliw)?

Gair i Gall: Mae'n siŵr eich bod chi eisoes yn gwybod beth yw prif ddibenion halen – heblaw am yr electrolysis. Yn anffodus, dyna'r darn y mae gwir angen i chi wybod amdano. Gwnewch yn siŵr eich bod chi'n dysgu'r tri chynnyrch ac yn union sut y cânt eu cynhyrchu. A pheidiwch ag anghofio o ble y daw yr halen.

Defnyddio Halogenau a Chynhyrchion Halen

C1 Defnyddir clorin mewn hylif cannu. Gwneir hylif cannu trwy hydoddi clorin mewn hydoddiant sodiwm hydrocsid.

Dyma'r adwaith:

$$Cl_{2(n)} + NaOH_{(d)} \rightarrow NaOCl_{(d)} + NaCl_{(d)} + H_2O_{(h)}$$

Cydbwyswch yr hafaliad.

C2 Rhowch ddau ddiben arall ar gyfer clorin.

C3 Defnyddir clorin wrth weithgynhyrchu hydrogen clorid. Wrth hydoddi hydrogen clorid mewn dŵr caiff hydoddiant asid hydroclorig ei ffurfio.

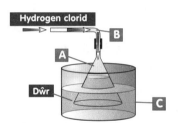

Mae'r diagram yn dangos y nwy hydrogen clorid yn hydoddi mewn dŵr i ffurfio asid hydroclorig.

a) Enwch ddarnau offer A, B ac C.

b) Pa ïon sy'n rhaid bod yn bresennol er mwyn i'r hydoddiant hydrogen clorid fod yn asidig?

C4 **a)** Eglurwch pam nad yw bromin mor barod â chlorin i gyfuno â hydrogen.

b) Pa mor barod fyddech chi'n disgwyl i ïodin fod i adweithio gyda hydrogen?

C5 Mae clorin a bromin ill dau yn ocsidyddion. Mae hyn yn golygu eu bod yn peri ocsidiad (colli electronau).

a) Pam y maen nhw "eisiau" ocsidio cemegau eraill?

b) Mae clorin yn ocsidydd cryfach na bromin. Eglurwch pam y mae'n gryfach.

c) Cwblhewch yr hafaliad:

i) $Cl_2 +$ _____ $\rightarrow 2Cl^-$

ii) $Br_2 +$ _____ $\rightarrow 2Br^-$

C6 Pam y caiff fflworid ei ychwanegu at ddŵr yfed? Pa gynnyrch arall y caiff fflworin ei ychwanegu ato?

C7 Mae ïodin yn llai adweithiol na fflworin, clorin a bromin.

a) A fyddai'n ocsidydd da?

b) Ym mhle caiff ïodin ei ddefnyddio?

C8 Defnyddir halidau arian mewn ffilmiau ffotograffig. Gellir gwneud sampl o arian bromid trwy gymysgu arian nitrad a sodiwm bromid.

a) Gellir hollti'r arian bromid (AgBr) a ffurfir yn hawdd. Ysgrifennwch hafaliad i ddangos hyn.

b) Pa fath o egni sy'n hollti'r arian bromid mewn ffotograffiaeth?

Defnyddio Halogenau a Chynhyrchion Halen

C9 Mae electrolysis heli yn cynhyrchu sodiwm hydrocsid, hydrogen a chlorin.

a) Defnyddir hydrogen yn y Broses Haber. Beth yw cynnyrch y broses Haber?

b) Mae hydrogen yn llosgi i ryddhau egni. Beth yw'r enw a roddir ar ddefnyddiau a wna hyn?

C10 Rhowch dri diben ar gyfer sodiwm hydrocsid.

C11 Mae sodiwm hydrocsid yn alcali cryf. Beth sy'n rhaid i sodiwm hydrocsid ei gynhyrchu mewn hydoddiant?

C12 Llenwch y bylchau gan ddefnyddio'r geiriau isod. Gellir defnyddio'r geiriau unwaith, mwy nag unwaith neu ddim o gwbl:

> **sodiwm hydrogencarboad   hydrogen clorid**
> **hydrocarbon   sodiwm hydrocsid**
> **clorin   amonia   hydrogen   brasterau**
> **tecstiliau   margarin   hylif glanhau popty**

Caiff heli ei electroleiddio i roi'r tri chynnyrch

_____ , _____ a _____ . Defnyddir _____

wrth wneud PVC, i ddiheintio dŵr yfed ac mewn pyllau

nofio. Er mwyn gweithgynhyrchu PVC caiff ei newid yn

_____ , a caiff hwn ei ychwanegu at foleciwl

_____ cadwyn hir mewn modd sy'n ffurfio PVC.

Defnyddir hydrogen i wneud _____ fel _____ .

Defnyddir _____ wrth wneud sebonau a

glanedyddion, _____ , papur a _____ fel rayon,

gwlân a chotwm.

Gair i Gall: Mae'n gymorth weithiau i gofio priodweddau'r cemegau – os medrwch chi weld pam ei fod yn dda ar gyfer diben arbennig, bydd yn haws cofio. Gwiriwch eich bod yn gwybod beth gaiff ei ddefnyddio yn y canlynol: hylif cannu, margarin, sebon, pryfleiddiaid, amonia ac antiseptig.

Asidau ac Alcalïau

C1 Ticiwch y bocs gyferbyn â phob un o'r gosodiadau canlynol i ddangos pa rai sy'n Gywir a pha rai sy'n Anghywir.

A yw'n Gywir neu'n Anghywir...

	Cywir	Anghywir
Mae pob asid yn beryglus		
Mae pob alcali yn beryglus		
Mae asidau'n cynhyrchu ïonau H^+ mewn hydoddiant		
Mae alcalïau yn cynhyrchu ïonau OH^- mewn hydoddiant		

A yw'n Gywir neu oes yn rhaid iddo fod yn Anghywir...

	Cywir	Anghywir
Mae gan asidau pH mwy na 7		
Mae gan asidau pH llai na 7		
Mae'r raddfa pH yn mynd o 0 i 14		

C2 Rhowch enwau tri asid ac alcali mainc cyffredin, ac ysgrifennwch eu fformiwlâu:

Enw'r Asid	Fformiwla'r Asid
(i)	
(ii)	
(iii)	

Enw'r Alcali	Fformiwla'r Alcali
(i)	
(ii)	
(iii)	

C3 Beth y gelwir sylwedd sydd â pH o 7?

C4 Enwch sylwedd sydd fel arfer â pH 7.

C5 Nodwch pa rai o'r canlynol sy'n asid a pha rai sy'n alcali:

a) Asid hydroclorig   **b) Sodiwm hydrocsid**   **c) KOH**   **d) H_2SO_4**   **e) HNO_3**

C6 Beth yw dangosydd?

C7 Pam y mae dangosyddion yn ddefnyddiol?

C8 Beth yw bas? Enwch dri bas.

C9 Cwblhewch y tabl trwy ychwanegu lliw cywir y dangosyddion mewn asid neu alcali:

Dangosydd	Lliw mewn hydoddiant:	
	Asid	Alcali
Dangosydd Cyffredinol		
Litmws Coch		
Litmws Glas		
Ffenolffthalein		
Methyl Oren		
Methyl Coch		

Adran pump – Tueddiadau Cyfnodol

Asidau ac Alcalïau

C10 Lliwiwch y siart pH gyda'r lliwiau cywir ar gyfer hydoddiant dangosydd Cyffredinol:

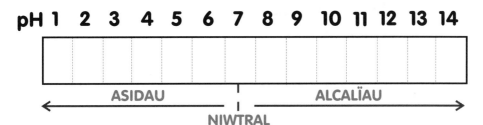

C11 Pa werthoedd pH fyddech chi'n eu disgwyl ar gyfer....?

i) Asid sitrig

ii) Sodiwm clorid (halen cyffredin)

iii) Calch (calsiwm hydrocsid)

iv) Hylif glanhau popty

v) Sodiwm hydrocsid

vi) Asid hydroclorig

C12 Llenwch y bylchau gyda'r geiriau cywir:

> Mae dangosydd cyffredinol yn troi'n lliw _____ mewn asidau cryf, yn _____ mewn hydoddiannau niwtral ac yn _____ mewn alcalïau cryf.
> Mae _____ yn ddangosydd arall sy'n newid ei liw mewn asidau ac alcalïau.
> Os nad yw hydoddiant yn asid nac yn alcali dywedir ei fod yn _____ , ac mae ganddo pH o _____ . Mae lemonau ac orennau yn cynnwys asid _____ . Mae diodydd fel lemonêd yn cynnwys asid _____ . Gall tabledi llaeth magnesia helpu camdreuliad oherwydd eu bod yn cynnwys _____ gwan. Mae hylifau glanhau popty cryf yn cynnwys alcali cryf o'r enw _____ _____ .
> Mae batrïau ceir yn cynnwys asid _____ .

C13 Eglurwch sut allech chi fesur pH hydoddiant di-liw.

C14 Eglurwch sut allech chi fesur pH hydoddiant lliwgar dros ben.

C15 Mae'r labeli wedi disgyn oddi ar tiwbiau prawf yn cynnwys finegr, dŵr, asid sylffwrig a hylif glanhau popty. Mae'r tabl ar y dde yn dangos lliw papur pH o'i ychwanegu at bob tiwb.

Ysgrifennwch y gwerthoedd pH coll ac enwch pa sylwedd sydd ym mhob tiwb.

Tiwb	Lliw	pH
1	Coch	
2	Oren	
3	Gwyrdd	
4	Glas	

Gair i Gall: Nid yw'r gwaith yma cynddrwg â hynny – nifer o ïonau H^+ ac OH^- ar hyd y lle. Gwnewch yn siŵr y medrwch chi ddiffinio asid ac alcali yn nhermau'r rhain – ac y gallwch ysgrifennu hafaliad ar gyfer niwtraleiddio. Os medrwch chi wneud hynny ac os ydych chi'n gwybod eich graddfa pH, dyna ni...

Adweithiau Asidau

C1 Cwblhewch yr adweithiau asid cyffredinol canlynol trwy ysgrifennu'r cynhyrchion coll.

> Asid + Bas → Halwyn + _____
>
> Asid + Metel → Halwyn + _____
>
> Asid + Carbonad Metel → Halwyn + dŵr + _____ _____
>
> Asid + Hydrogencarbonad Metel → _____ + dŵr + Carbon deuocsid

C2 Beth yw alcali?

C3 Beth yw bas?

C4 Diffiniwch halwyn.

C5 Cysylltwch y geiriau yn y diagram gyferbyn i ddangos yr halwyn a gynhyrchir gan bob asid.

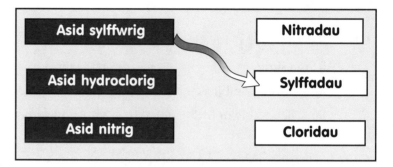

C6 Ysgrifennwch gynhyrchion yr adweithiau canlynol. Yna cwblhewch y fformiwlâu ar gyfer y cyfansoddion a chydbwyswch yr hafaliad. Dyma enghraifft wedi ei chwblhau i chi:

> Asid Hydroclorig + Sodiwm Hydrocsid → Sodiwm Clorid + dŵr
>
> $HCl + NaOH → NaCl + H_2O$

a) Asid hydroclorig + Potasiwm hydrocsid →

b) Asid hydroclorig + Calsiwm hydrocsid →

c) Asid sylffwrig + Potasiwm hydrocsid →

d) Asid hydroclorig + Calsiwm carbonad →

e) Asid hydroclorig + Sinc →

f) Asid nitrig + Sodiwm hydrocsid →

g) Asid nitrig + Sodiwm hydrogencarbonad →

h) Asid ffosfforig + Amoniwm hydrocsid →

$H_3PO_4 +$ _____ → _____ $+ (NH_4)_3 PO_4$

i) Asid hydroclorig + Sodiwm ocsid →

Adweithiau Asidau

C7 Atebwch y cwestiynau hyn ar niwtraliad:

a) Beth yw niwtraliad?

b) Pam y mae niwtraliad mor bwysig i ffermwyr?

c) Beth y mae ffermwyr yn ei ddefnyddio i niwtraleiddio pridd sy'n rhy asidig?

C8 Mae dau gwmni yn hysbysebu tabledi sydd mae'n debyg yn lleddfu poen yn y bol trwy niwtraleiddio gormodedd yr asid stumog.

a) Disgrifiwch beth fyddech chi'n ei wneud:
i) er mwyn gwirio bod y tabledi yn niwtraleiddio asid.
ii) er mwyn darganfod pa dabled sy'n niwtraleiddio'r mwyaf o asid?

b) Magnesiwm hydrocsid yw'r cynhwysyn adweithiol yn y rhan fwyaf o dabledi diffyg traul.
Ysgrifennwch hafaliad i ddangos sut mae'r cemegyn hwn yn adweithio gydag asid yn y stumog.

C9 Darllenwch y canlynol sy'n esbonio sut y mae diffoddyddion tân yn gweithio.

> **Mae diffoddyddion tân coch yn cynnwys hydoddiant sodiwm hydrogencarbonad. Wrth wasgu'r plymiwr i lawr mae asid sylffwrig yn cymysgu gyda'r sodiwm hydrogencarbonad ac yn adweithio gydag ef, gan gynhyrchu nwy. Mae hyn yn creu gwasgedd yn y silindr sy'n gwthio ewyn o hylif a swigod allan trwy'r trwyn.**

a) Beth yw enw'r nwy?

b) Ysgrifennwch hafaliad geiriau i ddangos yr hyn sy'n digwydd.

C10 Defnyddiwch y wybodaeth gyferbyn i awgrymu gwellhad ar gyfer:

a) pigiad cacynen

b) pigiad gwenynen

c) pigiad danadl poethion.

> - Mae pigiadau cacwn yn fasig.
> - Mae pigiadau gwenyn yn asidig.
> - Mae pigiadau danadl poethion yn asidig.
> - Mae soda pobi yn alcalïaidd.
> - Mae dail tafol yn cynnwys alcali.
> - Mae sudd lemwn yn asidig.

C11 Gellir symleiddio niwtraliad $H^+_{(d)} + OH^-_{(d)} \rightarrow H_2O_{(h)}$

Esboniwch o ble y daw'r H^+ a'r OH^-

C12 Pa asid a pha gemegyn arall fyddech chi'n eu defnyddio er mwyn gwneud...?

a) Sodiwm clorid **b)** Copr clorid **c)** Potasiwm sylffad

d) Sinc sylffad **e)** Amoniwm nitrad **f)** Amoniwm sylffad

C13 Pam y mae defnyddio sodiwm ac asid hydroclorig i wneud sodiwm clorid yn syniad gwael?

Gair i Gall: Mae'r adweithiau yn ymddagos braidd yn gymhleth – ond dim ond pedwar math sydd. Os medrwch chi ysgrifennu hafaliadau ar gyfer basau, metelau, carbonadau metel a hydrogencarbonadau metel yna fydd ddim problem. Gwnewch yn siŵr eich bod chi'n gallu enwi'r halwyn a gynhyrchir wrth niwtraleiddio rhywbeth – ysgrifennwch yr hafaliad os nad ydych chi'n sicr.

Metelau

C1 Mae ymdoddbwyntiau a berwbwyntiau metelau yn uchel yn gyffredinol.

a) Sut all hyn eu gwneud yn ddefnyddiol?

b) Pa fetel yw'r prif eithriad? Rhowch un diben oherwydd y priodwedd hwn.

C2 Mae metelau yn hydrin. Beth yw ystyr hydrin a ble allai'r priodwedd hwn fod yn ddefnyddiol?

C3 Gellir profi cryfder tynnol metelau yn y labordy.

a) Esboniwch brawf syml fyddech chi'n ei ddefnyddio. Pa ragofalon fyddai eu hangen?

b) Sut allech chi sicrhau fod y prawf yn un teg?

C4 Cysylltwch bob metel â'i ddiben:

1. Copr		A. Fe'i defnyddir mewn gemwaith
2. Plwm		B. Fe'i defnyddir mewn awyrennau
3. Alwminiwm		C. Fe'i defnyddir i wifrio
4. Aur		D. Fe'i defnyddir i atal ymbelydredd

C5 **a)** Cwblhewch y tabl isod i ddangos priodweddau a dibenion cysylltiol y pedwar metel uchod. Mae'r cyntaf wedi ei wneud eisoes.

Metel	Priodwedd	Diben
Copr	Dargludo trydan	Gwifrio mewn tai
Plwm		
Alwminiwm		
Aur		

b) Beth yw'r enw a roddir ar gymysgedd o fetelau?

c) Pam y caiff metelau eu cymysgu?

d) Sut y gwneir hyn?

e) Pam y caiff ei alw'n gymysgedd ac nid yn gyfansoddyn?

Metel	Ymdodd-bwynt (°C)
Alwminiwm	659
Copr	1083
Aur	1064
Haearn	1540
Plwm	328
Tun	232
Twngsten	3410

C6 Defnyddiwch y tabl gyferbyn i ateb y cwestiynau hyn:

a) Eglurwch pam y caiff twngsten ei ddefnyddio mewn bylbiau golau.

b) Lluniwch siart bar i ddangos ymdoddbwyntiau'r metelau yn y tabl.

C7 Eglurwch ystyr y term rhydwythydd. Pam y mae metelau yn rhydwythyddion?

C8 Eglurwch pam nad yw aur yn tarneisio'n hawdd a'i fod yn cael ei ddarganfod fel elfen ar ei ben ei hun.

C9 Cymharwch pH ocsidau metelig gyda pH ocsidau anfetelig.

Gair i Gall: Electronau rhydd sy'n achosi bondio metelig – ac mae'r bondiau'n go gryf fel arfer. Gwnewch yn siŵr eich bod chi'n deall sut mae hyn yn effeithio ar eu gallu i ddargludo gwres a thrydan – a'u hymdoddbwyntiau a'u berwbwyntiau. Heblaw am hynny does dim ond yn rhaid i chi fedru diffinio aloi a rhoi enghreifftiau.

Anfetelau

C1   Edrychwch ar y Tabl Cyfnodol hwn.

Lliwiwch y rhan sy'n cynrychioli anfetelau.

C2   Mae haearn yn fetel ac mae sylffwr yn anfetel.

Cwblhewch y tabl isod ar gyfer y ddau gan ddangos y gwahaniaethau rhwng metelau ac anfetelau. Defnyddiwch y geiriau yn y bocs.

> dargludydd gwael   isel   dargludydd da
> hydrin   uchel   brau

Elfen	Dargludo gwres	Dargludo trydan	Ymdoddbwynt	Berwbwynt	Cryfder	Dwysedd
Haearn						
Sylffwr						

C3   Nid yw'r rhan fwyaf o anfetelau yn dargludo trydan.

a) Beth yw'r enw cyffredinol ar ddefnyddiau nad ydynt yn dargludo?

b) Eglurwch pam nad yw anfetelau yn dargludo trydan.

c) Enwch eithriad i'r rheol hon.

C4   Atebwch y cwestiynau hyn ar fondio rhwng elfennau anfetel:

a) Pa fath o fondio a geir rhwng dwy elfen anfetel?

b) Eglurwch pam.

C5   Mae anfetelau yn ffurfio moleciwlau bychain tra bo metelau yn bondio mewn adeileddau metelig enfawr.

Enwch ddau o briodweddau pob un oherwydd eu hadeiledd.

C6   Anfetel yw hydrogen. Dangosir adeiledd atom hydrogen isod.

Mae hydrogen yn nwy ar dymheredd a gwasgedd ystafell, ac mae ganddo nifer o briodweddau anfetel. Er hyn, gellir dadlau y dylid rhoi hydrogen yng Ngrŵp I y Tabl Cyfnodol. Eglurwch pam.

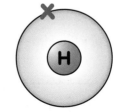

C7   Pa fath o fondio a geir rhwng hydrogen ac ocsigen?

C8   Mae carbon ac ïodin yn sychdarthu.

Beth yw ystyr hyn?

Anfetelau

C9 Edrychwch ar y diagramau hyn o ddau atom.

 Ocsigen $^{16}_{8}O$

 Carbon $^{12}_{6}C$

a) Cwblhewch y diagramau trwy ychwanegu croesau at blisgyn allanol y ddau atom.

b) Mae ocsigen yn ffurfio bond ïonig gyda metel.

Pa fath o wefr fydd ar yr ïon ocsigen?

c) Mae carbon ac ocsigen yn cyfuno fel dau anfetel i ffurfio'r moleciwl cofalent carbon deuocsid (CO_2). Gwnewch ddiagram dot a chroes electronau ar gyfer carbon deuocsid.

C10 Edrychwch ar y tabl isod sy'n dangos ymdoddbwyntiau ar draws un cyfnod yn y Tabl Cyfnodol.

Elfen	Sodiwm	Magnesiwm	Alwminiwm	Silicon	Ffosfforws	Sylffwr	Clorin	Argon
Rhif Atomig	11	12	13	14	15	16	17	18
Ymdoddbwynt (°C)	100	620	630	1400	30	110	-100	-190

a) Gan ddefnyddio'r wybodaeth hon, plotiwch graff o ymdoddbwyntiau yn erbyn rhif atomig ar draws y cyfnod.

b) Eglurwch unrhyw dueddiadau a welwch yn eich graff.

c) A oes unrhyw ganlyniadau anarferol? Awgrymwch reswm dros hyn.

d) Gan ddefnyddio'ch gwybodaeth am adeiledd atomig, pa elfen yn y rhestr fyddech chi'n disgwyl sydd â'r atyniad gwannaf rhwng ei hatomau? Pam?

C11 Gall silicon a charbon ffurfio adeileddau enafwr.

Pam y mae hyn yn anarferol mewn anfetelau?

C12 Mae'r diagramau hyn yn dangos adeileddau graffit a diemwnt (dau ffurf carbon):

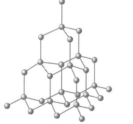 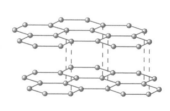

a) Beth yw'r enw a roddir ar wahanol ffurfiau un elfen?

b) Mae gan graffit a diemwnt briodweddau gwahanol.
Gan roi rhesymau, nodwch pa un sy'n dangos y priodweddau canlynol:

i) Mae'n dargludo trydan   **ii)** Mae'n ddefnydd caled   **iii)** Mae'n ddefnydd meddal

c) Rhowch un diben diwydiannol ar gyfer diemwnt ac un ar gyfer graffit.

C13 Caiff ocsidau anfetel megis SO_2 a CO_2 eu rhyddhau i'r atmosffer yn aml.

a) Pa sylweddau fyddai'r rhain yn ei ffurfio wrth gymysgu gyda dŵr?

b) Pam y mae'n broblem pan gânt eu rhyddhau i'r atmosffer, a beth yw'r enw cyffredin ar y ffenomen hon?

Gair i Gall: Mae cwestiynau yn yr arholiad yn aml yn cymharu metelau ac anfetelau. Gwnewch yn siŵr eich bod chi'n deall pam y mae anfetelau wedi eu gwneud o foleciwlau a sut all hyn effeithio ar eu priodweddau. Rhaid i chi hefyd wybod ym mha fodd y mae diemwnt a graffit yn wahanol, a pham.

Cyfres Adweithedd y Metelau

C1   Rhestr o fetelau yw'r gyfres adweithedd.

a) Beth ydych chi'n ei ddeall am y term "cyfres adweithedd"?

b) Mae rhai metelau yn cyrydu yn yr aer. Beth yw ystyr cyrydiad?

c) Mae metelau yn adweithio gydag aer, dŵr ac asidau. Beth ddylech chi chwilio amdano mewn adweithiau fel hyn er mwyn adnabod y metel mwyaf adweithiol?

d) Rhestrwch y metelau hyn yn ôl trefn eu hadweithedd gan ddechrau gyda'r mwyaf adweithiol:

| potasiwm | aur | alwminiwm | arian | plwm | sodiwm | haearn | copr | sinc |

e) Cysylltwch y metelau canlynol â'r gosodiad cywir.

1) Potasiwm	A) Nid yw'n adweithio gyda dŵr nac asidau gwanedig
2) Copr	B) Fe'i ceir ar ei ben ei hun heb gyfuno gydag unrhyw beth
3) Haearn	C) Metel adweithiol dros ben
4) Aur	D) Cyrydu yn weddol hawdd mewn aer gan ffurfio sylwedd o'r enw rhwd

C2   Rhwng pa elfennau y daw **i)** carbon a **ii)** hydrogen yn y gyfres adweithedd?

C3   Mae gan botasiwm un electron yn ei blisgyn allanol, a gall golli hwn yn hawdd.

a) Ble yn y gyfres adweithedd fyddech chi'n disgwyl dod o hyd i botasiwm?

b) Enwch ddwy elfen a allai fod yn uwch na photasiwm yn y gyfres adweithedd.

c) Defnyddiwch y wybodaeth isod i osod metelau X ac Y yn y safle cywir yn y gyfres adweithedd ar y dde.

> **Metel X –** Adweithiol dros ben, llosgi'n hawdd mewn aer i ffurfio haen o ocsid. Adweithio'n ffyrnig gyda dŵr ond nid yw'n cynnau'r hydrogen a gynhyrchir.
>
> **Metel Y –** Cyrydu'n araf dros ben, angen carbon i'w echdynnu o'r mwyn.

> **Potasiwm**
> **Magnesiwm**
> **Haearn**
> **Aur**
> **Platinwm**

C4   Edrychwch ar y canlynol: **Sodiwm $^{23}_{11}$Na, Magnesiwm $^{24}_{12}$Mg**

a) Tynnwch lun atom sodiwm a magnesiwm. Sawl electron sy'n rhaid i'r ddau ei golli er mwyn cael plisgyn llawn?

b) Edrychwch ar adeiledd electronig y metelau i ddweud pam y mae magnesiwm yn llai adweithiol na sodiwm.

Cyfres Adweithedd y Metelau

C5 Mae'r diagram ar y dde yn dangos y Ffwrnais Chwyth a ddefnyddir i newid mwyn haearn yn haearn. Mae golosg yn llosgi i ffurfio CO_2 sydd wedyn yn adweithio gyda mwy o olosg i ffurfio carbon monocsid. Mae'r carbon monocsid yn rhydwythydd sy'n adweithio gyda'r mwyn haearn (Fe_2O_3) i wneud haearn.

$$Fe_2O_3 + 3CO \rightarrow 2Fe + 3CO_2$$

Mwyn haearn, golosg a chalchfaen

1500°C

AER POETH

Haearn tawdd   Slag tawdd

a) Beth yw rhydwythydd?

b) Ble yn y gyfres actifedd y mae carbon o'i gymharu â haearn?

c) Eglurwch sut y mae'r carbon monocsid yn rhydwytho'r mwyn haearn.

d) Ysgrifennwch hafaliad geiriau ar gyfer yr adwaith uchod.

C6 Ceir hyd i arian, aur a phlatinwm yn gynhenid yn y ddaear fel elfen ac nid fel cyfansoddyn.

Eglurwch sut y gall hyn ddigwydd.

C7 Mae digonedd o alwminiwm yng nghramen y Ddaear o'i gymharu â haearn, ond mae dipyn yn ddrutach i'w brynu.

Eglurwch pam y mae mor ddrud yn nhermau ei adweithedd a chost ei echdynnu o'r mwyn.

C8 Pam ydych chi'n meddwl y gellir gwisgo aur ac arian ar y croen fel gemwaith ac nid metelau eraill megis sodiwm?

C9 Mae metelau yn sgleiniog. Er hyn maent yn "pylu" gydag amser.

a) Enwch fetel sy'n pylu os caiff ei adael yn yr aer am ychydig bach o amser.

b) Enwch fetel na fyddai'n pylu'n hawdd mewn aer.

c) Ysgrifennwch enw'r cynhyrchion yn a).

C10 Mae'r tabl gyferbyn yn dangos gwybodaeth am fetelau.

a) Cwblhewch y tabl yn eich geiriau eich hun i egluro beth sy'n digwydd wrth boethi pob metel mewn aer.

b) Ysgrifennwch hafaliad cytbwys ar gyfer adwaith y canlynol gydag aer (bydd rhaid i chi benderfynu gyda pha elfen yn yr aer y maent yn adweithio yn gyntaf):
i) Haearn.
ii) Calsiwm.
iii) Sodiwm.

c) Ysgrifennwch restr o drefn adweithedd y metelau o'ch canlyniadau yn a) gan ddechrau gyda'r mwyaf adweithiol.

Metel	Adwaith wrth boethi mewn aer	Cyfansoddyn sy'n ffurfio
Calsiwm		
Sinc		
Haearn		
Copr	adwaith araf	
Arian		
Potasiwm		
Aur		
Magnesiwm		
Platinwm	dim adwaith	
Plwm		

Gair i Gall: Yn syml iawn arwydd o ba mor hawdd y bydd yr atomau yn colli electronau yw adweithedd metel. Er hyn mae'n ddefnyddiol iawn felly gwnewch yn siŵr eich bod chi'n ei wybod. Os medrwch chi ei ddefnyddio i ragfynegi adweithiau dadleoli yna rydych chi'n ei ddeall yn weddol dda. Ceisiwch feddwl am odl neu nemonig i'ch helpu os ydych chi'n gweld y gwaith yn anodd i'w gofio.

Metelau Trosiannol

C1 Mae gan y metelau trosiannol briodweddau metelau nodweddiadol.

Rhestrwch y priodweddau sydd gan elfen drosiannol yn eich barn chi.

C2 Enwch bedwar metel trosiannol y byddech yn dod ar eu traws bob dydd gan nodi ble.

C3 Mae'r metelau trosiannol yn ffurfio blocyn yn y Tabl Cyfnodol yn hytrach na bodoli mewn grŵp fel elfennau eraill.

Ble yn y Tabl Cyfnodol y gellir dod o hyd iddynt?

C4 Mae gan fetel "X" ymdoddbwynt uchel, gall ffurfio ïonau 2+ neu 3+, ac mae'n adweithio'n araf gyda dŵr dros gyfnod hir.

   a) Eglurwch pam y byddech chi'n rhoi'r elfen hon ym mlocyn yr elfennau trosiannol yn hytrach nag yng Ngrŵp II.

   b) Mae'r un metel X yn ffurfio cyfansoddion lliwgar gydag ocsigen. Ysgrifennwch fformiwla ar gyfer cyfuniad y metel hwn gydag osigen i ffurfio: **i)** X(II) Ocsid **ii)** X(III) Ocsid

C5 Cysylltwch y lliw cywir gyda phob un o'r cyfansoddion isod:

| 1) Cyfansoddion cromiwm |
| 2) Cyfansoddion manganîs |
| 3) Cyfansoddion copr |
| 4) Cyfansoddion magnesiwm |
| 5) Cyfansoddion sodiwm |

| A) Gwyn |
| B) Melyn / oren |
| C) Glas |
| D) Porffor |
| E) Gwyn |

C6 Mae gwaed dyn yn cynnwys haearn ac mae'n goch.

   a) Pa liw fyddech chi'n disgwyl i Fe_2O_3 fod?

   b) Mae gwaed rhai rhywogaethau pryfaid cop yn cynnwys copr, pa liw allai hwn fod?

C7 Mae elfennau'r metelau trosiannol yn aml yn medru ffurfio mwy nag un ïon. Er enghraifft, gall haearn fod yn Haearn(II) – Fe^{2+} neu'n Haearn(III) – Fe^{3+}. Mae'r rhif yn y cromfachau yn cyfeirio at wefr yr ïon metel.

Ysgrifennwch fformiwla ar gyfer y cyfansoddion yn y tabl canlynol gan nodi'r wefr ar ïon yr elfen drosiannol bob tro. Mae un wedi ei chwblhau eisoes. (Defnyddiwch y tabl ïonau y tu mewn i'r clawr blaen.)

Cyfansoddyn	Fformiwla	Gwefr ar yr Ïon
a) Haearn(II) ocsid		
b) Haearn(III) clorid		
c) Haearn(III) bromid	$FeBr_3$	Fe^{3+}
d) Copr(II) ocsid		
e) Copr(I) clorid		
f) Copr(II) clorid		
g) Haearn(III) ïodid		

C8 Gellir newid Haearn(II) yn Haearn(III), Fe^{3+}, yn hawdd.

   a) Pa fath o adwaith yw hwn?

   b) Pa fath o adwaith sy'n newid ïonau Fe^{3+} yn ïonau Fe^{2+}?

Metelau Trosiannol

C9 Atebwch y cwestiynau hyn ar ddibenion y metelau trosiannol:

a) Rhowch un defnydd a wneir o bob un o'r metelau trosiannol hyn: **i)** Haearn **ii)** Sinc **iii)** Copr

b) Pam y caiff copr ei ddefnyddio ar gyfer gwifrau a phibellau yn y tŷ yn hytrach na haearn neu sinc?

C10 Enwch ddwy elfen drosiannol y gellir eu gwneud yn fagnetau parhaol.

C11 Darganfuwyd elfen Y a'i gosod gyda'r metelau trosiannol oherwydd ei phriodweddau.

a) Llenwch y tabl isod ar gyfer elfen Y gan roi manylion am ei phriodweddau cyffredinol (yn nhermau da, gwael, uchel, isel a.y.b.).

Dargludedd		Dwysedd	Hydrinedd	Ymdoddbwynt
Gwres	Trydan			

b) Gwelwyd bod elfen Y yn ffurfio dau ïon, Y^+, ac Y^{2+}, felly gellir ei defnyddio i wneud nifer o gyfansoddion. Ysgrifennwch fformiwlâu'r cyfansoddion canlynol ar gyfer elfen Y
i) Y(I) clorid **ii)** Y(I) ocsid **iii)** Y(II) ocsid

C12 Defnyddir y rhan fwyaf o'r elfennau trosiannol i ffurfio aloïau er mwyn gwella eu priodweddau ffisegol neu gemegol, neu er mwyn cyfuno priodweddau defnyddiol.

Ar gyfer beth y tybiwch chi y gellir defnyddio'r aloïau canlynol?

a) Aloi titaniwm (ysgafn, cryf ac yn gwrthsefyll cyrydiad)?

b) Haearn ar ffurf dur gwrthstaen: 70% haearn, 20% cromiwm, 10% nicel (caled ac nid yw'n rhydu)?

c) Efydd: 90% copr, 10% tun (caletach na chopr pur)?

C13 Mae'n bosib newid grisialau copr sylffad glas yn wyn.

a) Pa sylwedd gaiff ei dynnu oddi yno wrth eu newid yn risialau gwyn?

b) Sut allech chi dynnu'r sylwedd hwn?

c) Beth fyddai'r enw ar y powdr copr sylffad gwyn hwn?

d) Bydd y powdr gwyn yn newid yn ôl yn las wrth ychwanegu'r sylwedd a dynnwyd. Rhowch ddiben ar gyfer yr adwaith hwn yn y labordy.

C14 Mae'r elfennau trosiannol a rhai o'u cyfansoddion yn gatalyddion da.

a) Beth yw catalydd?

b) Cysylltwch bob catalydd elfen trosiannol gyda'i swyddogaeth:

A) Nicel	1) Y broses Haber
B) Haearn	2) Dadelfennu hydrogen perocsid
C) Manganîs(IV) ocsid	3) Newid olewau yn frasterau

Gair i Gall: Catalyddion â chyfansoddion lliwgar – dyna'r metelau trosiannol yn gryno. Eu helectronau mewnol sy'n amrywio yn bennaf – felly maent yn debyg yn gemegol. Gwnewch yn siŵr bod gennych ambell enghraifft o adweithiau wedi catalyddu wrth law – ac y gallwch ddweud beth yw dibenion haearn, copr a sinc.

Cyfraddau Adweithiau

C1 Gosodwch yr adweithiau cemegol canlynol yn ôl trefn eu buanedd gan ddechrau gyda'r adwaith cyflymaf:

Ffrio wy	Tanio matsen	Car yn rhydu	Concrit yn setio	Treulio bwyd

C2 Wrth fesur cyfradd adwaith cemegol gellir naill ai mesur diflaniad yr adweithydd neu'r cynhyrchion yn ffurfio. Edrychwch ar yr offer isod:

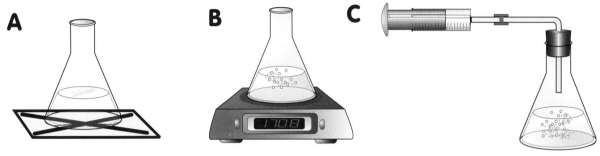

A   **B**   **C**

Ar gyfer pob un o'r adweithiau isod nodwch pa offer y gellir ei ddefnyddio.

a) Sglodion marmor gydag asid hydroclorig	B ✓
b) Magnesiwm ac asid sylffwrig	A ✗ B/C
c) Sodiwm thiosylffad ac asid hydroclorig	C A .

C3 Pa rai o'r gosodiadau isod sy'n gywir (C) a pha rai sy'n anghywir (A)?

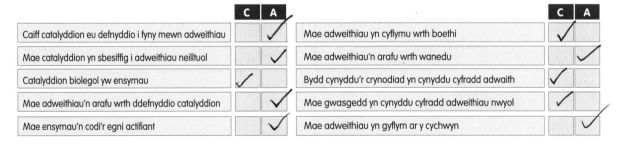

	C	A
Caiff catalyddion eu defnyddio i fyny mewn adweithiau		✓
Mae catalyddion yn sbesiffig i adweithiau neilltuol		✓
Catalyddion biolegol yw ensymau	✓	
Mae adweithiau'n arafu wrth ddefnyddio catalyddion		✓
Mae ensymau'n codi'r egni actifiant		✓

	C	A
Mae adweithiau yn cyflymu wrth boethi	✓	
Mae adweithiau'n arafu wrth wanedu		✓
Bydd cynyddu'r crynodiad yn cynyddu cyfradd adwaith	✓	
Mae gwasgedd yn cynyddu cyfradd adweithiau nwyol	✓	
Mae adweithiau yn gyflym ar y cychwyn		✓

C4 Gall y newidiadau canlynol gyflymu cyfradd adwaith cemegol rhwng asid a magnesiwm.

Ticiwch y bocs wrth ymyl y rhai fydd yn CYFLYMU adwaith (tybiwch fod gormod o asid ar y cychwyn).

	A) Gwresogi'r asid...
	B) Defnyddio asid mwy crynodedig...
	C) Defnyddio powdr metel yn lle rhuban...
	D) Dyblu cyfaint yr asid...
✓	E) Defnyddio catalydd addas...
	F) Ychwanegu mwy o fagnesiwm...

C5 Disgrifiwch adwaith syml y gellir ei astudio trwy fonitro cyfradd ffurfio'r cynhyrchion.

C6 Gellir monitro adweithiau trwy edrych ar y gostyngiad ym màs yr adweithyddion.

Disgrifiwch adwaith syml y gellir ei astudio yn y modd hwn.

Cyfraddau Adweithiau

C7 Mae cynhyrchion yn ffurfio ar gyfradd a ddangosir gan gromlin gyfradd.

a) Lluniwch gromlin gyfradd nodweddiadol ar yr echelinau gyferbyn.

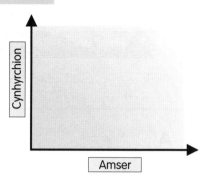

b) Rhowch y labeli canlynol ar y gromlin:

(A) CYFLYM

(B) ARAF

(C) WEDI DOD I BEN

c) Er mwyn i adwaith ddigwydd, rhaid i'r gronynnau sy'n adweithio wrthdaro gyda digon o egni i achosi adwaith. Dychmygwch adwaith lle mae dau gemegyn ⬤ a ⬤ yn gwrthdaro. Caiff y cynnyrch ⬤⬤ ei ffurfio.

Dyma'r adwaith felly: ⬤ + ⬤ ⟶ ⬤⬤

Edrychwch ar gamau **A – C** yr adwaith isod.

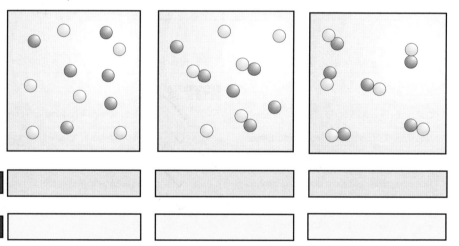

Adwaith			
Buanedd			

Cwblhewch y diagramau trwy roi'r labeli canlynol o dan y lluniau cywir.

DIWEDD   **CANOL**   **DECHRAU**   Ⓐ Ⓑ Ⓒ

WEDI DOD I BEN   **CYFLYM**   **ARAFU**

C8 Nid yw gronynnau sy'n adweithio bob amser yn gwrthdaro'n gywir neu'n effeithiol. Weithiau maent yn methu ei gilydd neu'n gwrthdaro fel yn y diagram gyferbyn.

Cwblhewch y diagram i ddangos beth allai ddigwydd i'r gronynnau bob tro.

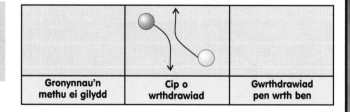

Gronynnau'n methu ei gilydd	Cip o wrthdrawiad	Gwrthdrawiad pen wrth ben

Gair i Gall: Mae pedwar peth sy'n effeithio ar gyfradd adwaith – dylai dysgu'r theori gwrthdaro wneud y tro. Yna does dim ond rhaid i chi ddysgu'r tri dull o fonitro cyfradd adwaith. Sicrhewch y gallwch chi eu hegluro a llunio graff o'r canlyniadau yn erbyn amser ar gyfer pob un.

Theori Gwrthdaro

C1   Defnyddiwch eich gwybodaeth am gyfraddau adweithio i lenwi'r bylchau isod. Yna labelwch y diagramau'n gywir.

Llenwch y bylchau (gallwch ddefnyddio geiriau fwy nag unwaith)

cymedrol   arwynebedd yr arwyneb
cynt   gwrthdaro   gronynnau   catalydd
theori gwrthdaro   crynodiad   egni
yn amlach   llwyddiannus   gwrthdrawiad

Labeli ar gyfer y diagram
CYFLYM   ARAF
CRYNODIAD UCHEL   CRYNODIAD ISEL
ARWYNEBEDD ARWYNEB MAWR
CATALYDD YN BRESENNOL

Fydd gronynnau ond yn adweithio os ydynt yn _____ gyda digon o _____ i'r adwaith ddigwydd. Y _____ _____ yw'r enw am hyn. Mae pedwar ffactor sy'n gallu newid cyfradd adwaith cemegol; tymheredd, _____ , arwynebedd yr arwyneb a defnyddio _____ addas.

TYMHEREDD

Mae cynyddu'r tymheredd yn peri i'r gronynnau symud yn _____ , gyda mwy o egni. Maent felly yn gwrthdaro _____ _____ gyda mwy o _____ . Mae'r ddau beth hyn yn golygu bod mwy o wrthdrawiadau llwyddiannus bob eiliad ac felly cyfradd adwaith _____ .

CRYNODIAD

Mae cynyddu crynodiad adweithydd yn golygu mwy o _____ sy'n gallu gwrthdaro ac felly adweitho. Mae mwy o wrthdrawiadau yn golygu adwaith _____ .

ARWYNEBEDD ARWYNEB

Mae defnyddio powdr yn lle lwmp yn golygu bod _____ _____ yn fwy, sy'n golygu bod mwy o'r adweithydd yn agored ac felly ar gael ar gyfer gwrthdrawiad. Mae mwy o wrthdrawiadau yn golygu adwaith _____ .

CATALYDD

Mae defnyddio catalydd addas yn golygu y gall gronynnau adweithio hyd yn oed ar ôl gwrthdaro gydag egni _____ yn unig. Mae hyn yn golygu bod mwy o wrthdrawiadau _____ yn debygol. Mae rhai catalyddion yn gweithio oherwydd bod un o'r gronynnau wedi glynu wrth yr arwyneb. Mae hyn yn gwneud _____ yn fwy tebygol. Mae mwy o wrthdrawiadau yn golygu adwaith _____ .

Cyflym   Araf
Poeth   Oer

Cyflym

Arwynebedd arwyneb bach

Araf

Dim catalydd yn bresennol

C2   Cysylltwch y tri disgrifiad isod â'r diagramau hyn:

A Mae'r gronynnau'n lledgyffwrdd wrth fynd heibio a dim ond yn gwrthdaro'n dyner.

B Mae'r gronynnau wedi eu gwahanu gan rwystr ac nid ydynt yn gwrthdaro.

C Mae'r gronynnau'n gwrthdaro'n egnïol gyda'i gilydd.

1   2   3

Adran Chwech – Cyfraddau Adweithiau

Theori Gwrthdaro

C3 Dewiswch y frawddeg sy'n disgrifio'r theori gwrthdaro orau:

Theori Gwrthdaro 2:
Y glanio sy'n brifo, nid y disgyn.

a) Mae gronynnau'n gwrthdaro ar hap ac yn adweithio bob tro.

b) Mae gwrthdrawiadau rhwng gronynnau yn aml yn achosi adwaith.

c) Mae'n rhaid i'r gronynnau adweithiol wrthdaro gyda digon o egni er mwyn adweithio.

d) Mae angen i foleciwlau wrthdaro weithiau er mwyn i adwaith ddigwydd.

C4 Gall pedwar ffactor effeithio ar gyfradd adwaith.
Cysylltwch bob un ag esboniad o sut mae'n gweithio.

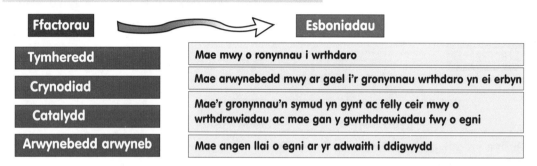

Ffactorau

Tymheredd

Crynodiad

Catalydd

Arwynebedd arwyneb

Esboniadau

Mae mwy o ronynnau i wrthdaro

Mae arwynebedd mwy ar gael i'r gronynnau wrthdaro yn ei erbyn

Mae'r gronynnau'n symud yn gynt ac felly ceir mwy o wrthdrawiadau ac mae gan y gwrthdrawiadau fwy o egni

Mae angen llai o egni ar yr adwaith i ddigwydd

C5 Gellir defnyddio'r offer hyn wrth ymchwilio i'r adwaith rhwng sglodion marmor ac asid hydroclorig gwanedig. Mae rhai sglodion marmor yn dal heb adweithio ar ddiwedd yr arbrawf.

Dangosir graff o ganlyniadau arbrawf tebyg ar y dde.

Màs a gollwyd

Amser (mun)

Dyma bedwar graff arall ar yr un raddfa:

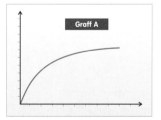

Graff A

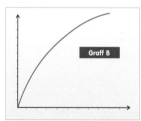

Graff B

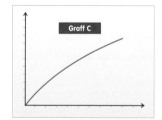

Graff C

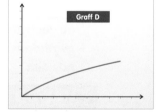

Graff D

a) Gan gyfeirio at y graff gwreiddiol, cysylltwch bob graff A – D â'r disgrifiad cywir:

i) yr un cyfaint o asid ond dwbl y crynodiad.

ii) asid o'r un crynodiad ond dwbl y cyfaint.

iii) yr un màs o sglodion marmor ond sglodion llai.

iv) yr un cyfaint a chrynodiad o asid rhewllyd.

b) Defnyddiwch y theori gwrthdaro i egluro'ch atebion i rannau i) -> iv)

Gair i Gall: Y theori gwrthdaro, nawr dyma beth yw gwyddoniaeth go iawn – ac mae'n gwneud synnwyr – dim ond wedi gwrthdaro yn ddigon cyflym y bydd pethau'n adweithio. Bydd unrhyw beth sy'n cynyddu'r buanedd neu nifer y gwrthdrawiadau yn cynyddu'r gyfradd. Gwnewch yn siŵr y gallwch ei gymhwyso at dymheredd, crynodiad, arwynebedd arwyneb a chatalyddion.

Arbrofion ar Gyfraddau Adweithiau

C1 Mae sodiwm thiosylffad ac asid hydroclorig yn adweithio gyda'i gilydd i ffurfio dyddodiad melyn o sylffwr solid. Mae hwn yn troi'r hydoddiant yn gymylog gan ein hatal ni rhag gweld trwyddo'n glir. Bydd y groes o dan y fflasg yn y diagram yn diflannu'n raddol wrth i'r sylffwr ffurfio.

Mesurwyd yr amser a gymerwyd i'r groes ddiflannu mewn arbrawf i ymchwilio i gyfradd yr adwaith.

Defnyddiwyd 50cm³ o hydoddiant sodiwm thiosylffad ac ychwanegwyd 10cm³ o asid hydroclorig.

Cafodd yr arbrawf ei ail-wneud ar wahanol dymereddau.

Tymheredd (°C)	20	30	40	50	60	70
Amser (s)	163	87	43	23	11	5

a) Defnyddiwch y canlyniadau hyn i **blotio graff** gyda'r amser ar yr echelin fertigol a'r tymheredd ar yr echelin llorweddol.

b) Defnyddiwch y graff i ddod i gasgliad syml ynglŷn ag effaith y tymheredd ar y amser a gymerir i'r adwaith ddod i ben.

c) Gellir dod o hyd i gyfradd adwaith trwy rannu 1 gyda'r amser a gymerir (1/t).

Cyfrifwch y gyfradd ar bob tymheredd uchod.

d) Plotiwch graff o'r gyfradd yn erbyn tymheredd (Os yw'r rhifau ar gyfer gwerth y gyfradd yn rhy fach i'w plotio, defnyddiwch 'Cyfradd x 1000' ar yr echelin fertigol).

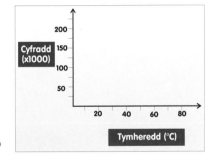

e) Defnyddiwch eich graff i ddod i gasgliad syml ynglŷn ag effaith tymheredd ar **GYFRADD** adwaith cemegol.

f) Defnyddiwch eich gwybodaeth am y theori gwrthdaro i **esbonio** eich casgliad.

C2 Gellir defnyddio'r un adwaith i ymchwilio i effaith **CRYNODIAD** ar gyfradd adwaith. Wrth newid y crynodiad, mae'n bwysig cadw cyfanswm y cyfaint a ddefnyddir yn union yr un fath.

Cyfaint y sodiwm thiosylffad (cm³)	50	40	30	20	10
Cyfaint y dŵr (cm³)	0				
Amser (s)	80	101	137	162	191
Cyfradd (1/t)					

a) Cwblhewch y tabl trwy ychwanegu cyfaint y dŵr a chyfrifo cyfradd yr adwaith.

b) Plotiwch **graffiau** i ddangos yr amser yn erbyn cyfaint y sodiwm thiosylffad a ddefnyddiwyd, a hefyd y gyfradd yn erbyn cyfaint y sodiwm thiosylffad a ddefnyddiwyd.

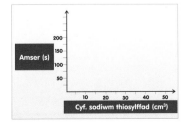

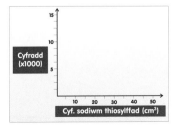

c) Defnyddiwch y graffiau hyn i ddod i **gasgliad syml** yngŷn ag effaith crynodiad ar gyfradd adwaith.

d) **Esboniwch** eich casgliad yn nhermau gronynnau a'r theori gwrthdaro.

Arbrofion ar Gyfraddau Adweithiau

C3 Wrth i fagnesiwm adweithio gydag asid caiff nwy hydrogen ei ryddhau. Gellir ei gasglu a'i fesur er mwyn mesur cyfradd yr adwaith.

Yn yr arbrawf hwn adweithiodd 25cm³ o asid hydroclorig gwanedig (0.5 mol/dm³) gyda darn bach o ruban magnesiwm (roedd gormodedd o asid).

a) Ysgrifennwch hafaliad cytbwys ar gyfer yr adwaith hwn. (Mg + HCl a.y.b.)

b) Defnyddiwch y canlyniadau isod i blotio graff o'r cyfaint a gasglwyd (echelin fertigol) yn erbyn amser (echelin llorweddol).

Amser (s)	0	10	20	30	40	50	60	70	80	90	100
Cyf. yr hydrogen (cm³)	0	9	18	27	36	44	50	54	56	57	57

c) Marciwch ar y graff ble y mae'r adwaith yn mynd yn ei flaen ar gyfradd cyson.

d) Faint o hydrogen a gasglwyd yn y 25 eiliad cyntaf?

e) Faint o amser a gymerwyd i gasglu 40cm³ o hydrogen?

f) Brasluniwch ar yr un echelin y graffiau y byddech chi'n eu disgwyl pe câi'r arbrawf ei ail-wneud gan ddefnyddio 25cm³ o:

Asid 1.0 mol/dm³ .... marciwch hwn gydag A.

Asid 2.0 mol/dm³ .... marciwch hwn gyda B.

Asid 0.25 mol/dm³ .... marciwch hwn gydag C.

C4 Gellir gwneud arbrawf tebyg er mwyn ymchwilio i effaith newid y tymheredd ar gyfradd adwaith. Mae'r graff isod yn dangos canlyniadau arbrofion tebyg. Mae tymheredd yr asid yn cynyddu yn arbrofion 1, 2 a 3.

a) Pa gasgliad syml allwch chi ddod iddo o'r graffiau hyn?

b) Ar gyfer pob graff, cyfrifwch y gyfradd yn ystod y 10 eiliad gyntaf.

c) Beth ydych chi'n ei sylwi am y newid yng nghyfradd yr adwaith ar gyfer cynnydd o 10°C yn y tymheredd?

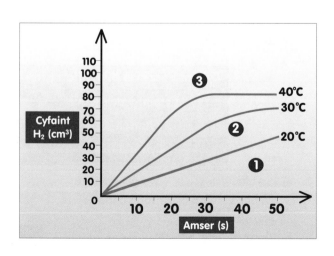

Gair i Gall: Digon o ymarfer tynnu graffiau yma. Cofiwch gynnwys teitl, labeli ar yr echelinau, ac unedau bob tro – a gwiriwch fod y raddfa yn gywir. Bydd yr arholwr yn edrych ar bob un o'r rhain, ac mae'n hawdd colli marciau.

Mwy am Gyfraddau Adweithiau

C1 Mae sglodion marmor yn adweithio gydag asid i gynhyrchu nwy carbon deuocsid. Gan fod y màs yn lleihau gellir dilyn yr adwaith trwy fesur y màs bob 30 eiliad ar glorian.

Ail-wnaed yr arbrawf gan ddefnyddio darnau marmor o wahanol feintiau:

Arbrawf 1 .... sglodion mawr

Arbrawf 2 .... sglodion bach

Arbrawf 3 .... powdr marmor

a) Pa ffactorau sy'n rhaid eu cadw'n gyson wrth wneud yr arbawf hwn?

b) Defnyddiwch y canlyniadau yn y tablau i gyfrifo cyfanswm y màs a gollwyd pob 30 eiliad.

Arbrawf 1

Amser (s)	Màs (g)	Màs a gollwyd (g)
0	100	0
30	99.8	
60	99.6	
90	99.4	
120	99.2	
150	99.0	
180	98.8	
210	98.6	
240	98.45	
270	98.30	
300	98.20	
330	98.15	
360	98.15	

Arbrawf 2

Amser (s)	Màs (g)	Màs a gollwyd (g)
0	100	0
30	99.7	
60	99.4	
90	99.1	
120	98.8	
150	98.6	
180	98.4	
210	98.3	
240	98.2	
270	98.15	
300	98.15	
330	98.15	
360	98.15	

Arbrawf 3

Amser (s)	Màs (g)	Màs a gollwyd (g)
0	100	0
30	99.0	
60	98.5	
90	98.3	
120	98.2	
150	98.15	
180	98.15	
210	98.15	
240	98.15	
270	98.15	
300	98.15	
330	98.15	
360	98.15	

c) Plotiwch y màs a gollwyd yn erbyn yr amser ar gyfer y tri arbrawf ar yr un echelinau.

d) Pa arbrawf oedd y cyflymaf?

e) Eglurwch eich ateb i ran d) yn nhermau gronynnau a gwrthdrawiadau.

f) Pam y mae'r graffiau i gyd yn diweddu ar yr un pwynt?

g) Defnyddiwch raddiant y graffiau yn y 60 eiliad cyntaf i gyfrifo cyfradd yr adwaith cychwynnol ar gyfer pob arbrawf (màs a gollwyd ÷ amser).

h) Pam y mae'r graddiant – ac felly'r gyfradd – yn LLEIHAU wrth i'r arbrawf fynd yn ei flaen?

C2 Esboniwch yr arsylwadau canlynol yn nhermau cyfraddau'r adwaith:

a) bydd llaeth yn cadw'n hirach os caiff ei roi mewn oergell.

b) bydd bwyd yn para'n hirach os caiff ei gadw yn y rhewgell.

C3 Rhowch bum enghraifft pob dydd neu ddiwydiannol o bob un o'r canlynol:

Adweithiau ARAF (dyddiau neu fwy)	Adweithiau CYMEDROL (oriau / munudau)	Adweithiau CYFLYM (eiliadau)

Mwy am Gyfraddau Adweithiau

C4 Mae hydrogen perocsid (H_2O_2) yn dadelfennu'n araf dros ben yn ddŵr ac ocsigen. Er hyn gellir cyflymu'r broses trwy ddefnyddio catalydd addas.

Amser (s)	Cyfaint yr ocsigen a gasglwyd (cm^3)		
	MnO_2	CuO	Fe_2O_3
0	0	0	0
10	15	3	1
20	30	6	2
30	45	9	3
40	60	12	4
50	70	15	5
60	78	18	6
70	85	21	7
80	90	24	8
90	92	27	9
100	92	30	10

H_2O_2

Catalydd organig neu ocsid

Defnyddiwch y canlyniadau hyn i blotio tri graff ar yr un echelinau er mwyn i chi fedru eu cymharu'n hawdd.

a) Pa ocsid yw'r catalydd gorau ar gyfer yr adwaith hwn?

b) Rhowch reswm am eich ateb.

c) Beth yw catalydd?

d) Eglurwch yn fras sut y credir y mae catalyddion yn cyflymu adweithiau.

C5 Gellir catalyddu dadelfeniad hydrogen perocsid gan ensymau mewn celloedd byw hefyd, yn enwedig y rhai sydd mewn iau a thatws. Astudiwch y graffiau isod sy'n dangos canlyniadau nodweddiadol o'r math hwn o arbrawf.

a) Ai'r daten neu'r iau sy'n cynnwys y catalydd mwyaf effeithiol?

b) Pa ddau graff wnaethoch chi eu cymharu er mwyn ateb **a)**?

c) Beth yw effaith amlwg berwi'r meinwe byw?

d) Pam y mae iau wedi ei falu yn fwy effeithiol na'r ciwb o iau?

e) Catalyddion biolegol yw ensymau. Nodwch dair ffaith y gwyddoch chi am ensymau.

f) Rhowch ddau ddiben bob dydd neu ddiwydiannol ar gyfer ensymau.

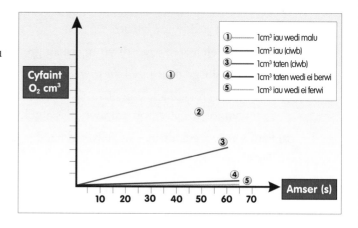

① 1cm^3 iau wedi malu
② 1cm^3 iau (ciwb)
③ 1cm^3 taten (ciwb)
④ 1cm^3 taten wedi ei berwi
⑤ 1cm^3 iau wedi ei ferwi

Cyfaint O_2 cm^3

Amser (s)

Gair i Gall: O diar, mwy o graffiau – ond os ydych chi'n deall cyfraddau adwaith, fyddan nhw ddim mor boenus. Cofiwch y gallwch chi golli marciau mewn arholiad am linellau neu bwyntiau cam – felly rhaid mynd i'r arfer o blotio'n ofalus.

Catalyddion

C1 Mae'r diagram ar y dde yn dangos sut y mae 0.5g o sinc a 0.5g o gopr yn adweithio gydag asid sylffwrig gwanedig.

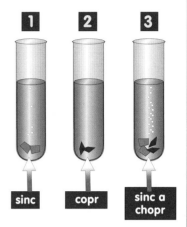

a) A yw metel copr yn adweithio gydag asid sylffwrig gwanedig?

b) A yw sinc yn adweithio gydag asid sylffwrig gwanedig?

c) Sut y mae sinc a chopr gyda'i gilydd yn adweithio gydag asid sylffwrig gwanedig?

d) Disgrifiwch beth y mae copr yn ei wneud i'r adwaith yn nhiwb 3.

> Gadawyd tiwb 3 am nifer o oriau nes i'r adwaith ddod i ben. Tynnwyd y copr, ei sychu a'i bwyso. Roedd ganddo fâs o 0.5g.

e) Beth ddywed hyn wrthych chi am arwaith copr wrth gyflymu'r adwaith rhwng sinc ac asid sylffwrig gwanedig?

C2 Mae'r graff yn dangos proffil egni ar gyfer adwaith ecsothermig nodweddiadol.

a) Marciwch y canlynol ar y graff:

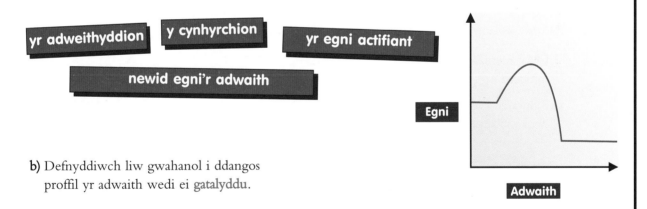

yr adweithyddion   **y cynhyrchion**   **yr egni actifiant**

newid egni'r adwaith

Egni

Adwaith

b) Defnyddiwch liw gwahanol i ddangos proffil yr adwaith wedi ei gatalyddu.

C3 Ceir trawsnewidwyr catalytig bron ym mhob car newydd. Eu gwaith yw glanhau allyriannau pibellau gwacáu ac atal llygredd.

a) Enwch dri nwy llygreddol a geir mewn nwyon gwacáu "normal" ceir.

b) I ba "nwyon diniwed" y cânt eu trawsnewid?

"Does dim ots gen i"

"Hyd yn oed gyda'r trawsnewidydd catalytig newydd, dwi'n dal i fedru ogleuo mwg."

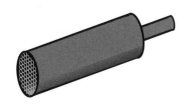

Adran Chwech – Cyfraddau Adweithiau

Catalyddion

C4 Mae'r haearn a ddefnyddir wrth weithgynhyrchu amonia yn aml ar ffurf pelenni mân.

Pam y caiff ei ddefnyddio ar y ffurf yma?

C5 Beth yw manteision defnyddio catalyddion wrth weithgynhyrchu cemegau?

C6 Gellir defnyddio'r arbrawf isod i ymchwilio i actifedd ensymau.

Ensym sy'n catalyddu torri protein i lawr yw trypsin. Mae gan bapur ffotograffig haen o brotein sy'n dal y cyfansoddion arian yn eu lle (mae'r rhain yn ymddangos yn ddu). Mae gwahanol ffilmiau yn defnyddio gwahanol broteinau. Os caiff y protein ei ddinistrio mae'r haen ddu yn disgyn i ffwrdd gan adael ffilm plastig clir.

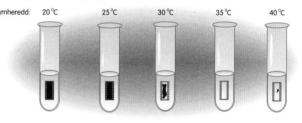

a) Edrychwch yn ofalus ar y tiwbiau yna cymharwch y parau a awgrymir gan ysgrifennu'ch casgliad yn y tabl.

b) Pam y cafodd tiwb 1 ei gynnwys yn yr arbrawf?

Tiwbiau	Casgliad posib
2 a 3	
2 a 4	
2 a 5	

C7 Mae gallu trypsin i dorri protein i lawr yn dibynnu ar y tymheredd. Mae'r arbrawf isod yn ymchwilio i hyn. Gadawyd stribedi o ffilm ffotograffig mewn tiwbiau prawf am ddeng munud ar y tymereddau a ddangosir.

a) O'r canlyniadau hyn, beth yw'r tymheredd optimwm?

b) Eglurwch beth sy'n digwydd i'r ensym ar dymereddau uwch na'r tymheredd optimwm.

C8 Adwaith a gatalyddir gan ensym yw brownio afalau ar ôl eu torri. Torrwyd afal yn dafelli a'i adael o dan wahanol amodau.

a) Pa gasgliad y gellir dod iddo o gymharu canlyniadau 1 a 2?

b) Pa gasgliad y gellir dod iddo o ganlyniadau 1 a 3?

c) Beth ddywed canlyniad 4 wrthych am natur y catalyddion hyn?

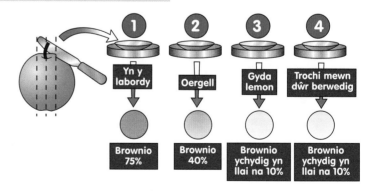

Gair i Gall: Y peth anoddaf yma yw deall rôl yr egni actifiant – gwnewch yn siŵr y medrwch chi ddiffinio catalydd yn nhermau'r egni actifiant. Peidiwch ag anghofio pa mor benodol ydynt ac na chânt eu defnyddio mewn adweithiau. Heblaw am hynny does ond yn rhaid i chi ddysgu enghraifft neu ddwy o'u defnydd mewn diwydiant – un o hoff bynciau arholwyr.

Ensymau

C1 Caiff startsh ei newid yn siwgr gan nifer o ensymau:

Pa ensymau sydd orau wrth drawsnewid startsh yn siwgr?

Ensym	Canran a newidwyd ar ôl 30 munud
Pepsin	0
Amylas	87
Trypsin	0
Maltas	67
Swcras	42

C2 Yn anffodus, tywalltodd y prifathro gwstard dros flaen ei grys gwyn, glân. Cynigiodd grŵp o fyfyrwyr blwyddyn 10 ddarganfod y ffordd orau i'w lanhau. Torrwyd y crys yn sgwariau a phrofwyd pob darn trwy ei olchi mewn modd gwahanol er mwyn darganfod y ffordd orau o lanhau'r staen.

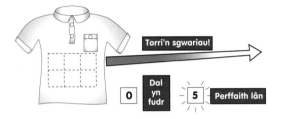

Triniaeth	Pa mor lân?
A) Golchi â llaw mewn dŵr oer	0
B) Golch cynnes gyda phowdr cyffredin	3
C) Golch 70°C gyda "phowdr bio A1"	3
D) Golch 40°C gyda "phowdr bio A1"	5
E) Golch oer gyda "phowdr bio A1"	3

a) Pa olch roddodd y canlyniad gorau?

b) Beth yw'r cynhwysydd arbennig mewn powdrau "bio" neu "fiolegol"?

c) Pam na chafwyd canlyniad perffaith lân gan brofion C ac E?

C3 Bydd caws yn llwydo ar ôl ychydig.

a) Beth sy'n peri i gaws a bwydydd eraill droi'n ddrwg?

b) Pam y mae cadw caws mewn oergell yn ei gadw'n ffres yn hirach?

c) Eglurwch pam y mae cig neu lysiau yn y rhewgell yn cadw'n ffres am fisoedd.

C4 Rhoddwyd nifer o gacennau hufen mewn gwahanol lefydd yn y gegin.

Ym mha drefn y dylid eu bwyta er mwyn mwynhau pob un yn FFRES?

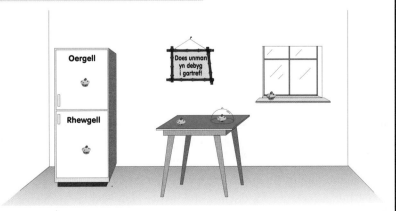

Ensymau

C5 Mae'r ensymau mewn burum yn helpu i gynhyrchu egni o siwgr trwy dorri glwcos i lawr yn garbon deuocsid ac ethanol.

a) Ysgrifennwch hafaliad cytbwys ar gyfer yr adwaith hwn.

Ail-wnaed yr arbrawf ar wahanol dymereddau a mesurwyd cyfaint y CO_2 bob 30 munud. Dangosir y canlyniadau yn y tabl isod:

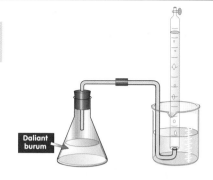

b) Defnyddiwch y canlyniadau i blotio wyth graff ar yr un echelinau. Gosodwch yr echelinau fel y dangosir isod.

(Defnyddiwch liw gwahanol ar gyfer pob tymheredd er mwyn cymharu'n hawdd.)

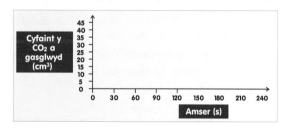

Amser (s)	Cyfaint y CO_2 a gasglwyd (cm^3) ar dymheredd (°C)							
	20	25	30	35	40	45	50	55
0	0	0	0	0	0	0	0	0
30	0	0	1	3	3	1	1	0
60	0	0	2	6	6	2	2	0
90	0	1	3	9	9	3	3	0
120	1	1	5	13	13	4	3	0
150	1	2	7	18	18	6	4	0
180	2	3	10	25	25	8	5	0
210	3	5	14	35	35	10	6	0
240	4	7	18	45	45	12	7	0

c) O'r graffiau, pa dymheredd (dymereddau) yw'r tymheredd (tymereddau) gweithio gorau ar gyfer yr ensym hwn?

d) Cyfrifwch gyfradd uchaf yr eplesu (h.y. y graddiant mwyaf serth) ar gyfer pob tymheredd.

e) Defnyddiwch yr atebion hyn i blotio graff o'r gyfradd yn erbyn tymheredd fel y gwelir ar y dde.

f) Defnyddiwch y graff hwn i awgrymu tymheredd optimwm ar gyfer yr adwaith hwn.

g) Eglurwch beth sy'n digwydd i'r ensym ar dymereddau uwch na'r tymheredd optimwm hwn.

h) Mae'r broses eplesu yn bwysig dros ben.

Enwch ddau brif gynnyrch sy'n dibynnu ar eplesiad.

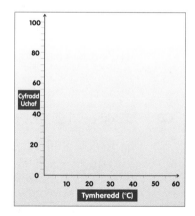

C6 Defnyddir bacteria yn y diwydiant bwyd yn ogystal â burum.

a) Pa ddau brif fwyd a wneir o laeth?

b) Pam y caiff llaeth pasteureiddiedig ei ddefnyddio fel arfer yn lle llaeth ffres?

c) Ar gyfer un o'r bwydydd yn eich ateb i a), disgrifiwch yn fras sut y caiff ei wneud a phwysigrwydd y broses eplesu.

Gair i Gall: Catalyddion a wnaed o brotein - dyna yw ensymau. Ac mae pob peth yn dibynnu ar y siâp — felly ni fydd yr ensym sy'n catalyddu brownio afalau yn gwneud iogyrt. Dysgwch enghraifft neu ddwy, a pheidiwch ag anghofio sut y gall tymheredd a pH effeithio ar eu heffeithlonrwydd. Gwnewch yn siŵr eich bod chi'n medru llunio graffiau addas.

Adweithiau Cildroadwy Syml

C1 Edrychwch ar y ddau ddiagram gyferbyn.

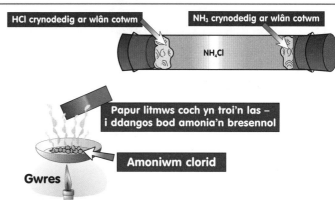

a) Ysgrifennwch hafaliadau cytbwys ar gyfer y ddau adwaith yn y diagramau.

b) Beth yw ystyr y symbol "$\rightleftharpoons$"?

c) Defnyddiwch y symbol i ailysgrifennu'ch atebion i ran **a)** fel un hafaliad.

HCl crynodedig ar wlân cotwm

NH₃ crynodedig ar wlân cotwm

NH₄Cl

Papur litmws coch yn troi'n las – i ddangos bod amonia'n bresennol

Amoniwm clorid

Gwres

C2 Gall copr sylffad naill ai fod yn risialau glas neu'n bowdr gwyn.

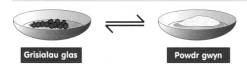

Grisialau glas

Powdr gwyn

a) Sut allwch chi newid y grisialau glas yn bowdr gwyn?

b) Sut allwch chi wrthdroi'r broses?

c) Ysgrifennwch hafaliad cytbwys i ddisgrifio'r newid hwn.

C3 Astudiwch luniau A a B yn ofalus.

a) Cwblhewch y brawddegau canlynol gan ddefnyddio'r geiriau yn y bocs.

A   B

ecwilibriwm	agored	i fyny	i lawr	dynamig	cydbwyso
gweithgaredd	newid	statig	caeedig	ecwilibriwm	dynamig

Mae llun A yn dangos si-so llonydd sydd wedi _____ yn berffaith. Mae mewn _____ . Dywedir bod y math hwn o _____ yn _____ . Mae llun B yn dangos gwahanol fath o ecwilibriwm. Mae'r grisiau symudol yn symud _____ tra bo'r dyn yn ceisio cerdded _____ . Mae _____ cyson ond dim _____ cyfan gwbl yn eu safleoedd. Ecwilibriwm _____ yw hwn. Mae pob adwaith cildroadwy yn enghraifft o ecwilibriwm _____ . Mae ecwilibriwm dynamig yn digwydd o hyd mewn systemau _____ lle na all unrhyw beth ddianc o'r system neu fynd i mewn iddo. Mae system _____ yn debyg i jar heb gaead – gall pethau ddianc.

C

COLA

Edrychwch ar lun C – potel bop lawn.

b) Pa fath o ecwilibriwm sy'n bodoli rhwng y carbon deuocsid sydd wedi hydoddi yn y ddiod a'r carbon deuocsid yn yr aer uwch ei ben?

c) Pa fath o system a gynrychiolir gan C?

d) Os tynnir y caead, pa fath o system fyddai yno wedyn? Beth fyddai'n digwydd i'r ecwilibriwm?

C4 Edrychwch ar y graff gyferbyn.

a) Beth sy'n digwydd i'r adweithyddion yn ystod cam A?

b) Beth sy'n digwydd ar bwynt B?

c) Pa fath o ecwilibriwm yw hwn?

$Cl_2 + ICl \rightleftharpoons ICl_3$

Cl₂

Pwynt B

ICl

Maint

ICl₃

Cam A

Amser

Adweithiau Cildroadwy Syml

C5   Ystyriwch yr adwaith: $N_2O_{4(n)} \rightleftharpoons 2NO_{2(n)}$ mae ΔH yn +if (mae'n adwaith endothermig)

Awgrymwch beth fyddai'n digwydd i'r ecwilibriwm:

a) wrth gynyddu'r tymheredd.

b) wrth gynyddu'r gwasgedd.

c) wrth ddyblu crynodiad yr N_2O_4.

C6   Mae'r hafaliad isod yn dangos yr adwaith sy'n digwydd yn y broses Haber.

$N_2 + 3H_2 \rightleftharpoons 2NH_3$ mae ΔH yn –if (mae'n adwaith ecsothermig)

Awgrymwch beth fyddai'n digwydd i
safle'r ecwilibriwm:

a) wrth gynyddu'r gwasgedd.

b) wrth gynyddu'r tymheredd.

c) wrth ychwanegu mwy o nitrogen.

d) wrth dynnu ychydig o'r amonia.

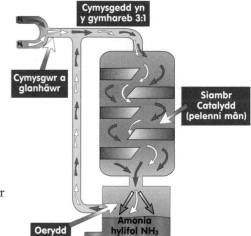

C7   Mae'r diagram gyferbyn yn dangos y Broses Haber.

a) Ysgrifennwch hafaliad wedi ei gydbwyso'n llawn ar gyfer
yr adwaith, gan gynnwys y symbolau cyflwr.

b) Pa gatalydd a ddefnyddir?

c) Beth yw swyddogaeth y catalydd?

d) Pam y caiff pelenni mân eu defnyddio?

e) Defnyddiwch y wybodaeth ar y graffiau hyn i awgrymu'r
amodau optimwm ar gyfer cynhyrchu amonia.

f) Eglurwch pam y caiff gwasgeddau uchel eu defnyddio.

g) Yr amodau a ddefnyddir gan amlaf yw 450°C a gwasgedd
o 200 atm.
Eglurwch pam y defnyddir yr amodau hyn.

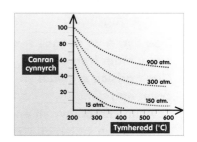

C8   Mae'r adwaith hwn yn digwydd yn y Broses Gyffwrdd ar gyfer gwneud asid sylffwrig:

$2SO_{2(n)} + O_{2(n)} \rightleftharpoons 2SO_{3(n)}$ mae ΔH yn –if (mae'n ecsothermig)

a) Pa effaith gaiff cynyddu'r canlynol ar safle'r ecwilibriwm: (i) tymheredd (ii) gwasgedd?

b) Awgrymwch yr amodau optimwm ar gyfer cynnyrch uchel.

c) Mae'r tymheredd oddeutu 450°C ar gyfer yr arbrawf er gwaethaf
cynnyrch isel (gweler y graff).

Eglurwch pam y defnyddir tymheredd mor uchel.

d) Gellir cael trawsnewidiad 100% trwy ddefnyddio gwasgedd uchel
dros ben o oddeutu 1000 atm. Awgrymwch reswm pam na chaiff
gwasgedd o'r fath ei ddefnyddio'n ddiwydiannol.

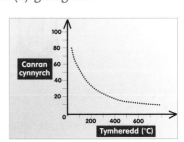

Gair i Gall: Os gall dau beth gyfuno yna gallant wahanu – mae unrhyw adwaith yn
gildroadwy â dweud y gwir. Er hyn, mae un cyfeiriad dipyn yn gynt na'r llall fel
arfer felly dydych chi ddim yn sylwi. Gwnewch yn siŵr eich bod chi'n deall Egwyddor Le Chatelier – os
medrwch chi ddychmygu beth sy'n digwydd ar y lefel foleciwlaidd yna rydych chi'n fwy tebygol o'i gofio.

Trosglwyddo Egni mewn Adweithiau

C1   Llenwch y bylchau yn y brawddegau canlynol (gellir defnyddio'r geiriau fwy nag unwaith):

| egni | ecsothermig | endothermig | oer | amsugno |
| poeth | rhyddhau | negatif | ΔH | egni | torri | ffurfio |

Gelwir adwaith sy'n rhyddhau _____ yn un _____ . Gelwir adwaith sy'n tynnu _____ i mewn yn un _____ . Gall adweithiau _____ deimlo'n _____ oherwydd caiff egni ei _____ . Gall adweithiau _____ deimlo'n _____ oherwydd caiff egni ei _____ . Defnyddir y symbol _____ yn aml i ddangos newid egni adwaith. Mae'r newid egni yn bositif ar gyfer adweithiau _____ , h.y. mae angen gwres. Mae newid egni _____ yn dynodi adwaith ecsothermig, h.y. rhyddheir gwres .

Mae bron i bob adwaith cemegol yn cynnwys newidiadau _____ . Y cydbwysedd rhwng yr _____ sydd angen i _____ bondiau yn yr adweithydd a'r _____ a ryddheir wrth i fondiau gael eu _____ yn y cynhyrchion sy'n penderfynu a fydd yr adweithiau yn _____ neu'n _____ .

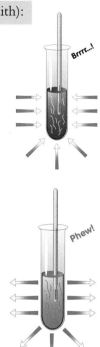

Brrrr...!

Phew!

C2   Dosbarthwch yr adweithiau neu'r newidiadau hyn yn rhai ecsothermig neu endothermig:

a) Llosgi tanwydd.

b) Niwtraleiddio asid.

c) Dadelfeniad thermol copr carbonad.

d) Ocsidio cyflym haearn.

e) Hydoddi amoniwm nitrad yn gyflym.

f)

Y RHOSTIWR — I GYNHESU'R DWYLO

g)

Pecyn oer Penigamp — Ar gyfer pob anaf mewn chwaraeon....

C3   Dyma ragor o egnïon bond (kJ/môl): N≡N = 945, H-H = 435, N-H = 389

a) Faint o egni sydd ei angen i dorri bond N ≡ N?

b) Faint o egni sydd ei angen i dorri bond H-H?

c) Faint o egni gaiff ei ryddhau wrth ffurfio bondiau N-H?

d) Ysgrifennwch yr hafaliad isod gan ddefnyddio fformiwlâu adeileddol y moleciwlau.

$$N_{2(n)} + 3H_{2(n)} \rightleftharpoons 2NH_{3(n)}$$

e) Cyfrifwch yr egni sydd ei angen i dorri pob un o fondiau'r adweithyddion.

f) Cyfrifwch yr egni a ryddheir wrth i'r cynhyrchion ffurfio.

g) Yna cyfrifwch gyfanswm y newid egni ar gyfer yr adwaith a nodwch a yw'n adwaith ecsothermig neu'n un endothermig.

Trosglwyddo Egni mewn Adweithiau

C4 Gellir cynrychioli llosgi ethanol gan yr hafaliad canlynol:

$$C_2H_5OH + 3O_2 \rightarrow 2CO_2 + 3H_2O$$

Egnïon bond (kJ/mol): C-C = 346, C-H = 413, C=O = 740,

C-O = 360, O-H = 463, O=O = 497.

a) Ysgrifennwch yr hafaliad gan ddefnyddio fformiwlâu adeileddol y moleciwlau.

b) Cyfrifwch yr egni sydd ei angen i dorri pob un o fondiau'r adweithyddion.

c) Cyfrifwch yr egni a ryddheir wrth i holl fondiau'r cynhyrchion ffurfio.

d) Cyfrifwch gyfanswm y newid egni, ΔH, a nodwch yn glir a yw'n bositif neu'n negatif.

e) Nodwch a yw'r adwaith yn ecsothermig neu'n endothermig.

C5 Ystyriwch yr adwaith:

$$CH_4 + 2O_2 \rightarrow CO_2 + 2H_2O$$

Egnïon bond (kJ/mol): C-H = 413, O=O = 497, C=O = 740, O-H = 463

O wybod yr egnïon bond uchod, cyfrifwch:

CH₄ + 2O₂ → CO₂ + 2H₂O

a) gyfanswm yr egni sydd ei angen i dorri pob un o fondiau'r adweithyddion.

b) cyfanswm yr egni a ryddheir wrth ffurfio bondiau'r cynhyrchion.

c) cyfanswm y newid egni ar gyfer yr adwaith hwn.

d) Dangoswch y canlynol ar y proffil egni
    i) Yr adweithyddion (CH₄ + 2O₂).
    ii) Y cynhyrchion (CO₂ + 2H₂O).
    iii) ΔH.
    iv) Yr egni actifiant.

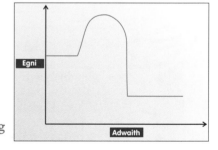

e) Ai adwaith ecsothermig neu endothermig yw hwn?

C6 Yn y Broses Gyffwrdd ar gyfer cynhyrchu asid sylffwrig, caiff sylffwr deuocsid ei newid yn sylffwr triocsid yn gatalytig:

a) Dangoswch ar y proffil:
    i) Yr adweithyddion.
    ii) Y cynhyrchion.
    iii) ΔH.
    iv) Yr egni actifadu.

b) Dangoswch ar y diagram y proffil y byddech chi'n ei ddisgwyl ar gyfer adwaith wedi ei gatalyddu gan fanadiwm(V) ocsid.

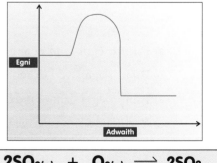

$$2SO_{2(n)} + O_{2(n)} \rightleftharpoons 2SO_3$$

Gair i Gall: Mae hyn yn anodd ar y dechrau – ond wedi i chi ei ddysgu fe ddylech chi ei gofio. Peidiwch ag anghofio bod angen egni er mwyn tynnu pethau'n ddarnau – felly mae torri bondiau yn endothermig, tra bo ffurfio bondiau yn ecsothermig. Gwnewch yn siŵr y medrwch chi gyfrifo cyfanswm y newid egni (ΔH) ar gyfer adwaith o'r egnïon bond.

Tri Chyflwr Mater: t 1

1) Solid, hylif, nwy
2) Theori gronynnau/cinetig
3)

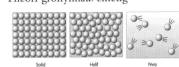

4) <u>Solid</u>
Siâp pendant
Dwys iawn
Grymoedd atyniadol cryf
Ni ellir eu cywasgu
Gronynnau mewn safleoedd sefydlog
Yn aml yn gryf
Trefniant dellten rheolaidd
Cyfaint pendant
Ychydig iawn o symudiad gronynnol
<u>Hylif</u>
Dim siâp pendant
Eithaf dwys
Grymoedd atyniadol gwannach
Ni ellir eu cywasgu
Gronynnau'n rhydd i symud
Ychydig iawn o gryfder
Trefniant moleciwlaidd hap
Cyfaint pendant
Symudiad cyson ac ar hap
<u>Nwy</u>
Dim siâp pendant
Dwysedd isel
Dim grymoedd atyniadol
Gellir eu cywasgu
Gronynnau'n rhydd i symud
Dim cryfder
Trefniant moleciwlaidd hap
Dim cyfaint pendant
Symudiad cyson cyflym ac ar hap

a) Solidau, grymoedd atyniadol cryfaf
b) Mewn nwyon y mae'r grymoedd atyniadol gwannaf, felly mae'r gronynnau ymhell o'i gilydd a dim ond ychydig a geir mewn cyfaint penodol (h.y. ganddynt hwy mae'r dwysedd isaf)
c) Nwy, mae'r gronynnau i gyd yn symud yn gyflym ar hap.
d) Solid, hylif a nwy yn eu tro. Iâ, dŵr ac ager yn eu tro.
e) Mae'r gronynnau eisoes wedi eu pacio'n dynn at ei gilydd. Mae brêcs ceir yn defnyddio hyn – unrhyw ateb synhwyrol.
f) Mae'n eithaf mawr o'i gymharu â'r pellter rhwng gronynnau hylif.
g) Wrth i ronynnau fownsio oddi ar furiau'r cynhwysydd.
h) Byddai'r gwasgedd yn cynyddu. Rhoir mwy o egni i'r moleciwlau felly maent yn symud yn gynt ac yn taro yn galetach ac yn amlach yn erbyn muriau'r cynhwysydd.

Tri Chyflwr Mater: t 2

1) Solid – iâ, dur, plastig, pren;
hylif – dŵr, petrol, alcohol, gwydr (arbennig);
nwy – ager, aer, bwtan, clorin.
(neu unrhyw ateb synhwyrol)
2) A = ymdoddi, B = berwi / anweddu, C = cyddwyso, D = rhewi.
3) a) I foleciwlau'r solid/hylif hwnnw.
b) Mae'n torri bondiau ac yn cynyddu egni cinetig.
c) Y bondiau/grymoedd atyniadol rhwng y moleciwlau.
4) a) 25°C.
b) Ocsigen.
c) Sinc.
d) Bromin neu fercwri.
e) Ocsigen.
f) Mercwri.
g) Sinc.
h) Bromin.
i) Mae'r egni gwres yn mynd i'r moleciwlau gan beri iddynt ddirgrynu mwy. Yn y diwedd trechir y bondiau rhwng y moleciwlau a bydd y moleciwlau'n dechrau symud o gwmpas. Mae wedi ymdoddi erbyn hyn.
j) Wrth wresogi hylif bydd yr egni gwres yn mynd i'r moleciwlau. Mae hyn yn peri i'r moleciwlau symud yn gynt. Bydd rhai moleciwlau yn symud yn gynt na'i gilydd. Bydd y moleciwlau sy'n symud yn gyflym ar yr wyneb yn trechu'r grymoedd atyniadol wrth y moleciwlau eraill ac yn dianc. Anweddiad, sef ffurf ar drosglwyddo gwres, yw hyn.
5) Wrth i'r cŵyr gyddwyso neu rewi rhyddheir egni wrth i fondiau ffurfio rhwng gronynnau, bydd yr egni hwn yn atal oeri pellach felly ceir ardaloedd gwastad. Bydd y tymheredd yn aros yn gyson yn ystod newid cyflwr.
6) Mae'r gronynnau'n cyfuno (bondio) ac yn symud o gwmpas llai. Trefnir y gronynnau'n gyson ac maent yn dirgrynu o amgylch pwynt sefydlog.

Atomau a Moleciwlau: t 3

1) A
2) B, D neu F
3) C
4) E
5) B neu D
6) F
7) D
8) B

9)

Enw	Fformiwla foleciwlaidd	Fformiwla adeileddol	Model moleciwlaidd
Dŵr	H_2O	H—O—H	
Amonia	NH_3	H—N—H / H	
Ethan	C_2H_6	H—C—C—H / H H H H	
Carbon deuocsid	CO_2	O=C=O	

10) A = silicon
B = ocsigen
C = bond cofalent

Elfennau, Cymysgeddau a Chyfansoddion: t 4

1)

Sylwedd	Elfen	Cymysgedd	Cyfansoddyn
Copr	✓		
Aer		✓	
Dŵr distyll			✓
Heli		✓	
Sodiwm	✓		
Nicel coprog		✓	
Sodiwm clorid			✓
Copr sylffad			✓
Sylffwr	✓		
Ocsigen	✓		
Dŵr môr		✓	
Efydd		✓	
Petrol		✓	
Inc glas		✓	
Dur		✓	
Ager			✓
Lloeth		✓	

2) Sylweddau na ellir eu torri i lawr yn sylweddau symlach trwy ddulliau cemegol yw elfennau. Maent yn cynnwys un math o atom yn unig.
3) Mae cyfansoddion yn cynnwys gwahanol elfennau wedi eu cyfuno'n gemegol mewn cyfrannau penodol.
4) Casgliad o wahanol elfennau a/neu gyfansoddion wedi cyfuno mewn gwahanol gyfrannau yw cymysgedd. Gellir eu gwahanu trwy ddulliau ffisegol.
5) Cymysgedd o ddau neu fwy o fetelau.
6) Gellir newid cyfran y metelau mewn aloi, ac wedi iddo ymdoddi byddant yn gwahanu yn ôl dwysedd.
7)

Elfen bur

Cymysgedd o ddwy elfen

Cymysgedd o un elfen ac un cyfansoddyn

Tri atom un elfen

Cyfansoddyn pur

Cymysgedd o dri chyfansoddyn

Dau foleciwl dau wahanol gyfansoddyn

Tri moleciwl un cyfansoddyn wedi ei wneud o dri atom

Atebion tudalennau 5→9

Atomau: t 5

1)
   a) Gronyn lleiaf elfen a chanddo briodweddau'r elfen honno. Blocyn adeiladu holl fater.
   b) 3 phrif ronyn.
   c) Protonau, niwtronau ac electronau.
   d) Adeiledd bychan yng nghanol yr atom yn cynnwys protonau a niwtronau ac yn gyfrifol am y rhan helaeth o'r màs.
   e) Grŵp o electronau a chanddynt yr un egni.

2)
   a) niwclews b) electron c) plisgyn

3)

Gronyn	Màs	Gwefr	Lleoliad
Proton	1	+1	Yn y niwclews
Electron	$\frac{1}{1836}$	-1	Yn cylchdroi'r niwclews
Niwtron	1	O	Yn y niwclews

4)
   a) Yn y niwclews. b) gwagle
5) miliwn (1 x 10^6)
6) Yr electronau
7) 7
8)
   a) Nifer y protonau/electronau.
   b) Cyfanswm nifer y protonau a'r niwtronau.
   c) A = Rhif màs; Z = Rhif atomig; A-Z = nifer y n^0
   d) 3   e) 3   f) 4
   g) mae'r rhif atomig (Z) yn dangos nifer y protonau/electronau (sy'n diffinio'r elfen).
9)
   a) p^+ = 6, e^- = 6, n^0 = 6.
   b) p^+ = 19, e^- = 19, n^0 = 20.
   c) p^+ = 1, e^- = 1, n^0 = 0.
10)
   a) Gwahanol ffurfiau atomig ar yr un elfen yw isotopau; mae ganddynt yr un nifer o brotonau ond gwahanol nifer o niwtronau.
   b) Carbon 14 (^{14}C) c) na
11)
   a) protonau = 1, electronau = 1, niwtronau = 1.
   b) protonau = 1, electronau = 1, niwtronau = 2.
12) Màs cyfartalog y ddau isotop ydyw (gan ystyried bod clorin 35 yn fwy cyffredin). 76% clorin 35 a 24% clorin 37 = 0.76 x 35 + 0.24 x 37 = 35.48.

Trefniant Electronau; t 6/7

1) Mae'r electronau'n cylchdroi o gwmpas y niwclews fel planedau'n cylchdroi o gwmpas yr Haul.
2) Mae gwefr negatif yr electronau'n eu hatynnu at wefr bositif y niwclews.
3) Plisgyn

4)

Plisgyn electronau	Uchafswm nifer yr electronau yn y plisgyn
1af	2
2il	8
3ydd	8

5)

Elfen	Symbol	Rhif atomig	Rhif màs	Nifer y Protonau	Nifer yr Electronau	Nifer y Niwtronau	Ffurfwedd Trefn electronig	Rhif Grŵp
Hydrogen	H	1	1	1	1	0	1	—
Heliwm	He	2	4	2	2	2	2	0
Lithiwm	Li	3	7	3	3	4	2,1	1
Beryliwm	Be	4	9	4	4	5	2,2	2
Boron	B	5	11	5	5	6	2,3	3
Carbon	C	6	12	6	6	6	2,4	4
Nitrogen	N	7	14	7	7	7	2,5	5
Ocsigen	O	8	16	8	8	8	2,6	6
Fflworin	F	9	19	9	9	10	2,7	7
Neon	Ne	10	20	10	10	10	2,8	0
Sodiwm	Na	11	23	11	11	12	2,8,1	1
Magnesiwm	Mg	12	24	12	12	12	2,8,2	2
Alwminiwm	Al	13	27	13	13	14	2,8,3	3
Silicon	Si	14	28	14	14	14	2,8,4	4
Ffosfforws	P	15	31	15	15	16	2,8,5	5
Sylffwr	S	16	32	16	16	16	2,8,6	6
Clorin	Cl	17	35	17	17	18	2,8,7	7
Argon	Ar	18	40	18	18	22	2,8,8	0
Potasiwm	K	19	39	19	19	20	2,8,8,1	1
Calsiwm	Ca	20	40	20	20	20	2,8,8,2	2

6) Nifer yr electronau allanol sy'n penderfynu i ba grŵp y bydd yr elfen yn perthyn.
7) Mae gan bob nwy nobl blisgyn allanol llawn/ Mae pob atom sydd â phlisgyn allanol llawn yn nwy nobl.
8) 7
9) 4
10) 8
11) Adweithedd
12)
   a) Mae yng ngrŵp 2 – metelau alcalïaidd y Ddaear
   b) Metel
   c) Unrhyw elfen grŵp 2, e.e. magnesiwm, calsiwm
13)

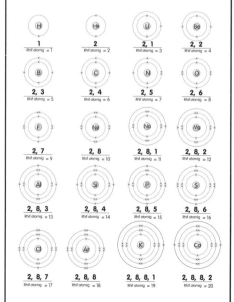

Bondio Cofalent: t 8/9

1) Nifer o atomau wedi eu huno â bondiau cofalent.
2) Bondio
3) Un pâr neu fwy o electronau.
4)

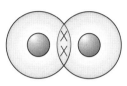

5) Fel bod ganddynt blisgyn allanol llawn electronau sy'n fwy sefydlog.
6) Grŵp 0 (y nwyon nobl)
7) 2, 8

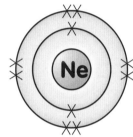

8) 2, 8, 7
9) 1 yn fwy
10)

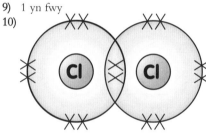

(dim ond y plisg allanol a ddangosir yma)

11) a, d, e
12) Nid ydynt yn hydawdd mewn dŵr, nid ydynt yn dargludo, nid ydynt fel arfer yn risialog.
13)

a) Hydrogen (H_2)

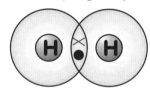

b) Dŵr (H_2O)

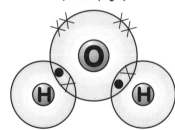

---

c) Amonia (NH₃)

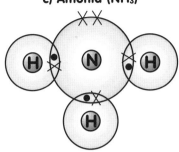

d) Methan (CH₄)

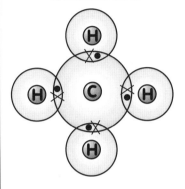

e) Clorin (Cl₂)

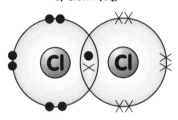

14) Rhannu 2 bâr o electronau.

15) 2, 6

16) 2

17) Neon

18)

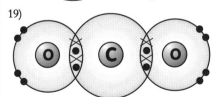

19)

20)

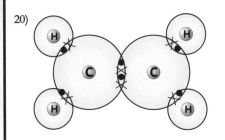

Ïonau: t 10

1) Atom neu foleciwl sydd wedi ei wefrio oherwydd iddo golli neu ennill electronau.

2) Na⁺, O²⁻ neu unrhyw enghraifft synhwyrol arall.

3) NH₄⁺, CO₃²⁻ neu unrhyw enghraifft synhwyrol arall.

4) Niwtral; protonau; -if; gwefrio'n bositif; gwefrio'n negatif.

5)

a) Ïon potasiwm

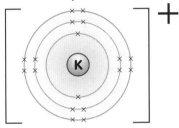 **+**

b) Ïon magnesiwm

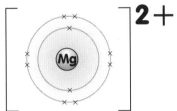 **2+**

c) Ïon calsiwm

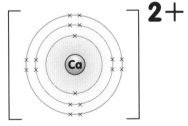 **2+**

d) Ïon alwminiwm

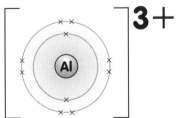 **3+**

---

6)

a) Fflworid

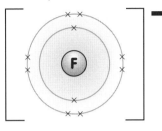 **—**

b) Clorid

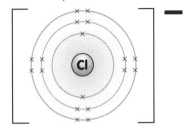 **—**

c) Sylffid

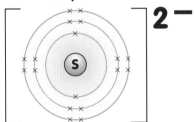 **2—**

d) Ocsid

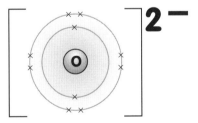 **2—**

7) positif

8) negatif

Ioniau: t 11

1) Yr atyniad electrostatig rhwng ïonau â gwefrau croes a ffurfir trwy golli neu ennill electronau.

2) 1-

3) 1+

4) Oherwydd eu bod wedi colli electron, felly mae ganddynt un proton yn fwy na'r electronau (dim ond un electron sy'n rhaid colli er mwyn cael plisgyn allanol llawn).

Atebion tudalennau 11→15

5) Oherwydd eu bod wedi ennill electron, felly mae ganddynt un electron yn fwy na'r protonau (dim ond un electron sy'n rhaid ennill er mwyn cael plisgyn allanol llawn).

6) 2+

7) 2-

8) Byddai angen llawer o egni i ffurfio ïon C^{4+} oherwydd byddai'n rhaid colli pedwar electron, felly mae carbon fel arfer yn bondio'n gofalent.

9) Ïon wedi ei wefrio'n bositif yw catïon ac ïon wedi ei wefrio'n negatif yw anïon.

10) Lithiwm clorid sy'n ffurfio.

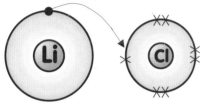

11)

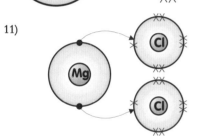

12) Nifer cyfartal o wefrau positif a negatif.

13)

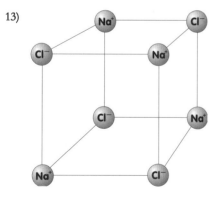

14) MgO, NaF, Na_2O, $MgSO_4$, Na_2SO_4

15) a) Sodiwm   g) Fflworid
   b) Clorid   h) Potasiwm
   c) Sylffid   i) Calsiwm
   d) Nitrad   j) Magnesiwm
   e) Sylffad   k) Ffosffad
   f) Ïodid   l) Hydrogen
         m) Bariwm

16) a) Kr b) MgO c) CO_2 d) MgO neu CO_2
   e) $SO_4{}^{2-}$ neu Mg^{2+} f) $SO_4{}^{2-}$

17) a, b

18) annargludydd pan yw'n solid, dargludo pan yw yn y cyflwr tawdd, grymoedd cryf yn dal yr ïonau gyda'i gilydd, grisialog.

Symbolau, Fformiwlâu a Hafaliadau: t 12-13

1) Hydrogen (H), Heliwm (He), Lithiwm (Li), Beryliwm (Be), Boron (B), Carbon (C), Nitrogen (N), Ocsigen (O), Fflworin (F), Neon (Ne), Sodiwm (Na), Magnesiwm (Mg), Alwminiwm (Al), Silicon (Si), Ffosfforws (P), Sylffwr (S), Clorin (Cl), Argon (Ar), Potasiwm (K), Calsiwm (Ca).

2) Fe, Pb, Zn, Sn, Cu.

3)

Enw	Fformiwla	Cyfran pob elfen sy'n bresennol yn y sylwedd
Sinc ocsid	ZnO	1 sinc 1 ocsigen
Magnesiwm ocsid	MgO	1 magnesiwm 1 ocsigen
Sodiwm clorid	NaCl	1 sodiwm 1 clorin
Asid hydroclorig	HCl	1 hydrogen 1 clorin
Sylffwr deuocsid	SO_2	1 sylffwr 2 ocsigen
Carbon deuocsid	CO_2	1 carbon 2 ocsigen
Sodiwm hydrocsid	NaOH	1 sodiwm 1 ocsigen 1 hydrogen
Potasiwm hydrocsid	KOH	1 potasiwm 1 ocsigen 1 hydrogen
Calsiwm carbonad	$CaCO_3$	1 calsiwm 1 carbon 3 ocsigen
Copr sylffad	$CuSO_4$	1 copr 1 sylffwr 4 ocsigen
Asid sylffwrig	H_2SO_4	2 hydrogen 1 sylffwr 4 ocsigen
Haearn(III) ocsid	Fe_2O_3	2 haearn 3 ocsigen
Magnesiwm clorid	$MgCl_2$	1 magnesiwm 2 glorin
Hydrogen	H_2	2 hydrogen
Clorin	Cl_2	2 glorin

4) Clorid; Ocsid; Sylffid

5) Sodiwm bromid

6) Sodiwm fflworid

7) Ocsigen

8) Ocsigen (llai na phan yw'r diwedd yn –ad)

9) Sodiwm, fflworin, ffosfforws, ocsigen.

10) a) sodiwm + clorin → sodiwm clorid
   b) carbon + ocsigen → carbon deuocsid
   c) sylffwr + ocsigen → sylffwr deuocsid
   d) sinc + ocsigen → sinc ocsid
   e) haearn + sylffwr → haearn sylffid
   f) potasiwm + clorin → potasiwm clorid
   g) plwm + ocsigen → plwm ocsid
   h) calsiwm + ocsigen → calsiwm ocsid

11)

Cyfansoddyn	Ïon +if	Ïon -if	Fformiwla
copr ocsid	Cu^{2+}	O^{2-}	CuO
sodiwm clorid	Na^+	Cl^-	NaCl
sinc sylffad	Zn^{2+}	$SO_4{}^{2-}$	$ZnSO_4$
alwminiwm ïodid	Al^{3+}	I^-	AlI_3
potasiwm hydrocsid	K^+	OH^-	KOH
calsiwm carbonad	Ca^{2+}	$CO_3{}^{2-}$	$CaCO_3$
sinc bromid	Zn^{2+}	Br^-	$ZnBr_2$
potasiwm carbonad	K^+	$CO_3{}^{2-}$	K_2CO_3
sodiwm sylffad	Na^+	$SO_4{}^{2-}$	Na_2SO_4
potasiwm sylffad	K^+	$SO_4{}^{2-}$	K_2SO_4
potasiwm nitrad	K^+	$NO_3{}^-$	KNO_3
plwm sylffad	Pb^{2+}	$SO_4{}^{2-}$	$PbSO_4$
magnesiwm bromid	Mg^{2+}	Br^-	$MgBr_2$
bariwm clorid	Ba^{2+}	Cl^-	$BaCl_2$
arian nitrad	Ag^+	$NO_3{}^-$	$AgNO_3$
sodiwm nitrad	Na^+	$NO_3{}^-$	$NaNO_3$

Adeiledau: t 14-15

1) a)/b)
   Elfen → Metel → "metelig enfawr" → e.e. Mg, Zn, Ca, Cu.

   Elfen → Anfetel → "moleciwlaidd" → e.e. O_2, I_2, S_8, P_5.

   Elfen → Anfetel → "enfawr" → e.e. C

   Cymysgedd → Metel/aloi metel → "enfawr" → e.e. efydd, nicel coprog.

   Cyfansoddyn → Metel/anfetel → "ïonau, enfawr" → e.e. NaCl, $CuSO_4$, KI, KCl.

   Cyfansoddyn → Anfetel → "moleciwlaidd" → e.e. SO_2, PCl_3, CO_2, HCl, C_2H_4.

   Cyfansoddyn → Anfetel → "enfawr" SiO_2.

2)

Bondio	Adeiledd	Ym.bt	B.bt	Dargludedd		
				Solid	Hylif	Hydoddiant dyfrllyd
Ïonig	Enfawr	UCHEL	UCHEL	Gwael	Da	Da
Cofalent	Enfawr	UCHEL	UCHEL	Gwael	Gwael	Gwael
Cofalent	Moleciwlaidd	ISEL	ISEL	Gwael	Gwael	Gwael
Metelig	Enfawr	UCHEL	UCHEL	Da	Da	/

3) Yr electronau sy'n rheoli priodweddau cemegol sylweddau, ac mae hyn yn effeithio ar y priodweddau ffisegol. Cytuno – defnyddio enghreifftiau megis ymdoddbwyntiau isel sylweddau moleciwlaidd.

Anghytuno – defnyddio enghreifftiau megis diemwnt a graffit – yr un atomau ond gwahanol briodweddau ffisegol gwahanol ffurfiau carbon.

4) Wrth roi grym iddynt (e.e. taro grisial â morthwyl) caiff y ddellten ïonig ei tharfu gan ddod â gwefrau tebyg at ei gilydd. Bydd y rhain yn eu tro yn gwrthyrru gan beri i'r grisial hollti.

5) Bondiau rhyngfoleciwlaidd gwan.

6) Adeileddau enfawr, e.e. silicon deuocsid (tywod), diemwnt.

7) Oherwydd nad oes unrhyw ïonau'n rhydd i symud yn y cyflwr solid (maent i gyd wedi bondio), ond maent yn rhydd i symud yn y cyflwr hylifol neu mewn hydoddiant.

8) Bydd y moleciwlau dŵr yn hollti'r ddellten ïonig (oherwydd eu deupol) ac yn amgylchynu'r ïonau a wahanwyd gan eu dal mewn hydoddiant.

9)

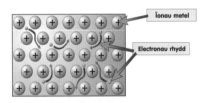

Sylwedd	Annargludydd	Dargludo ond nid yw'n newid	Dargludo ac yn newid
Graffit		✓	
Sodiwm clorid tawdd			✓
Sodiwm clorid (hydoddiant)			✓
Mercwri		✓	
Sodiwm hydrocsid (d)			✓
Alwminiwm tawdd		✓	
Plwm ïodid tawdd			✓
Copr		✓	
Dŵr distyl	✓		
Cerosin (tanwydd jet)	✓		
Hydoddiant siwgr dyfrllyd	✓		
Petrol	✓		
Tolwen	✓		
Hydrogen clorid mewn hydoddiant			✓
Naffthalen tawdd	✓		
Sylffwr tawdd	✓		
Daliant o sylffwr	✓		
Wrea	✓		
Methanol	✓		
Asid sylffwrig			✓
Cloroethan	✓		
Dŵr môr			✓
Plwm		✓	
Magnesiwm		✓	
Magnesiwm clorid tawdd			✓

Metelau a Bondio Metelig: t 16

1) Delir yr atomau at ei gilydd gan electronau rhydd sy'n sefydlogi'r ïonau metel yn drefniant rheolaidd.

2) Mae pob atom yn yr adeiledd wedi cyfuno mewn dellten risial fawr.

3) Electronau a ddaw o atomau metel yn y ddellten ydynt sy'n deillio o blisg electronau allanol pob metel.

4)

5) **a)** Gweler isod
   b) Bond metelig.

Priodwedd metel	Enghraifft dda	Rheswm	Eithriad
Cryf	Haearn*	bondiau cryf	Mercwri*
Dargludydd gwres da	Unrhyw fetel	electronau'n rhydd i symud	dim
Dargludydd trydan da	Aur*	electronau'n rhydd i symud	dim
Gellir ei rolio'n llenni (hydrin)	Alwminiwm*	gall atomau lithro dros ben	Mercwri*
Gellir ei dynnu'n wifrau (hydwyth)	Copr*	gall atomau lithro dros ei gilydd	Mercwri*

* neu unrhyw enghraifft addas arall

6) Cymysgedd o ddau fetel neu fwy yw aloi.

7) Maent yn darparu gwahanol briodweddau'r metelau ansoddol.

8) Mae'r atomau metel mwy yn tarfu ar yr adeiledd rheolaidd ac yn atal haenau o atomau rhag llithro dros ei gilydd.

---

9) **a)** H; ymdoddbwynt uchel dros ben

   b) F; ymdoddbwynt isel/dargludydd trydanol da ac anadweithiol

   c) A; dwysedd isel, nid yw'n adweithio gyda dŵr (mewn cymylau).

   d) E; cynhwysedd gwres sbesiffig uchel, ym.bt isel felly gellir ei ddefnyddio ar ffurf hylif.

   e) A; dwysedd isel, dargludedd trydanol gweddol uchel.

Paratoi Nwyon: t 17

1) **a)** Carbon deuocsid
   b) hydrogen
   c) amonia
   d) ocsigen
   e) clorin

2) **a)** $CaCO_3 + 2HCl \rightarrow CaCl_2 + CO_2 + H_2O$

   b) $H_2SO_4 + Zn \rightarrow ZnSO_4 + H_2$

   c) $Ca(OH)_2 + 2NH_4Cl \rightarrow CaCl_2 + 2H_2O + 2NH_3$

   d) $2H_2O_2 \rightarrow 2H_2O + O_2$

   e) $2KMnO_4 + 16HCl \rightarrow 2MnCl_2 + 8H_2O + 2KCl + 5Cl_2$

Peryglon: t 18

Symbolau Hazchem

1)

Ocsidiol
Enghraifft: ocsigen hylifol

Fflamadwy dros ben
Enghraifft: petrol

Gwenwynig
Enghraifft: cyanid

Ymbelydrol
Enghraifft: wraniwm

Niweidiol
Enghraifft: methanol

Cyrydol
Enghraifft: asid sylffwrig

Llidus
Enghraifft: hylif cannydd

Ffrwydrol
Enghraifft: hydrogen

2) Rhoi gwybodaeth ynglŷn â sylweddau peryglus mewn ffurf sy'n hawdd ei adnabod, fel y gellir deall y rhybudd ledled y byd; e.e. pe bai tancer Prydeinig yn cael damwain yn Ewrop, byddent yn gallu deall y label.

3) Cymryd gofal / o leiaf amddiffyn y llygaid / sychu unrhyw beth a gollir / o bosib gellir defnyddio dillad diogelwch yn ddiwydiannol.

4) **a)** Rhoi gwybod i'r cyhoedd a'r gwasanaethau brys bod y tancer yn cludo llwyth sy'n gyrydol.

   b) Efallai bydd angen iddynt wybod mwy er mwyn penderfynu sut i ddelio â'r sylwedd ar raddfa fawr.

   c) Oherwydd mae'n bosib byddai angen cyngor arbenigwyr ar y gwasanaethau brys, h.y. rhywun sy'n gyfarwydd â'r sylwedd ac sy'n medru dweud wrthynt sut i'w drafod.

   d) Symud y cyhoedd o'r strydoedd a'r siopau yn yr ardal, rhoi dillad diogelwch llawn i ddynion y gwasanaeth tân, sicrhau bod injan dân â phibelli dŵr wrth law cyn codi'r tancer.

Atebion tudalennau 19→22

Olew Crai: t 19

1) Bu farw planhigion ac anifeiliaid a chawsant eu gorchuddio gan ddyddodion yn y môr. Wedi miliynau o flynyddoedd o wasgedd a gwres, newidiwyd y gweddillion yn olew crai.

2) Cyfuniad o wahanol sylweddau sydd wedi eu cymysgu heb i unrhyw adwaith cemegol ddigwydd, felly nid ydynt wedi eu bondio'n gemegol at ei gilydd.

3) Moleciwlau hydrocarbon o wahanol feintiau.

4) Cyfansoddyn sy'n ffurfio wrth i atomau carbon ac atomau hydrogen fondio gyda'i gilydd yn gofalent. Mae hydrocarbonau yn danwyddau.

5) Oherwydd ei fod yn gymysgedd o nifer o wahanol hydrocarbonau.

6) Oherwydd ei fod yn gymysgedd o nifer o wahanol sylweddau sydd yn ymddwyn yn wahanol i'w gilydd ac sy'n meddu ar wahanol briodweddau.

7) Caiff ei gludo mewn pibellau neu mewn tanceri.

8) Bareli.

9) Gall colli olew niweidio bywyd y môr, megis pysgod ac adar, a difrodi traethau.

10) Ni allwn wneud mwy o olew yn lle'r olew rydym ni wedi ei ddefnyddio. Yn y pen draw bydd y cyflenwad olew yn dod i ben.

11) Manteision – 1) Cynhyrchu llawer o egni am y gost. 2) Ar gael ar ffurf hylif – sy'n ysgafn ac yn hawdd ei gludo. 3) Nid yw'r prif gynhyrchion (CO_2, H_2O) yn wenwynig.
Anfanteision – 1) Cynhyrchir CO_2 sy'n gyfrifol am yr effaith tŷ gwydr. 2) Maent yn anadnewyddol. 3) Mae'r cynhyrchion llai yn wenwynig neu'n niweidiol dros ben i'r amgylchedd (CO, SO_2, cynhyrchion Pb o betrol plwm).

Distyllu Ffracsiynol: t 20

1) Cymysgedd o wahanol hydrocarbonau.

2) Cyfansoddyn wedi ei wneud o hydrogen a charbon, er enghraifft CH_4 (methan).

3) Tanwydd a ffurfiwyd o weddillion ffosil planhigion a/neu anifeiliaid.

4) Labeli coll: A = petrol; B = nafftha; C = cerosin; D = diesel; E = olew injan/olew iro.

5) a) Anweddu'n hawdd
   b) Cynnau'n hawdd
   c) Puro
   d) Newid o hylif i nwy
   e) Gwahanol gyfansoddion cymysgedd sydd wedi eu gwahanu o'r cymysgedd trwy ddistyllu.
   f) Proses o wahanu sy'n cynnwys gwresogi cymysgedd o hylifau nes iddo anweddu, yna'i oeri a chasglu'r hylif sy'n ffurfio.
   g) Hylif trwchus.
   h) Nwyon megis bwtan a phropan y gellir eu defnyddio fel nwy potel.
   i) Cyfres o atomau carbon wedi eu bondio'n gofalent megis yr hyn a geir mewn hydrocarbonau.

6) Mae'r berwbwynt yn cynyddu wrth i hyd y gadwyn dyfu.

7) Mae distyllu ffracsiynol yn hollti olew crai i'w wahanol ffracsiynau (y gwahanol hydrocarbonau sydd ynddo). Mae gan bob ffracsiwn ferwbwynt gwahanol. Mae'r golofn ffracsiynu yn boeth dros ben ar y gwaelod ac yn oerach ar y top, ac wedi ei threfnu fel y gall pob gwahanol ffracsiwn gyddwyso a chael ei dapio i ffwrdd yn y rhan honno o'r golofn sydd ar yr un tymheredd â berwbwynt y ffracsiwn hwnnw.

8) Oherwydd wedi gwahanu olew crai i'w wahanol ffracsiynau, bydd gan bob un o'r ffracsiynau hyn ddiben pwysig, e.e. nwyon purfa, petrol, tanwydd jet, diesel.

9) Wrth i'r hyd dyfu mae'r fflamadwyedd yn lleihau.

10) Wrth i'r hyd dyfu mae'r anweddolrwydd yn lleihau.

11) Byr.

12) Byr.

13) Mae terfyn ar y cyflenwad, h.y. bydd yr olew yn dod i ben ryw ddydd.

14) Ceisio peidio â'i wastraffu a chyfyngu ar ei ddefnydd; defnyddio adnoddau egni adnewyddol yn ei le.

15) Ceisio atal colli olew; annog pobl i ddefnyddio cludiant cyhoeddus (defnydd mwy effeithlon o betrol); buddsoddi mewn adnoddau egni adnewyddol, e.e. pŵer solar, pŵer gwynt; gwell deddfwriaeth ac addysg.

Hydrocarbonau: t 21

1)

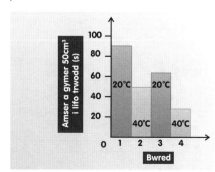

2) Olew ABC.

3) Olew ABC.

4) Mae'r gludedd yn lleihau.

5) Gwneud yr arbrawf ar dymheredd cyfartalog injan car.

6) Cadwyn hir, heb fod yn rhy hir.

7) Gallai ymsolido neu fynd yn rhy ludiog.

8) a) Efallai bod y diesel wedi mynd yn ludiog iawn ac felly yn methu â llifo'n hawdd ac roeddynt yn ceisio ei gael i lifo;
   b) Gallai danio'r tanc tanwydd, ond nid yw hydrocarbonau hir megis diesel yn tanio'n hawdd – felly nid ydyw mor wirion â hynny;
   c) Mae ychwanegion yn atal y diesel rhag ymsolido mewn tywydd oer iawn ac felly dim ond yn ystod y gaeaf bydd eu hangen.

Hydrocarbonau: t 22

1) Torri moleciwlau cymhleth i lawr yn foleciwlau symlach trwy eu gwresogi.

2) Nid yw hydrocarbonau cadwyn hir yn ddefnyddiol iawn ond mae'r rhai cadwyn byr dipyn mwy defnyddiol; mae hydrocarbonau byr yn ddrutach ac felly mae'r elw yn uwch; mae mwy o alw am hydrocarbonau cadwyn byr.

3) a) Gwres, catalydd.
   b) Moleciwl hydrocarbon sy'n cynnwys bond dwbl C=C yw alcen.
   c) Mae ganddynt fondiau dwbl neu driphlyg sy'n golygu y bydd cemegau eraill yn barod iawn i adweithio gyda hwy.
   d) Mae paraffin yn ddirlawn ac felly ni all adweithio gyda dŵr bromin. Alcen yw nwy A, mae'n annirlawn ac felly mae'n adweithio gyda'r dŵr bromin i'w ddadliwio.
   e)
   f) Ethen.

4) Nid yw'r ffracsiynau mawr, trwm yn ddefnyddiol iawn, ond gellir eu gwneud yn fwy defnyddiol trwy eu cracio'n ffracsiynau llai. Mae'r ffracsiynau llai, ysgafnach eisoes yn ddefnyddiol.

5) a) Cracio (dadelfennu thermol)
   b) C_2H_4, C_6H_{12}
   c) $C_{16}H_{34}$, C_6H_{14}
   d) i) C_2H_4, C_6H_{12}, ii) C_2H_4, C_6H_{12}
   e) Er mwyn atal yr alcen a gynhyrchir rhag adweithio gyda'r aer.

f)

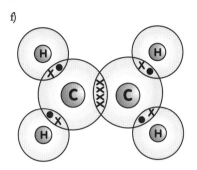

g) Gwneud plastigion a chemegau eraill, e.e. ychwanegion petrol.

h) Polymer – poly(ethen).

i) Poly(finylclorid) neu poly(cloroethen) – PVC.

Alcanau: t 23

1)

Enw	Fformiwla	Nifer yr atomau carbon	Ymdodd-bwynt (°C)	Berw-bwynt (°C)	Fformiwla Adeileddol (graffigol)
Methan	CH₄	1	-182	-164	H-C-H (H uchod/isod)
Ethan	C₂H₆	2	-183	-89	H H / H-C-C-H / H H
Propan	C₃H₈	3	-190	-42	H H H / H-C-C-C-H / H H H
Bwtan	C₄H₁₀	4	-138	0	H H H H / H-C-C-C-C-H / H H H H
Pentan	C₅H₁₂	5	-130	36	H H H H H / H-C-C-C-C-C-H / H H H H H
Hecsan	C₆H₁₄	6	-95	69	H H H H H H / H-C-C-C-C-C-C-H / H H H H H H
Heptan	C₇H₁₆	7	-91	99	H H H H H H H / H-C-C-C-C-C-C-C-H / H H H H H H H
Octan	C₈H₁₈	8	-57	126	H H H H H H H H / H-C-C-C-C-C-C-C-C-H / H H H H H H H H
Nonan	C₉H₂₀	9	-51	151	H H H H H H H H H / H-C-C-C-C-C-C-C-C-C-H / H H H H H H H H H
Decan	C₁₀H₂₂	10	-30	174	H H H H H H H H H H / H-C-C-C-C-C-C-C-C-C-C-H / H H H H H H H H H H

2)

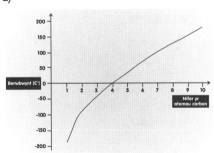

3) a) Dim wedi eu rhestru;

b) Pentan, hecsan, heptan, octan, nonan, decan

c) Bwtan, propan, ethan, methan.

4) Po fwyaf o atomau carbon sydd mewn alcan, yr uchaf yw ei ferwbwynt.

5) Oherwydd bod angen mwy o wres ar gadwyni trwm a hirach er mwyn torri'n rhydd oddi wrth ei gilydd.

6) 196°C

7)

CH_4 C_2H_6

C_3H_8

C_4H_{10}

C_5H_{12}

Alcanau: t 24

8) Mae dau atom yn y bond yn rhannu un pâr o electronau.

9) Nad yw'r moleciwl yn cynnwys bondiau dwbl na thriphlyg.

10) Oherwydd bod alcanau yn ddirlawn, felly nid oes ganddynt fondiau rhydd i adweithio gyda'r dŵr bromin.

11) i) methan + ocsigen → carbon deuocsid + dŵr

$CH_4 + 2O_2 \rightarrow CO_2 + 2H_2O$

ii) ethan + ocsigen → carbon deuocsid + dŵr

$2C_2H_6 + 7O_2 \rightarrow 4CO_2 + 6H_2O$

iii) propan + ocsigen → carbon deuocsid + dŵr

$C_3H_8 + 5O_2 \rightarrow 2CO_2 + 4H_2O$

12) Gall hylosgiad anghyflawn gynhyrchu'r nwy gwenwynig carbon monocsid.

13) Mae alcanau'n ddirlawn, does dim electronau rhydd ar gael i fondio, ac o'r herwydd maent yn anadweithiol, e.e. ethan. Cyfansoddion organig eraill – alcoholau.

14) Cracio.

15) Mae alcanau yn fwy gwerthfawr – gellir gwneud nifer o gynhyrchion ohonynt.

16) Methan – tanwydd nwy ar gyfer tai, propan – tanwydd nwy potel, bwtan – tanwydd ar gyfer stofiau gwersylla, octan – petrol.

17) Rhoir arogl iddo o ran diogelwch er mwyn medru ei arogleuo os ydyw'n gollwng.

18) a) Oherwydd defnyddir cemegau tebyg i hwn i roi arogl i nwy.

b) Oherwydd aeth y cemegyn i'r dŵr trwy ddraeniau a phibellau carthffosiaeth, neu cafodd ei dywallt i lawr y draen.

c) Rhaid, oherwydd mae'n bosib bod rhywrai wedi colli nwy go iawn er bod y mwyafrif o'r galwadau yn ymwneud â'r cemegyn a gollwyd.

Alcenau: t 25

1) a) Mae ganddynt fond dwbl neu driphlyg ac felly mae ganddynt electronau sbâr sydd ar gael i fondio.

b) Gallant adweithio gyda chemegau eraill a pholymeru.

2) a) i) Wrth i nifer yr atomau carbon yn yr alcenau gynyddu, bydd yr ymdoddbwynt yn codi. ii) Wrth i nifer yr atomau carbon yn yr alcenau gynyddu, bydd y berwbwynt yn codi. iii) Wrth i nifer yr atomau carbon gynyddu, bydd yr alcenau'n newid o fod yn nwyon i fod yn hylifau (does dim solidau yn y tabl).

b) Hecs-1-en Ym.bt – 98°C, B.bt – 64°C; hept-1-en Ym.bt – 58°C, B.bt – 96°C.

c) Wrth i nifer yr atomau carbon yn yr alcenau gynyddu, bydd eu màs fformiwla cymharol yn fwy, sy'n golygu bod angen mwy o egni gwres arnynt er mwyn i'r moleciwlau gael digon o egni i newid cyflwr. Mae atyniad cryfach rhwng moleciwlau mwy.

3) a) Mae dwywaith cynifer o atomau hydrogen ag sydd o atomau carbon ym mhob moleciwl alcen.

b) i) C_2H_4,

ii)

H H H / H-C=C-C-H / H H H

neu isomer

4) a) Oherwydd bod electronau sbâr ar gael i fondio. Gall y bond dwbl dorri ar agor ac adio elfennau eraill.

b) i) $C_2H_4 + H_2 \rightarrow C_2H_6$

ii)

H H / C=C + H-H → H-C-C-H / H H (H H)

iii) Ethan

Atebion tudalennau 25→29

5) a)

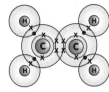

b) Mae'r moleciwl hwn yn cynnwys bond C=C dwbl. Does gan ethan ddim bondiau dwbl. Llai o atomau hydrogen.

6) a) Carbon deuocsid a dŵr.
b) $C_2H_4 + 3O_2 \rightarrow 2CO_2 + 2H_2O$
c) propen + ocsigen → carbon deuocsid a dŵr
d) Carbon sydd wedi ffurfio o ganlyniad i hylosgi anghyflawn.

Alcenau: t 26

7) a) i) Bydd yr ethen yn dadliwio'r dŵr bromin i ffurfio hydoddiant clir.
ii) Does dim byd yn digwydd gan na all yr ethan adweithio gyda'r dŵr bromin oherwydd ei fod yn ddirlawn.
b) ethen + bromin → 1,2-deubromoethan.
c)

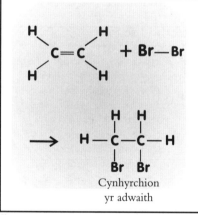

Cynhyrchion yr adwaith

8)

Alcen	Nifer yr atomau carbon	Fformiwla	Fformiwla Adeileddol (graffigol)
Bwten	4	C_4H_8	
Penten	5	C_5H_{10}	
Hecsen	6	C_6H_{12}	
Hepten	7	C_7H_{14}	

9) a) Uned sengl y polymer a gaiff ei hailadrodd.
b) Polymeriad.

10) a) Cywir. Rhennir olew crai yn ffracsiynau trwy ddistyllu ffracsiynol. Caiff y ffracsiynau sy'n cynnwys hydrocarbonau cadwyn hir eu cracio, ac mae hyn yn cynhyrchu ethen.
b) Gall ffurfio polymerau â chanddynt nifer o ddibenion, yn bennaf fel plastigion.

11) a) bwten + ocsigen → carbon deuocsid + dŵr
b) bwten + clorin → deuclorobwtan
c) bwten + bromin → deubromobwtan
d) propen + ocsigen → carbon deuocsid + dŵr

(Does dim angen enwi cyfansoddion organig yn fanwl)

Polymerau a Phlastigion: t 27/28

1) Nifer o unedau bychain wedi cyfuno i ffurfio un gadwyn hir.

2) a) Gwasgedd uchel, catalydd.
b) Mae angen y catalydd i gyflymu pethau, a'r gwasgedd uchel er mwyn sicrhau bod nifer mawr o foleciwlau yn gwrthdaro yn ystod yr adwaith.

3) a) Poly(ethen) – polythen.
b)

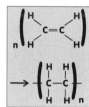

c) Poly(ethen) – oherwydd ei fod wedi ei wneud o nifer o foleciwlau ethen.
d) Oherwydd gall ethen gymryd rhan mewn adweithiau amnewid felly gellir adio gwahanol grwpiau at y monomerau ethen. Bydd hyn yn rhoi gwahanol briodweddau i'r polymerau (plastigion) a ffurfir.

4)

Swydd	Plastig	Rheswm
Cynhwysydd bwyd poeth	Polystyren	Gellir ei ehangu'n ewyn
Bagiau plastig	Polythen	Rhad, hawdd i'w fowldio
Carped	Polypropylen	Mae'n ffurfio ffibrau cryf
Gwydrau picnic	Persbecs	Nid yw'n dryllio'n hawdd, tryloyw
Bwcedi	Polythen	Rhad, hawdd i'w fowldio
Rhaffau	Polypropylen	Mae'n ffurfio ffibrau cryf
Swigod pacio	Polythen	Rhad, hawdd i'w fowldio
Deunydd ynysu	Polystyren	Gellir ei ehangu'n ewyn
Potyn iogyrt	Polythen	Rhad, hawdd i'w fowldio
Padelli ffrio gwrthlud	PTFE	Cwyraidd - does dim byd yn glynu wrtho

5) Carbon; Adio; Polymeriad; Polymer; Monomer; Plastigion; Polythen; Monomerethen; Monomerau ethen; Gwasgedd uchel; Catalydd; Bond dwbl; Dirlawn.

6) a) poly(propen)

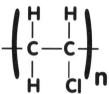

b) Poly(styren)

c) Poly(cloroethen) neu Polyfinylclorid – PVC

7) *Agweddau da*
Gweddol rad
Dwysedd isel
Hawdd eu mowldio (gellir eu newid i'r siâp a fynnir yn hawdd)
Gallant fod yn gryf iawn
Gellir eu lliwio
Ni chânt eu heffeithio gan asidau nac alcalïau
Ynysyddion
Agweddau drwg
Gallant losgi
Anodd cael eu gwared
Anniraddiadwy
Gallant gynhyrchu nwyon gwenwynig wrth losgi
Hawdd eu mowldio (gellir eu anffurfio'n anfwriadol).

Mwynau Metel: t 29

1) Mwyn sy'n cynnwys digon o fetel i'w wneud yn werth chweil ei echdynnu o'r ddaear.

2) Haematit (mwyn haearn); Bocsit (mwyn alwminiwm); Malachit (mwyn copr).

3) Fel metel pur.

4) aur, platinwm, arian (copr – anghyffredin iawn, haearn – mwy anghyffredin fyth).

5) Fel cyfansoddion (mwynau metel).

6) a) Mwyn metel wedi ei ddarganfod yn y ddaear
b) Pridd yn cynnwys mwyn wedi ei echdynnu o'r ddaear
c) Symud y pridd gwastraff er mwyn crynodi'r mwyn
d) Rhydwytho gyda charbon
e) Electrolysis
f) Metel pur

7) **Electroleiddio'r mwyn tawdd**

potasiwm   alwminiwm

calsiwm   sodiwm

magnesiwm

Rhydwytho'r mwyn gyda charbon

sinc   haearn   plwm

Dadelfeniad thermol y mwyn

copr

Bodoli'n naturiol

arian   aur

(copr, haearn) – anghyffredin dros ben

8) a)

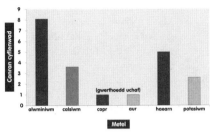

b) Llawer o fetel o gwmpas.

c) Alwminiwm

d) Mae potasiwm yn fetel prin.

e) Na, a dweud y gwir mae metelau prin iawn wedi bod yn hysbys ers nifer o flynyddoedd.

f) Po fwyaf adweithiol yw'r metel, yr anoddaf ydyw i'w echdynnu, felly y metelau mwyaf adweithiol fydd y rhai olaf i'w hechdynnu.

9) Canfyddir y metel yn ei ffurf bur heb gyfuno gydag elfennau eraill.

10) v, i, iii, ii, iv – dadleuol.

Echdynnu Haearn – Y Ffwrnais Chwyth: t 30

1) a) Oherwydd bod haearn yn is na charbon yn y tabl adweithedd, felly caiff ei rydwytho ganddo. Mae sodiwm ac alwminiwm uwchben carbon yn y tabl adweithedd.

b) haematit

c) ocsigen

d) Fe_2O_3

2) a) Mwyn haearn, golosg, calchfaen.

b) Er mwyn i'r golosg losgi'n gynt nag arfer (codi'r tymheredd).

c) Fel bo'r haearn pur yn y cyflwr tawdd er mwyn ei dapio i ffwrdd.

d) A = haearn (tawdd); B = slag (tawdd).

3) a) Wrth i'r golosg losgi

b) $C + O_2 \rightarrow CO_2$

4) Mae'n adweithio gyda golosg sydd heb losgi i ffurfio carbon monocsid.

5) a) $3CO + Fe_2O_3 \rightarrow 3CO_2 + 2Fe$

b) Mae wedi ei rydwytho

c) $Fe^{3+} + 3e^- \rightarrow Fe$

d) i) Hylif ii) Mae'n rhedeg i waelod y ffwrnais lle caiff ei dapio i ffwrdd.

6) a) Tywod (silicon deuocsid)

b) $CaCO_3 \rightarrow CaO + CO_2$

c) $CaO + SiO_2 \rightarrow CaSiO_3$

d) Adeiladu ffyrdd a gwrteithiau.

7) Caiff rhai metelau eraill eu hechdynnu trwy electrolysis sy'n ddrud gan ei fod yn defnyddio llawer o drydan. Mae llosgi golosg dipyn yn rhatach.

8)

	Haearn(III) ocsid	Haearn(II) ocsid
Fformiwla	Fe_2O_3	FeO
Yr ion sy'n ffurfio	Fe^{3+}	Fe^{2+}
Màs fformiwla cymharol y cyfansoddyn	160	72

9) Gwneud dur, hoelion, offer, llafnau, electromagnetau.

10) a) Sinc neu Gopr

b) Oherwydd bod magnesiwm yn uwch na charbon yn y gyfres adweithedd ac felly ni chaiff ei rydwytho ganddo.

Echdynnu Alwminiwm t 31/32

1)

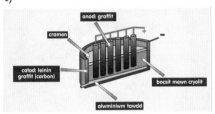

2) Adweithiol; mwyn; anodd; bocsit; cryolit; 900°C; alwminiwm; Al; O_2

3) Oherwydd gallai'r amhureddau gael eu helectroleiddio yn lle'r alwminiwm.

4) Er mwyn gostwng ymdoddbwynt yr alwminiwm ocsid.

5) Mae gostwng yr ymdoddbwynt yn dod â'r tymheredd angenrheidiol i lawr at oddeutu 900°C, sy'n rhatach ac yn fwy diogel.

6) Wrth y catod: $Al^{3+} + 3e^- \rightarrow Al$
Wrth yr anod: $2O^{2-} \rightarrow O_2 + 4e^-$

7) a) Catod

b) Anod

8) Wrth yr anod, mae'r ocsigen a ryddheir yn adweithio gyda'r graffit i ffurfio CO_2. Mae hyn yn treulio'r anod i ffwrdd.

9) ocsigen + carbon $\rightarrow$ carbon deuocsid

10) a) Mae'n rhatach symud y mwyn at y trydan na symud y trydan at y mwyn

b) Pŵer trydan dŵr.

c) Cymru, Yr Alban.

11) Rhwydwaith ffyrdd da, cyflenwad trydan da (trydan dŵr), gweithlu lleol, rhwydwaith rheillffyrdd, dociau ar gyfer mewnforio deunydd crai ac ar gyfer allforio.

12) a) (Clocwedd o'r top): ysgolion, cryno ddisgiau, fframiau ffenestri, caniau, awyrennau, ffoil, sosbenni, topiau poteli.

b) Ysgafn, gwrth-gyrydol, hawdd gwneud aloi, dargludedd thermol uchel, adlewyrchiad sgleiniog, hydrin.

13) Mae'r haen alwminiwm ocsid yn llyfn ac yn amddiffyn yr alwminiwm oddi tano rhag cyrydu ymhellach.

14) Rhaid ei gymysgu gyda metelau eraill i ffurfio aloïau.

Copr: t 33

1) catod -if; anod +if

2) Maent wedi eu gwefrio'n bositif ac felly cânt eu hatynnu at y catod negatif.

3) Electronau.

4) $Cu^{2+} + 2e^- \rightarrow Cu$

5) $Cu \rightarrow Cu^{2+} + 2e^-$

6) Hollti; trydan; puro; electrolysis; copr; electrolyt; copr; positif; anod; copr (neu bositif); 2 electron; copr; slwj; copr; anod.

7) Oherwydd ei fod yn llai adweithiol.

8) Gellir ei blygu'n hawdd ac mae'n dargludo trydan yn dda.

9) Pibellau nwy a dŵr; aloïau sydd ddim yn cyrydu megis pres ac efydd; gorchuddio cromenni ar ben mosgiau; sosbenni.

10) Pres, efydd, nicel coprog.

11) Metelau trosiannol

12) Lliw

13) Ymdoddbwynt uchel, dargludedd thermol da.

14) Na, oherwydd bod copr yn llai adweithiol na hydrogen.

15) Na. Mae'n fwy dwys na dŵr.

Defnyddio Metelau: t 34

1) a) Oes b) Ceramig c) Na d) Titaniwm neu ceramig e) Byddai'n well f) Dur meddal neu ceramig g) Oes h) Ceramig i) Na j) Ceramig k) Titaniwm. Mae titaniwm yn gryf ac yn galed gydag adweithedd isel er ei fod yn ddwys ac yn ddrud iawn. Mae dur meddal yn gryf, yn galed ac yn rhad ond mae'n adweithiol iawn ac mae ganddo ddwysedd uchel. Mae ceramig yn gryf, caled, rhad ac yn anadweithiol ac mae ganddo ddwysedd isel ond mae'n frau.

2) R. Mae angen i'r defnydd fod mor ysgafn a chryf â phosib, a rhaid bod ganddo ymdoddbwynt uchel a phris rhesymol. Mae gan S ymdoddbwynt isel. Mae T yn ddrud ac yn weddol ddwys. Nid yw U yn gryf iawn ac mae ganddo ddwysedd uchel.

Atebion tudalennau 34→39

Defnyddio Metelau: t 35

3)

Priodwedd (Ansawdd)	Rhowch ddwy enghraifft	Rhowch eithriad i'r rheol hon	Ar gyfer beth mae'r priodwedd hwn yn ddefnyddiol
Mae metelau'n galed	Unrhyw un heblaw am fercwri	mercwri	Codi adeiladau
Mae metelau'n gryf (cryfder tynnol uchel)	alwminiwm titaniwm	mercwri	Adeiladu
Mae metelau'n sgleinio	y rhan helaeth	plwm	Tlysau, ffoil
Mae metelau'n plygu	y rhan helaeth	mercwri	Eu siapio
Mae metelau'n wydn (anodd eu torri)	titaniwm copr	sodiwm	Berynnau
Maent fel arfer yn teimlo'n oer (dargludo gwres)	copr arian	plwm	Cyfnewidyddion gwres
Mae metelau'n dargludo trydan yn dda	copr alwminiwm	plwm	Ceblau, gwifrau
Mae metelau'n ddwys (yn drwm am eu maint)	plwm aur	lithiwm	Angorau môr
Mae rhai metelau'n fagnetig (atynnu polau magnetig)	haearn nicel	pob un ond am haearn, nicel a chobalt	Magnetau, seinyddion
Mae metelau'n soniarus (creu sain t'ws o'u taro)	copr tun	mercwri	Offerynnau cerdd
Mae metelau'n ehangu o'u gwresogi	plwm mercwri	twngsten	Thermomedrau Stribedi deufetel
Mae metelau'n adweithio gyda'r ocsigen yn yr aer	y rhan helaeth	aur, platinwm	Haenau amddiffynnol (e.e. alwminiwm ocsid)
Mae metelau'n adweithio gydag asidau	Pob un sydd uwchben H yn y Gyf. Ad.	aur, arian	Batrïau, gweithgynhyrchu halwynau

Calchfaen: t 36

1) Calsiwm carbonad.

2) Gwaddod.

3) Sialc, marmor.

4) Swydd Derby, Dolydd Caer, D-On Llundain, Chilterns, Cotswolds (neu unrhyw ardal a enwir ar y map).

5) Gweddillion creaduriaid môr a ffurfiodd haenau ar waelod y môr.

6) Mae'n gryf o'i gywasgu ac yn hawdd ei dorri.

7) Rhad ac ar gael yn hawdd.

8) Gwydr.

9) Sment.

10) Concrit. (Mae nifer o ddibenion – adeiladu ffyrdd, gwneud blociau adeiladu, camu ynddo a gadael i ôl eich troed setio, ac ati)

11) Glynu briciau wrth ei gilydd.

12) Mae'n adweithio gydag asidau.

13) Planhigion yn sensitif i newidiadau yn y pH. Mae'n well gan y rhan fwyaf ohonynt bridd sy'n niwtral neu ychydig yn alcalïaidd.

14) Calch tawdd.

15) Bas.

16) Calsiwm sylffad a dŵr a carbon deuocsid

17) Mae glaw asid yn ymosod ar y calchfaen mewn adeiladau a cherfluniau gan eu hydoddi.

18) Symud amhureddau oddi yno.

Amonia a Gwrteithiau: t 37

1) Mae'n cynhyrchu amonia sy'n angenrheidiol ar gyfer gwneud gwrteithiau, ffrwydron a phlastigion.

2) a) Aer
   b) Methan, olew crai, dŵr.

3) a) Darparu awynebedd arwyneb mawr er mwyn i'r adweithyddion ei gyffwrdd.
   b) Ei gyflymu.
   c) Troi nwy amonia yn hylif er mwyn gallu ei ardywallt i ffwrdd.
   d) Mae'r amodau hyn yn ffafrio'r adwaith, gwneud amonia.
   e) Mae'r moleciwlau'n gwrthdaro gyda llai o egni – gwrthdrawiadau llai effeithiol a fyddai'n arafu cyfradd yr adwaith.
   f) i) $N_2 + 3H_2 \rightleftharpoons 2NH_3$
      ii) ecwilibriwm neu adwaith cildroadwy
   g) Er gwaethaf y catalydd a'r amodau ffafriol mae'r ecwilibriwm yn gadael llawer o'r defnyddiau crai heb adweithio. Gwneir iawn am hyn trwy ailgylchu'r nwyon o gwmpas y siambr unwaith eto.

4) Drud: angen pibellau a siambrau mwy trwchus a fyddai'n llai cost effeithiol.

5) Amonia; Proses Haber; gwrteithiau; nitrogen; hydrogen; 450; gwasgedd; 200; heb adweithio; ailgylchu; atom; hydrogen; atom; nitrogen.

6) a)

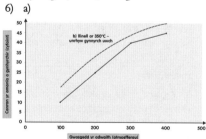

c) Mae'r adwaith yn digwydd ar gyfradd arafach, ac ni fyddai hyn yn economaidd.

Amonia a Gwrteithiau: t 38

1) a) Cynhyrchu gwres.
   b) Cynyddu'r cynnyrch trwy symud ecwilibriwm yr adwaith i'r ochr dde.
   c) Gan fod y blaenadwaith yn ecsothermig byddai codi'r tymheredd yn ysgogi'r adwaith cildro i geisio symud y gwres ychwanegol oddi yno. Gostyngir y cynnyrch ond bydd y gyfradd yn cynyddu (cynnyrch isel wedi ei gynhyrchu'n gyflym).

d) Mae cyfradd yr adwaith yn uwch ar dymheredd uwch. Gwneir iawn am y cynnyrch is gan gyfradd yr adwaith sydd dipyn yn uwch.

e) Byddai gwasgedd uwch yn dod â'r adweithyddion yn nes at ei gilydd fel bod y moleciwlau'n gwthdaro'n amlach o lawer ac yn adweithio'n amlach. Cynyddir y cynnyrch oherwydd caiff y blaenadwaith, sy'n gostwng y gwasgedd, ei ffafrio. Felly byddai cynyddu'r gwasgedd yn cynyddu'r cynnyrch.

f) Mae'r gyfradd lawer yn rhy araf heb gatalydd. Mae'r catalydd hefyd yn caniatáu i'r adwaith ddigwydd ar dymheredd is.

2) a) $4NH_{3(n)} + 5O_{2(n)} \rightarrow 4NO_{(n)} + 6H_2O_{(h)}$: nitrogen monocsid a dŵr
   b) Catalydd platinwm poeth
   c) $4NO_{(n)} + 3O_{2(n)} + 2H_2O_{(n)} \rightarrow 4HNO_{3(n)}$
   d) Asid nitrig.
   e) Niwtraliad.
   f) Amonia + Asid nitrig → Amoniwm nitrad
   ($NH_{3(d)} + HNO_{3(d)} \rightarrow NH_4NO_{3(d)}$ neu $NH_4OH_{(d)} + HNO_{3(d)} \rightarrow NH_4NO_{3(d)} + H_2O_{(h)}$)
   g) Nitrogen.
   h) Ar gyfer gwneud proteinau a chloroffyl.

Amonia a Gwrteithiau: t 39

3) a) Byddai'n rhaid defnyddio gwrteithiau naturiol (e.e. tail, potash)
   b) Ni ellid tyfu cynifer o gnydau (cynnyrch is).

4) Maent yn gyfansoddion megis amoniwm nitrad. Ni chafodd hwn ei gynhyrchu gan bethau byw fel gwrteithiau organig.

5) Ocsidio; gwrteithiau; nitrogen monocsid; oeri; dŵr; ocsigen; asid nitrig; asid nitrig; niwtraleiddio; amonia; amoniwm nitrad.

6) Hydawdd – ond fe'i trwytholchir yn hawdd.

7) a) Bacteria
   b) Ocsigen – bydd y pysgod yn mygu ac yn marw
   c) Ewtroffigedd
   d) Nitrogen yn cynyddu, twf planhigion yn cynyddu, a bydd y cynnydd yn nwysedd y boblogaeth sy'n cystadlu am ocsigen yn arwain at orlenwi a fydd yn ei dro yn arwain at farwolaeth yn y pen draw.
   e) Gofalu na ddefnyddir gormod o wrtaith fel na chaiff y gormodedd ei drwytholchi i'r afonydd.

Atebion tudalennau 40→44

Adweithiau Rhydocs: t 40

1) Colli ocsigen yw rhydwythiad.
Ennill ocsigen yw ocsidiad.
2) Ennill hydrogen yw rhydwythiad.
Colli hydrogen yw ocsidiad.
3) Ennill electronau yw rhydwythiad.
Colli electronau yw ocsidiad.
4) a) copr ocsid + hydrogen → copr + dŵr
b) copr ocsid + carbon → copr + carbon monocsid
c) sinc ocsid + carbon monocsid → sinc + carbon deuocsid
d) haearn ocsid + carbon monocsid → haearn + carbon deuocsid
e) magnesiwm ocsid + sodiwm → magnesiwm + sodiwm ocsid
f) sinc ocsid + carbon → sinc + carbon monocsid
g) plwm ocsid + carbon monocsid → plwm + carbon deuocsid
h) plwm ocsid + hydrogen → dŵr + plwm
i) haearn ocsid + carbon monocsid → carbon deuocsid + haearn
j) carbon deuocsid + carbon → carbon monocsid

Wedi rhydwytho

a) $CuO \rightarrow Cu$ b) $CuO \rightarrow Cu$
c) $ZnO \rightarrow Zn$ d) $Fe_2O_3 \rightarrow 2Fe$
e) $MgO \rightarrow Mg$ f) $ZnO \rightarrow Zn$
g) $PbO_2 \rightarrow Pb$ h) $Pb_3O_4 \rightarrow 3Pb$
i) $Fe_3O_4 \rightarrow 3Fe$ j) $CO_2 \rightarrow 2CO$

Wedi ocsidio

a) $H_2 \rightarrow H_2O$ b) $C \rightarrow CO$
c) $CO \rightarrow CO_2$ d) $3CO \rightarrow 3CO_2$
e) $2Na \rightarrow Na_2O$ f) $C \rightarrow CO$
g) $2CO \rightarrow 2CO_2$ h) $4H_2 \rightarrow 4H_2O$
i) $4CO \rightarrow 4CO_2$ j) $C \rightarrow 2CO$

Hafaliadau: t 41

1) a) haearn sylffid
b) haearn ocsid
c) magnesiwm ocsid
d) sylffwr deuocsid
e) dŵr
f) magnesiwm sylffid
g) alwminiwm clorid
h) hydrogen ïodid
i) carbon deuocisd
j) haearn bromid
k) potasiwm clorid
l) haearn sylffid
m) plwm ocsid
n) calsiwm ocsid

2) a) calsiwm carbonad → calsiwm ocsid + carbon deuocsid
b) magnesiwm ocsid + asid hydroclorig → magnesiwm clorid + dŵr
c) sylffwr deuocsid + ocsigen → sylffwr triocsid
d) sodiwm carbonad + asid nitrig → sodiwm nitrad + dŵr + carbon deuocsid
e) nitrogen + hydrogen → amonia

3) a) $C + O_2 \rightarrow CO_2$
b) $Zn + H_2SO_4 \rightarrow ZnSO_4 + H_2$
c) $Cu + 2Cl \rightarrow CuCl_2$
d) $H_2 + CuO \rightarrow Cu + H_2O$
e) $Mg + H_2SO_4 \rightarrow MgSO_4 + H_2$
f) $Mg + CuSO_4 \rightarrow Cu + MgSO_4$
g) $CuCO_3 \rightarrow CuO + CO_2$
h) $KOH + HCl \rightarrow KCl + H_2O$
i) $NaOH + HCl \rightarrow NaCl + H_2O$
j) $CaCO_3 + H_2SO_4 \rightarrow CaSO_4 + H_2O + CO_2$

Hafaliadau: t 42

1) a) nwy, dyfrllyd, solid. Defnyddir (h) ar gyfer hylif.
b) Mae'r 2 yn dangos y caiff 2 fôl o HCl eu defnyddio gyda phob un môl o Mg.
c) Mae Mg yn ïon 2+ a Cl yn ïon 1-. Bydd angen 2 ïon Cl^- er mwyn cydbwyso gwefr 2^+ yr ïon Mg^{2+}.
d) Oherwydd bod moleciwlau hydrogen yn cynnwys dau atom hydrogen.
e) i) $2KI + Cl_2 \rightarrow 2KCl + I_2$
ii) $2Na + Cl_2 \rightarrow 2NaCl$
iii) $4Li + O_2 \rightarrow 2Li_2O$
iv) $2Li + 2H_2O \rightarrow 2LiOH + H_2$
v) $MgCO_3 + 2HCl \rightarrow MgCl_2 + H_2O + CO_2$

2) a) $CaCO_3 \rightarrow CaO + CO_2$
b) $MgO + 2HCl \rightarrow MgCl_2 + H_2O$
c) $2SO_2 + O_2 \rightarrow 2SO_3$
d) $Na_2CO_3 + 2HNO_3 \rightarrow 2NaNO_3 + H_2O + CO_2$
e) $N_2 + 3H_2 \rightarrow 2NH_3$

Hafaliadau: t 43

1) a) $N_2 + 3H_2 \rightarrow 2NH_3$
b) $CaCO_3 + H_2SO_4 \rightarrow CaSO_4 + H_2O + CO_2$
c) $2H_2 + O_2 \rightarrow 2H_2O$
d) $2Mg + O_2 \rightarrow 2MgO$
e) $2Ca + O_2 \rightarrow 2CaO$
f) $H_2 + I_2 \rightarrow 2HI$
g) $Mg + H_2SO_4 \rightarrow MgSO_4 + H_2$
h) $H_2SO_4 + 2NaOH \rightarrow Na_2SO_4 + 2H_2O$
i) $Ca + H_2SO_4 \rightarrow CaSO_4 + H_2$
j) $H_2SO_4 + 2KOH \rightarrow K_2SO_4 + 2H_2O$
k) $2HCl + MgO \rightarrow MgCl_2 + H_2O$
l) $CH_4 + 2O_2 \rightarrow CO_2 + 2H_2O$
m) $2H_2 + 2NO \rightarrow 2H_2O + N_2$
n) $2HCl + Ca(OH)_2 \rightarrow CaCl_2 + 2H_2O$
o) $Fe_2O_3 + 3CO \rightarrow 2Fe + 3CO_2$
p) $C_6H_{12}O_6 + 6O_2 \rightarrow 6CO_2 + 6H_2O$
q) $6CO_2 + 6H_2O \rightarrow C_6H_{12}O_6 + 6O_2$
r) $2C_4H_{10} + 13O_2 \rightarrow 8CO_2 + 10H_2O$
s) $C_2H_4 + 3O_2 \rightarrow 2CO_2 + 2H_2O$
t) $C_3H_8 + 5O_2 \rightarrow 3CO_2 + 4H_2O$
u) $C_5H_{12} + 8O_2 \rightarrow 5CO_2 + 6H_2O$
v) $2C_3H_6 + 9O_2 \rightarrow 6CO_2 + 6H_2O$
w) $2C_2H_6 + 7O_2 \rightarrow 4CO_2 + 6H_2O$

2) a) $4NH_3 + 5O_2 \rightarrow 4NO + 6H_2O$
b) $HCl_{(d)} + NaOH_{(d)} \rightarrow NaCl_{(d)} + H_2O_{(d)}$ (Roedd y gwreiddiol yn gywir)
c) $2Na_{(s)} + 2H_2O_{(h)} \rightarrow 2NaOH_{(d)} + H_{2(n)}$
d) $2KI_{(d)} + Cl_{2(n)} \rightarrow 2KCl_{(d)} + I_{2(d)}$
e) $2Al_{(s)} + 3Cl_{2(n)} \rightarrow 2AlCl_{3(s)}$
f) $CaCO_3 + 2HCl \rightarrow CaCl_2 + H_2O + CO_2$
g) $2ZnO_{(s)} + C_{(s)} \rightarrow 2Zn_{(s)} + CO_{2(n)}$
h) $CuCO_3 \rightarrow CuO + CO_2$ (Roedd y gwreiddiol yn gywir)
i) $4CuO + CH_4 \rightarrow 4Cu + CO_2 + 2H_2O$

% Elfen mewn Cyfansoddyn: t 44

1) 27.27%	11) 82.35%
2) 42.86%	12) 57.5%
3) 52.35%	13) 36%
4) 54.76%	14) 52.94%
5) 80%	15) 51.61%
6) 50%	16) 40%
7) 50%	17) 38.61%
8) 40%	18) 20.81%
9) 60%	19) 35%
10) 11.11%	20) 21.21%

21) a) M_r o CH_4 = 16
% carbon = $^{12}/_{16}$ x 100 = 75%
b) M_r o C_6H_6 = 78
% carbon = $^{72}/_{78}$ x 100 = 92.31%
c) M_r o C_2H_5OH = 46 %
carbon = $^{24}/_{46}$ x 100 = 52.17%

C_6H_6 sydd â'r gyfran uchaf o garbon.

22) a) Al_2O_3
23) c) magnetit (Fe_3O_4)
24) a) 39.32%
b) 28.57%
c) 100%
d) 69.64%
25) 0.33%

Atebion tudalennau 45→55

Fformiwlâu Empirig: t 45

1) CH_3
2) NH_3
3) CO_2
4) SO_3
5) CaF_2
6) Fe_3O_4
7) Na_3AlF_6
8) $N2H_4O_3$
9) KNO_3
10) $NaOH$

Fformiwlâu Empirig: t 46

1) $AlCl_3$
2) FeO
3) sylffwr triocsid – cymhareb y sylffwr a'r ocsigen yn y cyfansoddyn yw 1:3.
4) CuO
5) $PbCl_2$
6) a) magnesiwm ocsid
   b) 0.32g
   c) MgO
7) $Ca(OH)_2$ – calsiwm hydrocsid
8) x = 5

Màs Fformiwla Cymharol: t 47

Elfennau:

1) 40
2) 23
3) 56
4) 64
5) 14
6) 12
7) 1
8) 35.5
9) 39
10) 7
11) 80
12) 40
13) 48
14) 27
15) 197
16) 108
17) 184
18) 133
19) 201
20) 207

Moleciwlau:

21) 2 22) 32 23) 71 24) 254 25) 160
26) 28 27) 38 28) 420 (Nodwch: dim symbolau gram)

Màs Fformiwla Cymharol: t 48

Cyfansoddion:

1) 80
2) 40
3) 166
4) 74.5
5) 36.5
6) 58.5
7) 119
8) 28
9) 103
10) 134
11) 160
12) 44
13) 18
14) 16
15) 17
16) 111
17) 28
18) 95
19) 133.5
20) 408

21) 64
22) 124
23) 136
24) 30
25) 233
26) 63
27) 461
28) 98
29) 102
30) 101

31) 100
32) 106
33) 78
34) 180
35) 158
36) 142
37) 154
38) 192
39) 60
40) 120
41) 35
42) 80
43) 132
44) 149
45) 74
46) 342
47) 188
48) 331
49) 164
50) 346

Masau a Molau: t 49

1) a) 12g
   b) 46g
   c) 54g
   d) 21g
   e) 1,270g
   f) 32g
   g) 142g
   h) 28g
   i) 14g
   j) 1.2g

2) a) 44g
   b) 220g
   c) 54g
   d) 160g
   e) 189g
   f) 365g
   g) 9,800g
   h) 2,000g
   i) 1,680g
   j) 1,462.5g

3) a) 8g
   b) 10g
   c) 0.98g
   d) 22.2g
   e) 26.5g
   f) 2g
   g) 59.16g
   h) 7.4g
   i) 79g
   j) 61.5g

Masau a Molau: t 50

1) a) 0.5 môl
   b) 0.5 môl
   c) 4 môl
   d) 0.125 môl
   e) 4 môl
   f) 0.125 môl
   g) 3 môl
   h) 1 mole
   i) 0.025 môl
   j) 0.02 môl

2) a) 2 fôl
   b) 0.048 môl
   c) 2 fôl
   d) 0.1 môl
   e) 10 môl
   f) 4 môl
   g) 3 môl
   h) 0.05 môl
   i) 0.1 môl
   j) 10 môl

3) a) 0.1 môl
   b) 0.5 môl
   c) 0.01 môl
   d) 0.1 môl
   e) 0.5 môl
   f) 0.333 môl
   g) 0.01 môl
   h) 0.1 môl
   i) 2 fôl
   j) 0.02 môl

Cyfrifiadau Meintiau Adweitho: t 51

1) 8.8g
2) 880g
3) 5.6g
4) 80g
5) 8.8g
6) 1,000g
7) 12.4g
8) 2.4g
9) 112 tunnell
10) a) 280g
    b) 60g

Cyfrifiadau Meintiau Adweitho: t 52

1) 230g o sodiwm
2) 10g o heliwm
3) 280g
4) 14.336g
5) a) 1,889g (1.889kg)
   b) 3,778g (3.778kg)
   c) 8,500g (8.5kg)
   d) 1,889kg (1.889 tunnell)
6) i) 56g
   ii) 74.5g
7) 24g
8) 14 tunnell
9) 23.28kg

Cyfrifo Cyfeintiau: t 53

1) a) 192 litr
   b) 2.4 litr
   c) 2.4 litr
   d) 476 cm³
   e) 2400 cm³
   f) 2400 cm³

2) a) 6 litr
   b) 60 litr
   c) 2400 cm³
   d) 36 000 cm³
   e) 102 000 cm³

Cyfrifo Cyfeintiau: t 54

3) a) 4 g
   b) 0.5 g
   c) 24 g
   d) 4 g
   e) 0.25 g

4) a) 28 g
   b) 21.25 g
   c) 16.5 g
   d) 12.4 g

5) a) 0.2 g
   b) 2400 cm³
   c) 4 g
   d) 48 000 cm³
   e) 1.2 g

Electrolysis: t 55

1) a) anod
   b) catod
   c) ïon clorin gyda gwefr 1-; ïon sodiwm gyda gwefr 1+; cyfansoddyn sodiwm clorid solet; nwy clorin.
2) a) 1 electron
   b) 1 môl o electronau (6.02×10^{23})
   c) 23g
3) a) electronau; ïonau; 23g
   b) i) 1 môl, ii) 24,000cm³

Yr Atmosffer: t 56

1) a) 42cm³, b) 21%, c) ocsigen
d) mae wedi adweithio gyda'r copr i ffurfio copr ocsid
e) copr + ocsigen → copr ocsid
f) er mwyn gadael i'r aer yn y chwistrell gyrraedd tymheredd ystafell unwaith eto fel yr oedd ar ddechrau'r arbrawf – fel hyn gellir gwneud cymhariaeth deg o gyfaint yr aer yn y chwistrell.
g) Carbon deuocsid: diffoddyddion tân; nitrogen: atmosfferau anadweithiol; nwyon nobl: goleuo, laseri ac ati.

Yr Atmosffer: t 57

1) Na. Ychydig iawn o ocsigen a gormod o nwyon gwenwynig megis sylffwr deuocsid/ amonia a methan.
2) Carbon deuocsid + dŵr → glwcos + ocsigen. h.y. $6CO_2 + 6H_2O \rightarrow C_6H_{12}O_6 + 6O_2$
3) Y planhigion gwyrdd sy'n gwneud ffotosynthesis.
4) Hydoddi CO_2 mewn dŵr.
5) Wrth i dymhereddd y Ddaear ddisgyn, cyddwysodd dŵr i ffurfio'r cefnforoedd.
6) Cynhyrchodd y planhigion cynnar ocsigen a symudodd yr amonia o'r atmosffer gan gynhyrchu nwy nitrogen, mae hyn yn egluro'r cynnydd ym maint y nitrogen sydd yn yr aer. Symudwyd y methan o'r aer wrth iddo adweithio gydag ocsigen i ffurfio carbon deuocsid.
7) Mae nitradau yn darparu maetholynnau ar gyfer twf planhigion. Mae symud yr amonia ymaith yn creu gwell cynefin ar gyfer datblygiad planhigion.
8) Ocsigen
9) glwcos + ocsigen → carbon deuocsid + dŵr
10) tanwydd ffosil + ocsigen → carbon deuocsid + dŵr
11) Byddai lefelau CO_2 yn codi gan ychwanegu at yr effaith tŷ gwydr a pheri cynhesu byd-eang.

Yr Effaith Tŷ Gwydr: t 58

1) Mae golau'r Haul (gweledol) yn symud trwy'r gwydr i mewn i'r tŷ gwydr a chaiff ei amsugno gan y planhigion a'r pridd. Caiff pelydrau IG a allyrrir gan y planhigion a'r pridd (amledd isel) eu hadlewyrchu gan y gwydr felly mae'r tŷ gwydr yn cynhesu.
2) Mae'r to a'r waliau gwydr yn adlewyrchu'r pelydriad IG yn ôl i mewn i'r tŷ gwydr gan ei atal rhag dianc.

3)

4) Bydd yn codi.
5) a)

b) carbon deuocsid
c) llosgi tanwyddau ffosil, torri coed (sy'n defnyddio carbon deuocsid).
d) Mewn aerosolau neu oergelloedd hŷn.
e) Cloroffflworocarbon.
f) Datblygu aerosolau ac oergelloedd heb CFC.
g) Ffynonellau methan: ysgarthion gwartheg a moch, gwernydd, safleoedd claddu sbwriel.
6) a) Y chwyldro diwydiannol.
b) Lleihau faint o danwydd ffosil a losgir, peidio â defnyddio CFC, plannu llawer mwy o goed, defnyddio ffynonellau egni adnewyddol.

Glaw Asid: t 59

1) Wrth i law ddisgyn trwy'r awyr bydd ychydig o garbon deuocsid yn hydoddi ynddo i ffurfio asid carbonig.
2) $CO_2 + H_2O \rightarrow H_2CO_3$
3) Tanwydd a ffurfiwyd o weddillion ffosiliedig planhigion a/neu anifeiliaid marw.
4) methan, glo, olew, petrol.
5) Llosgi.
6) Carbon deuocsid, sylffwr deuocsid, gwahanol ocsidau nitrogen.
7) Asid sylffwrig, asid nitrig.
8) a) Mae'n lladd y pysgod a bydd y glaw asid yn newid dŵr llynnoedd yn asidig. Mae pysgod yn sensitif dros ben i newidiadau yn pH y dŵr. Mae'r dŵr asidig yn hydoddi ïonau metel i'r llyn, a bydd y rhain yn gwenwyno'r pysgod a'r planhigion y maent yn eu bwyta.
b) Gall glaw asid niweidio coed mewn sawl ffordd. Gall beri i'r coed gyrraedd "lefel trothwy tyndra", felly wrth i dyndra naturiol megis tywydd oer a phoeth ddigwydd, cânt eu gwthio dros y trothwy tyndra a marw.

9) a) Glo
b) Glanhau'r nwyon gwastraff a gynhyrchir er mwyn symud yr ocsidau asidig oddi yno cyn eu rhyddhau i'r atmosffer.
10) Niwtraliad
11) Calchfaen
12) a) trawsnewidydd catalytig
b) carbon monocsid
c) Manteision: symud carbon monocsid ac ocsidau nitrogen gwenwynig sy'n achosi glaw asid. Anfanteision: mwy o garbon deuocsid – effaith tŷ gwydr, yr injan yn llai effeithlon.

Y Gylchred Garbon: t 60/61

1) Glwcos, startsh, braster, protein.
2) Mae carbon yn rhan o adeiledd popeth byw.
3) a) resbiradaeth
b) glwcos + ocsigen → carbon deuocsid + dŵr
c) caiff y carbon a storiwyd ar ffurf glwcos ei ryddhau i'r atmosffer ar ffurf carbon deuocsid, a gellir ei ddefnyddio mewn ffotosynthesis gan blanhigion i wneud mwy o glwcos.
4) Mae anifeiliaid yn resbiradu gan ryddhau carbon deuocsid i'r atmosffer. Mae planhigion yn ffotosyntheseiddio gan ddefnyddio'r carbon deuocsid a'i symud o'r atmosffer. Mae planhigion hefyd yn resbiradu, ond defnyddir mwy o CO_2 nag a ryddheir.
5) 0.036% a dalgrynnir i fyny i 0.04%.
6) carbon deuocsid + dŵr → glwcos + ocsigen
7) Mae pobl yn bwyta planhigion ac anifeiliaid ac yn y modd hwn maent yn amsugno eu carbon.
8) Caiff carbon deuocsid a anedlir allan ei gymryd i mewn gan blanhigyn trwy ffotosynthesis i wneud glwcos, caiff hwn ei ddefnyddio i wneud protein planhigyn sy'n mynd yn rhan o'r planhigyn. Mae gwartheg yn bwyta ac yn treulio'r planhigyn a'r protein planhigyn, ac yn defnyddio'r protein planhigyn treuliedig i wneud eu protein eu hunain.
9) I'r atmosffer – dadelfennu, resbiradu, hylosgiad hydrocarbonau. Allan o'r atmosffer – ffotosynthesis, amsugno i'r cefnforoedd, gwneud dyddodion carbonad.
10) Mae'r cyfansoddion carbon hyn wedi ffurfio tanwyddau ffosil (neu ddyddodion carbonad). Wrth i'r tanwyddau ffosil losgi neu adweithio gydag ocsigen caiff carbon deuocsid ei ryddhau i'r atmosffer. Hylosgiad yw hyn.
11) Caiff gweddillion ffosiliedig planhigion ac anifeiliaid marw eu cywasgu o dan haenau o ddyddodion, a'u gwresogi o dan wasgedd yn absenoldeb aer dros filiynau o flynyddoedd i ffurfio glo ac olew.

12) a) pryfed genwair, bacteria, pryfed, ffyngau.
   b) Torri deunydd organig marw i lawr.
   c) Mae'r dadelfenyddion yn torri deunydd marw i lawr ac yn defnyddio'r cyfansoddion carbon er mwyn resbiradu, mae hyn yn rhyddhau carbon deuocsid yn ôl i'r atmosffer.

13)

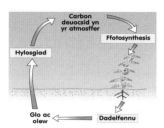

14) Mae gwartheg a defaid yn bwyta planhigion ac yn defnyddio'r cyfansoddion carbon ar gyfer resbiradaeth (sy'n rhyddhau carbon deuocsid) ac yn gwneud eu cyfansoddion carbon eu hunain. Wedi iddynt farw cânt eu dadelfennu, sy'n golygu caiff eu cyfansoddion carbon i gyd eu newid yn garbon deuocsid, a ryddheir yn ôl i'r atmosffer.

15) Mae ocsigen yn hanfodol ar gyfer resbiradaeth, dadelfennu a llosgi, sef yr unig 3 dull o roi carbon yn ôl i'r atmosffer ar ffurf carbon deuocsid. Heb ocsigen, ni all tanwyddau losgi, ni all anifeiliaid a phlanhigion resbiradu, ac ni all y dadelfenyddion resbiradu felly ni allant ddadelfennu deunydd marw. Yn ogystal â hyn ni ellir cael CO_2 heb ocsigen!

16) Caiff yr atom carbon ei ddefnyddio mewn ffotosynthesis gan blanhigyn gan fynd yn rhan o'r planhigyn hwnnw. Wedi iddo farw, caiff y planhigyn ei gladdu o dan haenau o waddodion, ei gywasgu, a'i droi yn lo dros filoedd o flynyddoedd.

17) Ydw. Mae bywyd ar y Ddaear yn seiliedig ar garbon. Heb gylchred garbon ni ellid cael cylchred bywyd ac felly byddai popeth yn marw ar ôl un genhedlaeth.

18) Mae hyn yn wir. Mae'r haul yn angenrheidiol ar gyfer ffotosynthesis, sy'n angenrheidiol ar gyfer y gylchred garbon, gan mai dyma un o'r prif ffyrdd o adennill carbon o'r atmosffer.

19) Pe na ellid ailgylchu carbon o un organeb i un arall, dim ond cynhyrchwyr sy'n ffotosyntheseiddio fyddai'n gallu byw. Ni fyddai'n bosib dychwelyd y carbon a gloir mewn deunydd planhigion marw yn ôl i'r atmosffer ond trwy danau coedwigoedd a gychwynnwyd gan fellt. Oherwydd hyn byddai rhediad y gylchred garbon dipyn yn arafach ac felly hefyd rhediad y gylchred bywyd, esblygiad ac ati.

20) Oherwydd mai carbon, nitrogen, ocsigen a hydrogen yw'r elfennau sy'n ffurfio carbohydradau, proteinau a brasterau, sef y 3 grŵp bwyd.

21) Mae hyn yn gwaredu coed felly caiff llai o garbon deuocsid ei waredu o'r atmosffer trwy ffotosynthesis.

22) a) methan + ocsigen → carbon deuocsid + dŵr
   b) Carbon deuocsid yw'r nwy sy'n bennaf gyfrifol am yr effaith tŷ gwydr ac mae llosgi tanwyddau yn rhyddhau mwy o garbon deuocsid i'r atmosffer.

23)

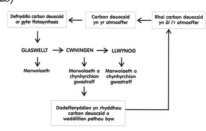

24) a) mae golau yn hanfodol ar gyfer ffotosynthesis
   b) mae ocsigen yn hanfodol ar gyfer resbiradaeth a llosgi
   c) mae gwres yn hanfodol ar gyfer cadw anifeiliaid a phlanhigion yn fyw, a hefyd yn hybu dadelfeniad.

25) Mae planhigion yn defnyddio carbon deuocsid o'r atmosffer mewn ffotosynthesis er mwyn tyfu a resbiradu. Mae anifeiliaid yn bwyta'r planhigion a chaiff y carbon ei symud ymlaen. Mae resbiradaeth yn dychwelyd carbon deuocsid i'r atmosffer. Wrth i blanhigion ac anifeiliaid farw, bydd dadelfenyddion yn defnyddio'r cyfansoddion carbon ynddynt ar gyfer resbiradaeth. Gall planhigion ac anifeiliaid marw ffurfio tanwyddau ffosil hefyd, a bydd y rhain yn ffurfio carbon deuocsid wrth losgi.

Y Gylchred Greigiau: t 62/63

1) a) A – hindreuliad,
      B – trawsgludiad,
      C – dyddodiad,
      D – claddu a chywasgu,
      DD – creigiau metamorffig,
      E – ymdoddi,
      F – creigiau igneaidd.
   b) Mae gwres a gwasgedd yn cywasgu'r creigiau a gall ailgrisialu ddigwydd gan ffurfio creigiau metamorffig.
   c) Gall adeiledd grisialog creigiau gwaddod newid heb ymdoddi.
   d) Rhewi dadmer, biolegol (coed ac ati), gwynt, tonnau, glaw asid, afonydd.

2) a) i) llosgfynydd ii) magma iii) lafa iv) craig igneaidd fewnwthiol
   b) Magma y tu mewn, lafa y tu allan.
   c) Caiff ei gwresogi gan (iv).
   d) Craig fetamorffig wedi ei gwresogi o dan wasgedd heb ymdoddi.
   e) Caiff ei herydu/ hindreulio.
   f) i) craig igneaidd allwthiol, grisialau bychain ii) craig igneaidd fewnwthiol, grisialau mawr.

3)

Disgrifiad	Ystyr	Ynghlwm wrth ffurfio
a) Dyddodiad	Caiff y graig ei dyddodi mewn gwahanol ardaloedd wedi trawsgludo hindreuliol	Craig waddod
b) Claddu	Claddu craig o dan graig arall	Craig waddod + craig fetamorffig
c) Ymdoddi	Gwres yn peri i'r graig ymdoddi	Craig igneaidd
d) Cywasgu	Pwysau'r graig uwchben yn cywasgu'r gwaddodion/y graig	Craig waddod + craig fetamorffig
e) Ailgrisialu	Grisialau'r graig yn aillffurfio o dan wres a gwasgedd	Craig fetamorffig

4) miliynau, cylchred greigiau, gwaddod, metamorffig, môr, hindreulio, claddu, cywasgu, gwaddod, claddu, metamorffig, gwres gwasgedd, magma, ymdoddi, magma, echdorri, llosgfynydd, igneaidd.

5) Newid ffurf neu adeiledd.

6) a) Craig igneaidd allwthiol
   b) Craig igneaidd fewnwthiol

7)

Craig waddod	Metamorffig
a) Calchfaen	Marmor
b) Carreg laid	Llechen
c) Tywodfaen	Cwartsit

8) Mae symudiadau'r ddaear yn peri i'r cregiau godi.

9) Mae gan risialau sy'n ffurfio creigiau igneaidd siâp anghyson wedi cydgloi. Mae creigiau gwaddod yn cynnwys grisialau crwn sy'n cael eu dal at ei gilydd gan sment halwyn gwan.

10) Trefnir grisialau creigiau igneaidd ar hap / mae grisialau creigiau metamorffig wedi alinio mewn bandiau.
Creigiau igneaidd wedi eu ffurfio o graig tawdd sydd wedi oeri ac ymsolido / ffurfir creigiau metamorffig o unrhyw fath o graig a dderbyniodd wres neu wasgedd uchel heb ymdoddi.

11) Dyddodion.

12) a) a b)

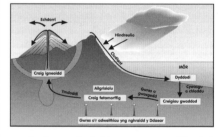

   c) i) o ganlyniad i wres a gwasgedd uchel dros ben o dan y ddaear heb ymdoddi
      ii) y graig yn ymdoddi'n llwyr ac yna'n oeri a'r magma yn ymsolido naill ai mewn craciau neu ar wyneb y Ddaear
      iii) erydiad a hindreuliad creigiau sydd eisoes yn bodoli, trawsgludo a dyddodi, claddu a chywasgu'r dyddodion, caiff y dŵr ei wasgu allan a'r gronynnau eu smentio at ei gilydd.

Creigiau Gwaddod: t 64/65

1) a) Caiff dŵr ei wasgu allan a bydd sment yn ffurfio.
b) Halwynau o'r môr/craig yn ffurfio'r sment.
c) Maent yn ymdoddi neu'n newid mewn rhyw fodd gan ddinistrio'r gweddillion ffosil.
d)

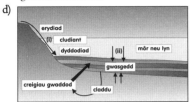

e) Ffurfio olew.
2) Ni chaiff y graig ei newid mewn unrhyw fodd gan ei bod o dan wasgedd yn unig, heb ei gwresogi.
3) a) (iv). b) (i). c) (ii). d) (iii).
4) Os ceir hyd i'r un 2 ffosil mewn 2 wahanol graig yna bydd hyn yn profi bod y creigiau o'r un oed.
5) a) i) D. ii) C. b) E. c) i) A. ii) D (gan gymryd mai pridd yw E). d) Rhaid ei fod o dan y dŵr ar ryw adeg. e) Igneaidd (mewnwthiol).
6) a) Nid yw'r creigiau mewn un llinell. b) Ffawt. c) Trwy edrych ar weddillion ffosil (byddai'r un math yn awgrymu yr un oed).
7) a) – b)

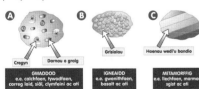

Rhesymau: mae A yn cynnwys ffosiliau a gronynnau crwn wedi eu dal at ei gilydd gan sment halwyn. Mae B yn cynnwys grisialau cydglöedig wedi eu cyfeirio ar hap. Mae C yn cynnwys bandiau – pob un yn nodweddiadol o'r math o graig. Enghreifftiau: A – tywodfaen, B – gwenithfaen, C – marmor.
8) Silica yw gwenithfaen yn bennaf, ac mae'n cynnwys gronynnau cydglöedig a dyfodd o'r cyflwr hylifol ac ni ellir eu gwahanu heb eu torri. Mae calchfaen wedi ei wneud bron yn llwyr o galsiwm carbonad sydd dipyn yn fwy meddal, a chaiff ei ronynnau hindreuliedig eu dal at ei gilydd gan sment halwyn.

Creigiau Igneaidd: t 66

1) a) Caiff ei wresogi'n fwy tyner ac yn fwy rheoledig, ac ni fydd yn mynd yn boethach na 100°C.
b) i) Plymio'r tiwb i mewn i iâ.
ii) Ei adael i oeri yn y bath dŵr wedi diffodd y Bunsen.
c) oeri'n araf.
2) a) Oeri'n gyflym o lafa folcanig ar wyneb y ddaear. b) Oeri'n araf yng nghramen y ddaear.

3) a)

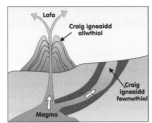

b) Mewnwthiol; gwenithfaen a gabro. Allwthiol: basalt.
4) a) Mewnwthiol o fagma.
b) Gallu gwrthsefyll hindreulio'n well.
5) Caiff aer a nwyon eu dal yn ystod ffrwydro'r llosgfynydd a llif y lafa.

Creigiau Metamorffig: t 67

1) Symudiadau'r ddaear, e.e. daeargrynfeydd, drifft cyfandirol; gogwyddo neu droi oherwydd y symudiadau mawr hyn. Neu bwysau dyddodion uwchben.
2) a) i) a ii)

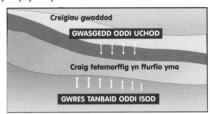

b) Cânt eu heffeithio gan wres a gwasgedd uchel dros ben.
c) Ar y gwaelod yn agos at ffynhonnell y gwres (craidd y Ddaear).
d) Yn bennaf o weithgaredd radioisotopau yn y craidd/fantell.
3) a) Marmor. b) Llechfaen. c) Sgist.
4) Ffurfir sgist ar dymereddau uwch.
5) Caiff mwynau eu cludo o berfeddion y ddaear gan y magma.
6) a)

Craig	Diben
Tywodfaen	Adeiladu
Calchfaen	Morter/Ffwrnais chwyth
Llechfaen	Teilio (ar do)
Marmor	Addurniadau ac ati

b) Mae'r grisialau wedi ailffurfio ac mae rhai wedi newid yn gemegol – caiff creigiau gwaddod eu dal at ei gilydd gan sment halwyn yn unig.

Crynodeb o'r Mathau o Greigiau: t 68

1)

a) Marmor	Metamorffig
b) Sgist	Metamorffig
c) Siâl	Gwaddod
d) Llechfaen	Metamorffig
e) Tywodfaen	Gwaddod
f) Gwenithfaen	Igneaidd

2) Gwenithfaen, mawr, basalt, ffosiliau, ymdoddi, sment, gwasgedd, dŵr, grisialu, smentio, gwaddod, ymdoddi, magma, metamorffig.
3) a) Mewnwthiol, mawr, magma.
b) Allwthiol, bychain, echdorri, llosgfynydd.
4) Gwaddod, metamorffig, gwres, gwasgedd, Daear, gwead, ymdoddi, chwistrelliad, poethi.

Y Gylchred Ddŵr: t 69

1)

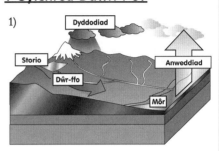

2) Oherwydd caiff y dŵr ei ailgylchu dro ar ôl tro.
3) cronfeydd, llynnoedd, afonydd, pyllau, llynnoedd mynydd
4) Capiau rhew pegynnau'r De a'r Gogledd.
5) Caiff ei gludo yno mewn afonydd.
6) Yr Haul.
7) Dŵr yn anweddu o ddail planhigion.
8) Fforestydd glaw – llawer iawn o lystyfiant.
9) Cymylau.
10) Cyddwysiad.
11) glaw, eirlaw, eira, cenllysg
12) y môr
13) y môr
14) Tywydd cynnes, gwyntog.
15) Mae'n dychwelyd dŵr sydd wedi anweddu o'r moroedd, yr afonydd a'r tir yn ôl i'r Ddaear. Mae dŵr yn hanfodol i bopeth byw ar y Ddaear.
16) Cylchred hydrolegol
17) Mae'n amsugno gwres o'r atmosffer ac felly'n cyfrannu at yr effaith tŷ gwydr.
18) Na
19) Mae'r gronyn dŵr yn anweddu o'r môr. Mae'n codi, yn oeri ac yn cyddwyso (bydd felly yn arafu ac yn cyfuno gyda gronynnau dŵr eraill i ffurfio diferion o ddŵr mewn cymylau). Mae'r diferion dŵr yn cyfuno ac yn tyfu cyn disgyn ar ffurf glaw. Mae'r glaw yn rhedeg i afon sy'n ei gludo yn ôl i'r môr.
20) Elfen = Ffynhonnell wres
Ager = Anweddiad neu drydarthiad
Dŵr yn y gwydr = Cronfa ac ati
Gwydr = Cyddwyso
Diferion = Dyddodiad

Atebion tudalennau 70→74

Hindreuliad ac Erydiad: t 70

1) Hindreulio yw'r enw a roddir ar y broses o dorri creigiau i fyny.

2) Ffisegol, cemegol, biolegol.

3) Gwthio ei wreiddiau trwy graciau yn y graig, wrth i'r gwreiddiau dyfu maent yn graddol wthio'r creigiau ar wahân.

4) Mae cwningod yn tyllu o dan greigiau, gan danseilio'r graig.

5) Haenau o graig yn pilio i ffwrdd.

6) Caiff creigiau eu gwresogi yn ystod y dydd ac mae hyn yn peri iddynt ehangu, yn ystod y nos maent yn oeri ac yn cyfangu. Mae hyn yn peri i'r haenau uchaf bilio a disgyn i ffwrdd.

7) Calchfaen (creigiau carbonad)

8) Mae nwyon gwacáu ceir a llosgi tanwyddau ffosil yn creu glaw asid.

9) a) Mae dŵr yn ehangu wrth iddo newid yn rhew.
   b) Bydd yr un peth yn union yn digwydd wrth i ddŵr fynd i graciau mewn creigiau a rhewi.

10) Gwaddod.

11) i) Nentydd ac afonydd. ii) Rhewlifoedd iii) Hindreulio uniongyrchol gan y môr.

12) Hindreuliad creigiau agored yw erydiad, naill ai trwy ddulliau ffisegol, cemegol neu fiolegol.

13) Pridd

Y Tabl Cyfnodol: t 71/72

1) Colofn fertigol.

2) Rhes lorweddol.

3) ~ 100.

4) Trefn y rhifau atomig / nifer y protonau.

5) Yr un nifer o electronau yn y plisgyn allanol ac felly priodweddau cemegol tebyg, ffurfio ïonau â gwefrau tebyg.

6) Nifer y plisg electronau sydd ganddynt, priodweddau cemegol sy'n newid yn gyson, màs atomig tebyg.

7) Mendeléev.

8) 1.

9) Grŵp II.

10) Grŵp VII.

11) a) H, I; h) F;
    b) D; i) A, E;
    c) B; j) H, I, C;
    d) B; k) G;
    e) C; l) A;
    f) A; m) I.
    g) C, D, G, H, I;

12)

Cyfnod	Grŵp 1	Grŵp 2	Grŵp 3	Grŵp 7	Grŵp 0
2	Li 2,1	Be 2,2	B 2,3	F 2,7	Ne 2,8
3	Na 2,8,1	Mg 2,8,2	Al 2,8,3	Cl 2,8,7	Ar 2,8,8

13) a) metelau.
    b) meddal, isel.
    c) adweithiol, olew.
    d) hawdd.
    e) mwy.
    f) sodiwm
    g) ïonau 1+

14) a) anfetelig.
    b) annargludyddion.
    c) cynyddu.
    d) nwy.
    e) hylif.
    f) solid.
    g) tywyllu.
    h) ïonau 1-

15) Mae'r llinell igam-ogam yn rhannu'r metelau a'r anfetelau.

16) Ochr chwith.

17) Ochr dde.

18) a) Ar hyd y llinell igam-ogam.
    b) Silicon (unrhyw ateb synhwyrol ar y llinell igam-ogam).

19) Hydrogen.

20) Rhwng cyfnodau 2 a 3.

21) ïonau 2+.

22) ïonau 2-.

23) Ffranciwm.

24) Radiwm.

25) Dywed hwn wrthym fod gan atom sodiwm 11 electron, 11 proton a 12 niwtron (a gellir canfod adeiledd electronig atom o hyn.)

Grŵp 0 – Y Nwyon Nobl: t 73-74

1) Mae ganddynt 8 electron yn eu plisg allanol (heblaw am heliwm).

2) Nid ydynt yn adweithio.

3) Mae ganddynt blisgyn allanol llawn o electronau sy'n eu gwneud yn anadweithiol gan nad oes angen iddynt adweithio.

4) a) Mae'r atom neu'r moleciwl yn y cyflwr nwyol yn ysgafn dros ben ac felly'n dianc o'r cyflwr hylifol yn hawdd.
   b) Heliwm.
   c) Hydrogen 1 proton, 1 electron; Heliwm 2 o bob un (dim niwtronau)
   d) Mae ei fàs atomig yn fwy na màs moleciwlaidd H_2.
   e) Ni fyddai dim yn digwydd – ni fyddai'r heliwm yn adweithio. Mae ganddo blisgyn allanol llawn o electronau sy'n ei wneud yn sefydlog ac yn anadweithiol.

5) Mae heliwm yn anadweithiol. Mae hydrogen yn adweithiol dros ben, yn ffrwydrol iawn.

6) Yn y drefn: Nobl, 0, Cyfnodol, electronau, plisgyn, llawn, anadweithiol, isel, cynyddu, radon, heliwm, 1%.

7) a) Cynyddu wrth fynd i lawr y grŵp.
   b)

Nwy Nobl	Rhif Atomig	Dwysedd g/cm³	Ymdodd-bwynt °C	Berw-bwynt °C
Heliwm	2	0.00017	-272	-269
Neon	10	0.00084	-248	-246
Argon	18	0.0016	-189	-186
Crypton	36	0.0034	-157	-153
Senon	54	0.006	-112	-107
Radon	86	0.01	-71	-62

   c) Cynydd yn y màs atomig

8) a) Nid oeddent wedi cyfuno gyda unrhyw beth i ffurfio cyfansoddion, dim ond nwyon yn yr atmosffer oeddent.
   b) Oddeutu 0.9325% – llai nag 1%.
   c) Mae canran yr argon yn yr aer yn uwch.

9) Mae'n cynhyrchu golau disglair wrth basio trydan trwyddo.

10) Bylbiau golau. Mae'n darparu atmosffer anadweithiol ac yn atal y ffilament rhag llosgi.

11) Mae argon yn fwy dwys nag aer ac mae heliwm yn llai dwys felly bydd y balŵn yn codi yn lle disgyn.

12) a)

Nwy Nobl	Symbol	Rhif Atomig	Rhif Màs	Nifer y Protonau	Nifer yr Electronau	Nifer y Niwtronau
Heliwm	He	2	4	2	2	2
Neon	Ne	10	20	10	10	10
Argon	Ar	18	40	18	18	22
Crypton	Kr	36	84	36	36	48
Senon	Xe	54	131	54	54	77
Radon	Rn	86	222	86	86	136

   b) i) neon ii) heliwm iii) argon, neon.

13) Diagram yn dangos Neon – 2,8. 2 electron yn y plisgyn mewnol, 8 yn y plisgyn allanol, 10 proton, 10 niwtron. Argon – 2, 8, 8. 2 electron yn y plisgyn mewnol, 8 electron yr un yn y 2 blisgyn allanol, 18 proton, 22 niwtron.

14) Oherwydd bod yr un nifer o electronau ym mhlisgyn allanol pob un/ mae eu plisg allanol yn llawn.

15) a) & b)

   2 electron
   4 niwtron
   3 phroton

   2 electron
   2 niwtron
   2 broton

   c) Mae dal i fod 3 phroton yn niwclews lithiwm. Dim ond dau sydd gan heliwm. Yn ogystal â hyn mae gan lithiwm ddau niwtron yn fwy.

16) Argon.

17) a) Neon b) Neon c) Argon.

18) Hylif ar -189 hyd at -186°C. Nwy uwchben -186°C.

Grŵp I – Y Metelau Alcalïaidd: t 75/76

1) a) Maent yn ffurfio hydoddiant alcalïaidd mewn dŵr.
   b) Mae ganddynt oll un electron yn y plisgyn allanol.

2) Mewn olew i'w hatal rhag adweithio gyda dŵr ac aer.

3) a) Porffor. b) >>7

4) a) Symbolau: Li, Na, K, Rb.
   b) i) Oddeutu 669°C. ii) oddeutu 29°C. iii) oddeutu 1.8g/cm³ (unrhyw ateb rhesymol yn dilyn patrwm).
   c) Wrth fynd i lawr y grŵp mae gan yr atomau mwy o blisg i ddal mwy o electronau.
   d) Rwbidiwm.
   e) Y bondiau metelig.
   f) i) Rb rhwng 39 a 688°C. ii) K rhwng 63 a 760°C.

5) Mae ocsidio wedi digwydd i ffurfio sodiwm ocsid.

6)

Metel Alcalïaidd	Nifer y p⁺	Nifer y N⁰	Nifer yr e⁻	Rhif Atomig	Rhif Màs
Lithiwm	3	4	3	3	7
Sodiwm	11	12	11	11	23
Potasiwm	19	20	19	19	39
Rwbidiwm	37	48	37	37	85
Cesiwm	55	78	55	55	133

a)

b) 1
c) Mae'n hawdd colli'r electron allanol.
d) Mae angen iddo golli electron.
e) +1; erbyn hyn mae un wefr bositif yn fwy na gwefrau negatif yn yr atom cyfan.
f) Gronyn sydd wedi ennill neu golli electron(au) ac sydd felly â gwefr negatif neu bositif.

7) a)

b) Colli electron.
c) +1
d) Li⁺, K⁺
e) Potasiwm – Mae'n haws colli electron allanol potasiwm oherwydd bod atomau potasiwm yn fwy ac mae'r electron allanol yn bellach i ffwrdd o'r niwclews, felly ni chaiff ei ddal mor gadarn. Bydd y metelau alcalïaidd yn colli'r electron yma wrth adweithio.

8) Cs, Rb, K, Na, Li.

9) A → 3, B → 1, C → 2.

10) a) Hydrogen
    b) Sblint sy'n mudlosgi yn popian (cynnau).
    c) Sodiwm hydrocsid + Hydrogen, Lithiwm hydrocsid + Hydrogen.
    d) i) $2K_{(s)} + 2H_2O_{(h)} \rightarrow 2KOH_{(d)} + H_{2(n)}$ ii) s, solid; h, hylif; d, dyfrllyd; n, nwy.

11) K⁺, OH⁻.

12) a) i) Mae'r diagram yn dangos bod electron yn cael ei drosglwyddo o bob atom Li at yr atom ocsigen.
       ii) Li₂O
       iii) Lithiwm + Ocsigen → Lithiwm ocsid, $4Li + O_2 \rightarrow 2Li_2O$; Sodiwm + Ocsigen → Sodiwm ocsid, $4Na + O_2 \rightarrow 2Na_2O$.
    b) Mae gan bob un ohonynt un electron yn y plisgyn allanol sy'n penderfynu sut y byddant yn adweithio.

13) Lithiwm – tarneisio'n araf i roi haen ocsid;
    Sodiwm – tarneisio'n gyflym i roi haen ocsid;
    Potasiwm – tarneisio'n gyflym dros ben i roi haen ocsid.

14) a) Maent yn adweithio'n rymus gan gynnau'r H₂ a gynhyrchir.
    b) Haen ocsid yn ffurfio'n gyflym dros ben.
    c) Mae'r electron allanol eithaf pell i ffwrdd o niwclews yr atom, ac nid yw wedi ei ddal mor gadarn, felly caiff ei golli'n hawdd.

Grŵp VII – Yr Halogenau: t 77/78

1) Mae ganddynt oll 7 electron yn y plisgyn allanol.

2)

Halogen	Nifer yr electronau yn y plisgyn allanol	Cyflwr ar dymheredd ystafell	Lliw ar dymheredd ystafell	Symbol
Fflworin	7	nwy	melyn	F
Clorin	7	nwy	melynwyrdd	Cl
Bromin	7	hylif	brown	Br
Ïodin	7	solid	du	I

a) newid yn nwy yn hawdd.
b) Mae gan bob elfen blisgyn ychwanegol o electronau wrth fynd i lawr y grŵp felly mae eu hatomau'n fwy.
c) Adweithedd yn lleihau wrth fynd i lawr y grŵp.

3) a) O dan -101°C.
   b) rhwng -101°C a -35°C.
   c) dros -35°C.

4) a) Ym.bt. 114°C neu werth synhwyrol sy'n agos at hyn.
   b) Mae'r ymdoddbwynt yn cynyddu wrth fynd i lawr y grŵp, mae'r berwbwynt yn cynyddu wrth fynd i lawr y grŵp.

5) a)

b) i) protonau = 9 ii) niwtronau = 10 iii) electronau = 9 iv) Adeiledd electronig 2,7.

6) a) Mae'r moleciwlau'n cynnwys dau atom bob un – Cl₂, Br₂, ac ati.
   b) i) Cl₂ ii) I₂.

7) a)

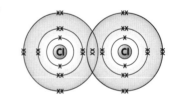

b) Cofalent.

8) a) Bond ïonig
   b) 1-
   c) Halwyn.
   d) e.e. CCl₄ (tetracloromethan).

9) a)

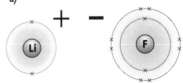

b)

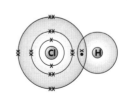

c) Lithiwm fflworid, Hydrogen clorid.

10) a) Cofalent.
    b) Ïonig.
    c) Cofalent.
    d) Ïonig. Mae'r halogenau'n ffurfio bondiau cofalent gydag anfetelau a bondiau ïonig gyda metelau.

11)

Halogen	Symbol	Nifer y Protonau	Nifer y Niwtronau	Nifer yr Electronau	Rhif Màs	Rhif Atomig
Fflworin	F	9	10	9	19	9
Clorin	Cl	17	18	17	35	17
Bromin	Br	35	45	35	80	35
Ïodin	I	53	74	53	127	53
Astatin	At	85	125	85	210	85

12) Mae'n mynd yn fwyfwy anodd i'r halogenau ennill electron (oherwydd y cynnydd yn y gwrthyriad electronig o'r plisg mewnol), ac yn haws i'r metelau alcalïaidd golli electron, wrth fynd i lawr y grwpiau.

13) Sychdarthiad.

14) a) Unrhyw ddisgrifiad addas – e.e. y cynnyrch a ffurfir wrth i asid adweithio gyda bas.

 b) Cwpwrdd gwyntyllu.

 c) Haearn clorid, Alwminiwm bromid, Tun clorid.

 d) Ïonig gan ei fod yn cynnwys anfetel wedi cyfuno â metel.

15) a) Solid sy'n ffurfio mewn adwaith ydyw sydd naill ai'n disgyn i'r gwaelod neu'n aros mewn daliant.

 b) ↓, neu (s)

 c) AgCl – gwyn, AgBr – hufen, AgI – melyn.

 d) i) Sodiwm bromid + Arian nitrad → Sodiwm nitrad + Arian bromid.
 ii) Sodiwm ïodid + Arian nitrad → Sodiwm nitrad + Arian ïodid.

16) Caiff ei gannu.

17) Rhaid gwneud hydoddiant a'i gymysgu gyda hydoddiant arian nitrad, yna edrych ar liw'r dyddodiad sy'n ffurfio.

18) a) Bromin (oren/brown) yn ffurfio yn y tiwb.

 b) Clorin.

 c) Mae clorin yn fwy adweithiol na bromin ac felly'n dadleoli bromin o'r sodiwm bromid.

 d) clorin + sodiwm bromid → sodiwm clorid + bromin.

 e) i) $F_2 + 2NaI \rightarrow 2NaF + I_2$
 ii) $Cl_2 + 2NaBr \rightarrow 2NaCl + I_2$
 iii) $Cl_2 + KF \rightarrow$ Dim adwaith
 iv) $Br_2 + 2KI \rightarrow 2KBr + I_2$.

Halen Diwydiannol: t 79/80

1) Ei roi ar ffyrdd er mwyn eu hatal rhag rhewi.

2) Sir Gaer

3) Caiff ei olchi allan o'r dyddodion gan ddŵr o dan wasgedd uchel.

4) Heli.

5) a) Hydoddiant na all rhagor o solid hydoddi ynddo.

 b) i) NaCl ii) KCl.

6) Er mwyn i'r haul gael anweddu'r dŵr a gadael yr halen.

7) Dadelfennu halen trwy ddefnyddio trydan.

8) a) Heli

 b) Dim ond os oes electronau'n rhydd i symud y gellir defnyddio electrolysis – bydd hyn yn digwydd mewn hydoddiant (neu yn y cyflwr tawdd).

9) A – hydoddiant sodiwm hydrocsid,
 B – Nwy hydrogen,
 C – Nwy clorin,
 D – ïonau Na^+ (sodiwm),
 E – ïonau clorid
 F – Diaffram

10) Mae holl gynhyrchion yr adwaith yn beryglus i'r iechyd neu'r amgylchedd.

11) Mae sodiwm yn uwch yn y gyfres adweithedd na hydrogen ac felly pe bai sodiwm yn ffurfio byddai'n adweithio gyda'r dŵr yn yr hydoddiant.

12) Diwydiannol, halen craig, heli, electrolysis, $Na^+ + Cl^-$, clorid, colli, clorin, atom clorin, moleciwl clorin, H^+, ennill, hydrogen, atom hydrogen, moleciwl hydrogen, sodiwm hydrocsid.

13) $2H^+ + 2e^- \rightarrow H_2$

14) Gweler y diagramau isod.

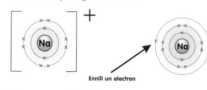
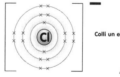
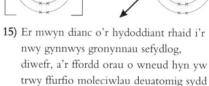

15) Er mwyn dianc o'r hydoddiant rhaid i'r nwy gynnwys gronynnau sefydlog, diwefr, a'r ffordd orau o wneud hyn yw trwy ffurfio moleciwlau deuatomig sydd wedi bondio'n gofalent.

16) i) ocsidio – mae'r ïon clorid yn colli electron
 ii) rhydwytho – mae'r ïon hydrogen yn ennill electron.

17) Cl_2 – cannu litmws llaith, H_2 – sblint sy'n llosgi yn "popian".

Defnyddio Halogenau a Chynhyrchion Halen: t 81/82

1) $Cl_{2(n)} + 2NaOH_{(d)} \rightarrow NaOCl_{(d)} + NaCl_{(d)} + H_2O_{(h)}$

2) Diheintyddion, plastigion (y nwy cyntaf a ddefnyddiwyd fel arf yn y Rhyfel Byd Cyntaf).

3) a) A = twndis â'i ben i lawr, B = tiwb cludo, C = cafn.

 b) ïonau H^+ mewn hydoddiant.

4) a) Nid yw mor adweithiol, nid oes ganddo'r un affinedd tuag at electronau.

 b) Ddim mor barod â chlorin na bromin.

5) a) Colli electronau yw ocsidio. Gan fod angen electronau ar y ddau er mwyn llenwi eu plisg allanol, byddant yn tynnu electronau oddi ar bethau eraill ac felly'n eu hocsidio.

 b) Clorin yw'r ocsidydd cryfaf oherwydd bod ei radiws atomig llai yn golygu bod ei wefr yn ymddangos yn fwy sy'n golygu ei fod yn haws iddo dynnu electronau oddi ar atomau eraill.

 c) i) $Cl_2 + 2e^- \rightarrow 2Cl^-$
 ii) $Br_2 + 2e^- \rightarrow 2Br^-$.

6) Mae'n atal dannedd rhag pydru. Past dannedd.

7) a) Na. b) Antiseptig.

8) a) Arian bromid → Bromin + Arian
 $2AgBr \rightarrow Br_2 + 2Ag$

 b) Egni golau.

9) a) Amonia

 b) Tanwydd.

10) Gweithgynhyrchu sebon, hylif glanhau popty, cynhyrchu cemegau organig.

11) ïonau OH^-.

12) Sodiwm hydrocsid, hydrogen, clorin, clorin, hydrogen clorid, hydrocarbon, brasterau, margarin, sodiwm hydrocsid, hylif glanhau popty, tecstiliau.

Asidau ac Alcalïau: t 83/84

1) A, A, C, C, C, C, C, A, C, A, A, C, C.

2)

Enw'r Asid	Fformiwla'r Asid
i) hydroclorig	HCl
ii) sylffwrig	H_2SO_4
iii) nitrig	HNO_3

Enw'r Alcali	Fformiwla'r Alcali
i) sodiwm hydrocsid	NaOH
ii) hydoddiant amonia	$NH_{3(d)}$ / NH_4OH
iii) calsiwm hydrocsid	$Ca(OH)_2$

3) Niwtral.

4) Dŵr.

5) a) asid.

 b) alcali.

 c) alcali.

 d) asid.

 e) asid.

6) Llifyn sy'n newid ei liw o'i roi mewn asid neu alcali.

7) Gallant ddangos presenoldeb asid neu alcali, a'r cryfder.

8) Cemegyn sy'n adweithio gydag asid i roi halwyn a dŵr yn unig yw bas. E.e. sodiwm hydrocsid, sodiwm ocsid, potasiwm hydrocsid.

9)

Dangosydd	Lliw mewn hydoddiant:	
	Asid	**Alcali**
Dangosydd cyffredinol	coch i felyn	glas i fioled
Litmws coch	dim newid	glas
Litmws glas	coch	dim newid
Ffenolffthalein	di-liw	porffor
Methyl oren	coch	melyn
Methyl coch	coch	melyn

10)

pH 1 2 3 4 5 6 7 8 9 10 11 12 13 14

Coch   Oren   Melyn   Gwyrdd   Glas   Glas/porffor

ASIDAU   ALCALÏAU

NIWTRAL

11) **i)** 3. **ii)** 7. **iii)** 9. **iv)** 11-14. **v)** 14. **vi)** 1.

12) coch, gwyrdd, porffor, ffenolffthalein, niwtral, 7, citrig, carbonig, bas, sodiwm hydrocsid, sylffwrig.

13) Ychwanegu dangosydd cyffredinol ato a chymharu'r lliw gyda siart lliw / siart pH.

14) Defnyddio mesurydd pH wedi'i raddnodi.

15) 1 = asid sylffwrig – pH 2, 2 = finegr – pH 4, 3 = dŵr – pH 7, 4 = hylif glanhau popty – pH 12.

Adweithiau Asidau: t 85/86

1) Dŵr, hydrogen, carbon deuocsid, halwyn.

2) Bas hydawdd.

3) Rhywbeth sy'n adweithio gydag asid i roi halwyn a dŵr yn unig (e.e. ocsid metel neu hydrocsid metel.)

4) Cyfansoddyn cemegol a ffurfir wedi adwaith rhwng asid a bas.

5) Asid sylffwrig – sylffadau, asid hydroclorig – cloridau, asid nitrig – nitradau.

6)   a)   asid hydroclorig + potasiwm hydrocsid → dŵr + potasiwm clorid
$HCl + KOH → H_2O + KCl$

   b)   asid hydroclorig + calsiwm hydrocsid → dŵr + calsiwm clorid
$2HCl + Ca(OH)_2 → 2H_2O + CaCl_2$

   c)   asid sylffwrig + potasiwm hydrocsid → dŵr + potasiwm sylffad
$H_2SO_4 + 2KOH → 2H_2O + K_2SO_4$

   d)   asid hydroclorig + calsiwm carbonad → dŵr + carbon deuocsid + calsiwm clorid
$2HCl + CaCO_3 → H_2O + CO_2 + CaCl_2$

   e)   asid hydroclorig + sinc → sinc clorid + hydrogen
$2HCl + Zn → ZnCl_2 + H_2$

   f)   asid nitrig + sodiwm hydrocsid → dŵr + sodiwm nitrad
$HNO_3 + NaOH → H_2O + NaNO_3$

   g)   asid nitrig + sodiwm hydrogencarbonad → dŵr + carbon deuocsid + sodiwm nitrad
$HNO_3 + NaHCO_3 → H_2O + CO_2 + NaNO_3$

   h)   asid ffosfforig + amoniwm hydrocsid → dŵr + amoniwm ffosffad
$H_3PO_4 + 3NH_4OH → 3H_2O + (NH_4)_3PO_4$

   i)   asid hydroclorig + sodiwm ocsid → dŵr + sodiwm clorid
$2HCl + Na_2O → H_2O + 2NaCl$

7)   a)   Yr adwaith rhwng asid a rhywbeth arall i ddod â'r pH at 7.

   b)   Mae'n well gan y cnydau cyffredin bridd niwtral neu alcalïaidd.

   c)   calch.

8)   a)   **i)** Rhoi'r tabledi mewn asid, mesur y pH cynt ac wedyn i weld a ydyw wedi codi.
ii) Rhoi'r un nifer o dabledi yn yr un cyfaint a chrynodiad o wahanol asidau – cymharu gyda pha un bydd y pH yn codi fwyaf.

   b) $Mg(OH)_2 + 2HCl → MgCl_2 + 2H_2O.$

9)   a)   Carbon Deuocsid.

   b)   sodiwm hydrogencarbonad + asid sylffwrig → sodiwm sylffad + carbon deuocsid + dŵr.

10) a)   sudd lemon ar bigiad cacynen.

   b)   soda pobi ar bigiad gwenynen.

   c)   dail tafol ar gyfer pigiad gan ddanadl poethion.
Gellir cildroi b) ac c).

11) H^+ o'r asid ac OH^- o'r alcali.

12) a)   sodiwm hydrocsid ac asid hydroclorig neu rywbeth arall.

   b)   asid hydroclorig a chopr ocsid.

   c)   asid sylffwrig a photasiwm hydrocsid.

   d)   asid sylffwrig a sinc.

   e)   amoniwm hydrocsid ac asid nitrig.

   f)   amoniwm hydrocsid ac asid sylffwrig.

13) Bydd yr adwaith yn rhyddhau H_2 a all fod yn beryglus gan ei fod yn nwy fflamadwy ac mae'r adwaith yn un grymus.

Metelau: t 87

1)   a)   Dibenion tymheredd uchel megis coginio, cydrannau peiriannau ac ati.

   b)   Mercwri (hylif ar dymheredd ystafell); thermomedrau (mae mercwri hylifol yn ehangu wrth boethi); rhai mathau o switsys trydanol.

2) Gellir eu plygu i unrhyw siâp a fynnir – defnyddiol wrth wneud paneli cyrff ceir.

3)   a)   Ychwanegu pwysau at ddarn o wifren fetel nes iddi dorri. Ail-wneud hyn gyda gwahanol ddefnyddiau ond cadw'r dimensiynau yr un peth. Y wifren sydd â'r cryfder tynnol uchaf fydd yn cynnal y pwysau uchaf. Byddai'n rhaid amddiffyn rhag y pwysau'n disgyn a'r wifren yn torri (gwisgo sbectol ac esgidiau diogelwch).

   b)   Profi gwifrau o'r un hyd ac arwynebedd trawstoriad; gosod pwysau mewn modd tebyg a gwneud yr arbrofion ar yr un tymheredd; sicrhau nad yw'r wifren wedi ei niweidio h.y. dim crafiadau neu doriadau.

4) 1 → C, 2 → D, 3 → B, 4 → A.

5)   a)   Plwm: dwys, atal ymbelydredd; Alwminiwm: dwysedd isel, ysgafn a chryf; Aur: nid yw'n cyrydu, sgleiniog. (Dibenion fel yn C4 neu unrhyw ateb addas arall)

   b)   Aloi.

   c)   Er mwyn cynhyrchu sylwedd â phriodweddau penodol.

   d)   Ymdoddir y metelau ansoddol ar wahân yna cymysgir meintiau union ohonynt gyda'i gilydd a'u gadael i ymsolido, neu gellir rhydwytho'r mwynau gyda'i gilydd er mwyn rhoi canlyniadau llai cywir.

   e)   Nid yw'r metelau wedi eu bondio'n gemegol mewn cyfrannau union.

6)   a)   Rhaid i ffilament fynd yn boeth iawn cyn iddo fedru allyrru llawer o olau, ac oherwydd ei ymdoddbwynt uchel dros ben gall twngsten wneud hyn heb ymdoddi.

   b)

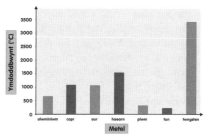

7) Sylwedd sy'n gallu rhoi electronau i sylweddau eraill / tynnu ocsigen oddi ar sylweddau yw rhydwythydd. Mae metelau yn rhydwythyddion oherwydd bod ganddynt oll electronau allanol 'sbâr' / gallant newid yn ocsidau yn hawdd.

8) Mae aur yn anadweithiol dros ben ac felly nid yw'n tarneisio (adweithio gydag ocsigen) nac yn ffurfio cyfansoddion gydag elfennau eraill yn hawdd iawn.

9) Mae ocsidau metelig yn fasig (pH mwy na 7) tra bod ocsidau anfetelig yn asidig (pH llai na 7).

Anfetelau: t 88/89

1) a) a b)

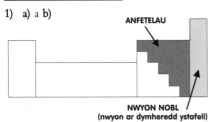

ANFETELAU

NWYON NOBL
(nwyon ar dymheredd ystafell)

2)

Elfen	Dargludo gwres	Dargludo trydan	Ym.bt.	B.Bt.	Cryfder	Dwysedd
Haearn	dargludydd da	dargludydd da	uchel	uchel	hydrin	uchel
Sylffwr	dargludydd gwael	dargludydd gwael	isel	isel	brau	isel

3) a) Ynysyddion.
   b) Dim electronau rhydd. Bondiau cofalent rhwng elfennau anfetel.
   c) Carbon (ar ffurf graffit).
4) a) Cofalent.
   b) Oherwydd byddai'n rhaid colli gormod o electronau er mwyn bondio'n ïonig.
5) Anfetelau: Mae rhai ohonynt yn nwyon ar dymheredd a gwasgedd ystafell oherwydd eu bod yn foleciwlau deuatomig â chanddynt rymoedd bychain rhyngddynt (e.e. Clorin). Hefyd ni allant ddargludo trydan (yn foleciwlau) oherwydd caiff yr electronau eu dal yn dynn mewn moleciwl cofalent. Mae'r bondiau cofalent hefyd yn golygu bod eu berwbwyntiau a'u hymdoddbwyntiau yn gymharol isel. Metelau: mae gan y rhan fwyaf ohonynt ymdoddbwyntiau a berwbwyntiau uchel o ganlyniad i'r bondio metelig cryf. Maent hefyd yn hydrin ac yn hydwyth oherwydd gellir aflunio'r adeiledd enfawr wrth i'r haenau lithro dros ei gilydd.
6) Mae gan hydrogen un electron yn y plisgyn allanol. Gall newid yn ïon H⁺. Bydd pob nwy anfetel arall yn ffurfio ïonau negatif. Mae'r metelau alcaliaidd, Grŵp I, yn ffurfio ïonau positif, felly gellir gosod hydrogen yng Nghrŵp I am y rheswm hwn.
7) Bond cofalent.
8) Maent yn newid o nwy → solid neu o solid → nwy heb fynd trwy'r cyflwr hylifol.
9) a)

Ocsigen $^{16}_{8}O$ Carbon $^{12}_{6}C$

   b) negatif
   c)

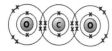

10) a)

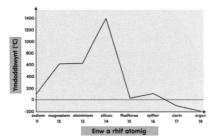

   b) Mae yna dueddiad ar i fyny ymysg y metelau a thueddiad ar i lawr ymysg yr anfetelau.
   c) Mae silicon yn anghyffredin oherwydd bod ei ymdoddbwynt yn uwch na'r disgwyl. Mae hyn o ganlyniad i'w adeiledd enfawr.
   d) Argon oherwydd ei blisgyn allanol llawn.
11) Yn gyffredinol mae gan anfetelau foleciwlau deuatomig neu lai yn hytrach nag adeileddau enfawr.
12) a) Alotropau
    b) i) Graffit. Electronau rhydd rhwng yr haenau.
       ii) Diemwnt. Adeiledd tetrahedrol, dellten enfawr gref
       iii) Graffit. Mae'r haenau'n llithro dros ei gilydd.
    c) Diemwnt: Torri. (Hwn yw'r deunydd hysbys caletaf) Graffit: Pensiliau/iraid.
13) a) Asidau.
    b) Ment yn cymysgu gyda'r cymylau glaw yn yr awyr, ac wedyn yn disgyn i'r ddaear gan achosi nifer o broblemau. Gelwir y ffenomen hon yn law asid.

Cyfres Adweithedd y Metelau: t 90/91

1) a) Y metelau wedi eu trefnu yn ôl adweithedd (gan ddechrau gyda'r mwyaf adweithiol).
   b) Wyneb y deunydd yn erydu o ganlyniad i adwaith cemegol.
   c) Yr adwaith mwyaf grymus neu'r un cyflymaf.
   d) K, Na, Al, Zn, Fe, Pb, Cu, Ag, Au.
   e) 1 → C, 2 → A, 3 → D, 4 → B.
2) i) Mae C rhwng Al a Zn;
   ii) Mae Hydrogen rhwng Pb a Cu.
3) a) yn uchel iawn
   b) Rwbidiwm, Cesiwm.
   c) X rhwng K a Mg, Y rhwng Fe ac Au.
4) a)

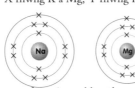

Na   Mg

Mae gan fagnesiwm ddau electron i'w colli, dim ond un sydd gan sodiwm.

   b) Mae gan fagnesiwm ddau electron yn y plisgyn allanol, ac mae'n rhaid symud y ddau er mwyn ffurfio'r ïon Mg – dim ond un electron sy'n rhaid symud er mwyn ffurfio'r ïon sodiwm. Mae angen llai o egni i wneud hyn ac felly mae sodiwm yn fwy adweithiol. (Hefyd mae angen llai o egni i symud un electron oddi ar sodiwm na magnesiwm.)
5) a) Rhywbeth sy'n tynnu ocsigen neu'n peri i sylwedd ennill electronau.
   b) Uwch ei ben.
   c) Mae carbon yn uwch na haearn yn y gyfres adweithedd – bydd y carbon yn y CO yn tynnu'r ocsigen oddi ar yr haearn.
   d) Carbon monocsid + haearn ocsid → carbon deuocsid + haearn.
6) Maent yn anadweithiol dros ben ac felly nid ydynt yn cyfuno gydag elfennau eraill yn hawdd.
7) Mae'n ddrud i'w echdynnu oherwydd bod angen cymaint o drydan i electroleiddio'r mwyn, ac ni ellir ei echdynnu mewn unrhyw fodd arall oherwydd ei fod yn rhy adweithiol.
8) Oherwydd bod aur ac arian yn anadweithiol tra bod sodiwm yn adweithiol a byddai'n adweithio'n ffyrnig gydag unrhyw ddŵr a'i gyffyrddai (hyd yn oed y lleithder yn eich dwylo).
9) a) Sodiwm, potasiwm, magnesiwm, calsiwm.
   b) Aur, arian, copr.
   c) e.e. sodiwm ocsid.
10) a)

Metel	Adwaith	Cyfansoddyn a ffurfir
Calsiwm	llosgi'n hawdd, fflam ddisglair	Calsiwm ocsid
Sinc	adwaith araf	Sinc ocsid
Haearn	adwaith araf	Haearn ocsid
Copr	adwaith araf	Copr ocsid
Arian	dim adwaith	Dim cynhyrchion
Potasiwm	llosgi'n hawdd, fflam ddisglair	Potasiwm ocsid
Aur	dim adwaith	Dim cynhyrchion
Magnesiwm	llosgi'n hawdd, fflam ddisglair	Magnesiwm ocsid
Platinwm	dim adwaith	Dim cynhyrchion
Plwm	adwaith araf	Plwm ocsid

   b) i) $2Fe + O_2 → FeO$ (neu $2Fe + 3O_2 → 2Fe_2O_3$). ii) $2Ca + O_2 → 2CaO$. iii) $4Na + O_2 → 2Na_2O$.
   c) (K, Ca, Mg); (Zn, Fe, Pb, Cu); (Ag, Au, Pt). Unrhyw drefn y tu mewn i'r cromfachau.

Metelau Trosiannol: t 92/93

1) Hydwyth, ymdoddbwynt a berwbwynt uchel, dargludo gwres a thrydan yn dda, cryf, sgleiniog a chyfansoddion lliwgar.
2) Haearn (gatiau), nicel (mewn arian), cromiwm (mewn aloïau), copr (mewn pibellau), sinc (mewn batrïau).
3) Yn y canol rhwng grŵp II a grŵp III.
4) a) Dim ond ïonau 2⁺ y bydd elfennau grŵp II yn eu ffurfio.
   b) i) XO ii) X_2O_3

5) 1 → B, 2 → D, 3 → C, 4 → A/E, 5 → A/E

6) a) coch/brown.
   b) glas.

7)

Cyfansoddyn	Fformiwla	Gwefr ar yr Ïon
a) Haearn(II) ocsid	FeO	Fe^{2+}
b) Haearn(III) clorid	$FeCl_3$	Fe^{3+}
c) Haearn(III) bromid	$FeBr_3$	Fe^{3+}
d) Copr(II) ocsid	CuO	Cu^{2+}
e) Copr(I) clorid	CuCl	Cu^+
f) Copr(II) clorid	$CuCl_2$	Cu^{2+}
g) Haearn(III) ïodid	FeI_3	Fe^{3+}

8) a) Ocsidiad. Mae Fe^{2+} wedi ei ocsidio, electronau wedi eu colli.
   b) Rhydwytho. (Ennill electronau)

9) a) i) Ffensys/gatiau. ii) Galfaneiddio haearn. iii) Weirio/pibellau.
   b) Byddai'r dŵr yn cyrydu'r lleill.

10) Haearn, nicel.

11) a)

Dargludedd		Dwysedd	Hydrinedd	Ymdoddbwynt
Gwres	Trydan			
Da	Da	Dwys iawn	Uchel	Uchel

   b) i) YCl. ii) YO. iii) Y_2O.

12) a) Awyrennau.
    b) Cyllyll a ffyrc.
    c) Dolenni drysau, tapiau, cerfluniau (unrhyw ateb synhwyrol).

13) a) Dŵr.
    b) Eu gwresogi.
    c) Anhydrus.
    d) Prawf am ddŵr.

14) a) Cemegyn sy'n cyflymu adwaith heb gael ei ddefnyddio neu ei newid yn yr adwaith.
    b) A → 3), B → 1), C → 2).

Cyfraddau Adweithiau: t 94/95

1) Matsen, ŵy, treulio, concrit, rhwd

2) a) (B) neu (C) b) (B) neu (C) c) (A)

3) Caiff catalyddion eu defnyddio i fyny mewn adweithiau – A; mae catalyddion yn sbesiffig i adweithiau neilltuol – C; catalyddion biolegol yw ensymau – C; mae adweithiau'n arafu wrth ddefnyddio catalyddion – A; mae ensymau'n codi'r egni actifiant – A; mae adweithiau yn cyflymu wrth boethi – C; mae adweithiau'n arafu wrth wanedu – C; bydd cynyddu'r crynodiad yn cynyddu cyfradd adwaith – C; mae gwasgedd yn cynyddu cyfradd adweithiau nwyol – C; mae adweithiau yn gyflym ar y cychwyn – C.

4) gwresogi'r asid, defnyddio asid mwy crynodedig, defnyddio powdr metel yn lle rhuban, defnyddio catalydd; bydd ysgwyd y fflasg yn gweithio hefyd oherwydd bod hyn yn cadw'r magnesiwm mewn cysylltiad â'r asid.

---

5) Adweithio magnesiwm gydag asid sylffwrig, defnyddio chwistrell nwy i fesur faint o hydrogen a ryddheir ac ati.

6) Sglodion marmor yn adweithio gydag asid hydroclorig. Gellir mesur màs y cynhwysydd adwaith a sylwir ei fod yn newid wrth i'r CO_2 ddianc.

7)

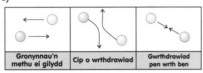

   c) Adwaith: dechrau, canol, diwedd
      Buanedd: cyflym, arafu, wedi dod i ben

8)

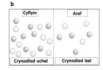

Theori Gwrthdaro: t 96/97

1) Gwrthdaro; egni; theori gwrthdaro; crynodiad; catalydd; cynt; yn amlach; egni; cynt; gronynnau; cynt; arwynebedd yr arwyneb; cynt; cymedrol; llwyddiannus; gwrthdrawiad; cynt.

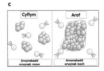

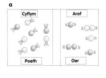

2) A = 1 B = 3 C = 2.

3) c) Rhaid i'r gronynnau adweithiol wrthdaro gyda digon o egni er mwyn adweithio. (Mae rhwystr egni actifiant.)

4) Tymheredd – y gronynnau'n symud yn gynt felly mwy o wrthdrawiadau a bydd gan y gwrthdrawiadau fwy o egni;
   Crynodiad – mwy o ronynnau i wrthdaro;
   Catalydd – gostwng uchder y rhwystr egni actifiant;
   Arwynebedd yr arwyneb – mwy o arwynebedd i'r gronynnau wrthdaro yn ei erbyn.

5) a) i) B ii) C iii) A iv) D
   b) i) Mwy o ronynnau oherwydd y cynnydd yn y crynodiad, felly mae gwrthdrawiad effeithiol yn fwy tebygol a bydd yr adwaith yn gynt.

---

   ii) Yr un gyfradd oherwydd bod nifer y gronynnau mewn cyfaint penodol yr un fath a bydd y gyfradd gwrthdaro yr un fath. Er hyn mae mwy o asid felly os oes digon o sglodion marmor caiff mwy o nwy ei gynhyrchu.
   iii) Mae'r arwynebedd-arwyneb yn fwy oherwydd bod y gronynnau yn llai felly bydd mwy o ronynnau ar gael ar gyfer gwrthdrawiadau ac felly ar gael i adweithio.
   iv) Mae'r asid yn oerach felly bydd gan y gronynnau lai o egni cinetig sy'n golygu buanedd cyfartalog is. Bydd hyn yn golygu llai o wrthdrawiadau ac o'r rhai hynny bydd llai ohonynt yn medru darparu'r egni angenrheidiol i drechu rhwystr yr egni actifiant.

Arbrofion ar Gyfraddau Adweithiau: t 98/99

1) a)

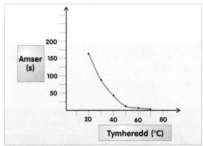

   b) Po uchaf yw'r tymheredd, y lleiaf o amser a gymerir.

   c)

Tymheredd (°C)	20	30	40	50	60	70
Amser (s)	163	87	43	23	11	5
Cyfradd (1/t)	0.0061	0.0115	0.0233	0.0435	0.0910	0.2000

   d)

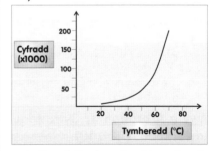

   e) Po uchaf yw'r tymheredd y cyflymaf yw cyfradd yr adwaith.
   f) Mae tymereddau uwch yn rhoi mwy o egni i'r gronynnau sy'n peri iddynt symud yn gynt. Wrth i'r gronynnau symud yn gynt ceir mwy o wrthdrawiadau ac oherwydd bod ganddynt fwy o egni bydd mwy o'r gwrthdrawiadau hyn yn llwyddiannus. Mae'r ddau yn golygu cyfradd adwaith cynt.

2) a)

Cyfaint y sodiwm thiosylffad (cm³)	50	40	30	20	10
Cyfaint y dŵr (cm³)	0	10	20	30	40
Amser (s)	80	101	137	162	191
Cyfradd (1/t)	0.0125	0.0099	0.0073	0.0061	0.0052

b)

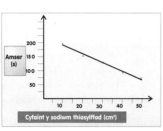

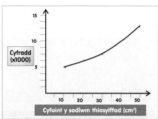

c) Po uchaf yw'r crynodiad y cyflymaf yw'r adwaith neu'r uchaf yw'r gyfradd.

d) Oherwydd bod yna fwy o ronynnau yn yr hydoddiant mae mwy o siawns y ceir gwrthdrawiadau. Mae mwy o wrthdrawiadau yn golygu adwaith cynt.

3) a) $Mg_{(s)} + 2HCl_{(d)} \rightarrow MgCl_{2(d)} + H_{2(n)}$

b), c) a f) Gweler y graff

d) 22.5 cm³

e) Casglwyd 40 cm³ mewn 45 s

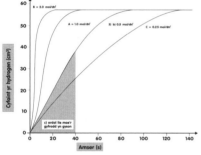

4) a) Tymheredd uwch yn golygu adwaith cynt

b) 1) 8cm³/10s = 0.8cm³/s.
2) 16cm³/10s = 1.6cm³/s.
3) 32cm³/10s = 3.2cm³/s

c) Bydd cynnydd o 10°C yn y tymheredd yn dyblu cyfradd yr adwaith

Mwy o Arbrofion ar Gyfraddau Adweithiau: t 100/101

1) a) Màs y marmor, cyfaint a chrynodiad yr asid, tymheredd.

b)

Amser (s)	Màs (g)	Màs a gollwyd (g)
0	100	0
30	99.8	0.2
60	99.6	0.4
90	99.4	0.6
120	99.2	0.8
150	99.0	1.0
180	98.8	1.2
210	98.6	1.4
240	98.45	1.55
270	98.30	1.7
300	98.20	1.8
330	98.15	1.85
360	98.15	1.85

Amser (s)	Màs (g)	Màs a gollwyd (g)
0	100	0
30	99.7	0.3
60	99.4	0.6
90	99.1	0.9
120	98.8	1.2
150	98.6	1.4
180	98.4	1.6
210	98.3	1.7
240	98.2	1.8
270	98.15	1.85
300	98.15	1.85
330	98.15	1.85
360	98.15	1.85

Amser (s)	Màs (g)	Màs a gollwyd (g)
0	100	0
30	99.0	1.0
60	98.5	1.5
90	98.3	1.7
120	98.2	1.8
150	98.15	1.85
180	98.15	1.85
210	98.15	1.85
240	98.15	1.85
270	98.15	1.85
300	98.15	1.85
330	98.15	1.85
360	98.15	1.85

c)

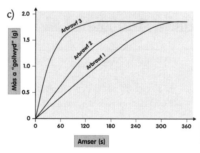

d) Arbrawf 3

e) Roedd y marmor yn arbrawf 3 ar ffurf powdr ac felly arwyneb hwn oedd â'r arwynebedd mwyaf i'r gronynnau eraill wrthdaro yn ei erbyn. Mae hyn yn golygu bod mwy o siawns y bydd gwrthdrawiadau yn digwydd ac felly cyfradd adwaith cynt.

f) Oherwydd bod màs y marmor yr un peth bob tro, ac wedi i'r marmor adweithio i gyd daeth yr arbrawf i ben.

g) Arb.1 – 0.4g/mun; Arb.2 – 0.6g/mun; Arb.3 – 1.5g/mun

h) Oherwydd caiff yr adweithyddion eu defnyddio gan ostwng y crynodiad felly ceir llai o wrthdrawiadau.

2) a) Mae tymheredd isel yn arafu cyfradd adwaith. Mewn oergell caiff yr adweithiau a achosir gan facteria i suro llaeth eu harafu felly bydd y llaeth yn cadw'n hirach.

b) Mae tymheredd isel rhewgell yn arafu unrhyw adweithiau a achosir gan facteria neu lwydni i droi bwyd yn ddrwg, ac ni all microbau dyfu os yw'r dŵr yn y bwyd wedi rhewi.

3) (unrhyw beth rhesymol) Adweithiau araf – rhydu, pydru, colli lliw. Adweithiau cymedrol – treulio, paent yn sychu, berwi wy, jeli'n setio. Adweithiau cyflym – cynnau matsen, llosgi, tân gwyllt, ffrwydron.

4) a) MnO_2

b) Digwyddodd yr adwaith yn gynt. Cynhyrchwyd mwy o ocsigen.

c) Sylwedd sy'n codi cyfradd adwaith heb iddo newid ei hun na chael ei ddisbyddu yn yr adwaith.

d) Mae catalyddion yn gostwng egni actifiant adweithiau.

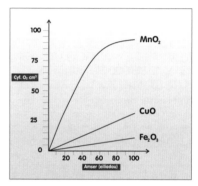

5) a) afu/iau

b) 2 a 3

c) mae'n atal yr adwaith rhag digwydd / mae'n atal yr ensym rhag gweithio

d) oherwydd bod arwynebedd arwyneb yr iau sydd wedi ei falu yn fwy.

e) Proteinau yw ensymau. Cânt eu dadnatureiddio gan dymereddau uchel. Cânt eu dadnatureiddio gan pH eithafol. Maent yn cyflymu adweithiau biolegol.

f) powdr golchi, treulio bwyd, ffotosynthesis ac ati.

Catalyddion: t 102/103

1) a) Nid yw'r copr yn adweithio

b) Mae'r sinc yn adweithio'n araf

c) Mae'r sinc a'r copr yn adweithio'n well gyda'i gilydd

d) Mae'r copr yn gweithredu fel catalydd

e) Ni chaiff y copr ei ddisbyddu ac mae hyn yn cadarnhau ei fod yn gweithredu fel catalydd.

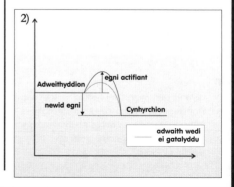

3) a) Nwyon llygreddol – carbon monocsid, ocsidau nitrogen, petrol heb ei losgi

b) carbon deuocsid, nitrogen, anwedd dŵr

4) Mae arwynebedd arwyneb pelenni mân yn fwy felly ceir mwy o gysylltiad gyda'r adweithyddion. Gall nwyon sy'n adweithio lifo rhwng y pelenni'n hawdd.

5) Mae catalyddion yn cyflymu adweithiau felly bydd angen llai o amser i wneud mwy o'r cynnyrch. Mae catalyddion yn gostwng y tymheredd gweithio hefyd, a gall hyn arbed arian.

6) a) Tiwbiau 2 & 3 – Nid yw trypsin yn gweithio ar ffilm B – mae ensymau'n benodol i un swbstrad.

Tiwbiau 2 & 4 – mae berwi yn atal yr ensym rhag gweithio.

Tiwbiau 2 & 5 – gall rhai sylweddau flocio neu atal ensymau rhag gweithio.

b) Caiff Tiwb 1 ei gynnwys fel rheolydd i ddangos nad yw'r ffilm yn dirywio ar ei ben ei hun.

7) a) Mae'r tymheredd optimwm rhwng 30 a 40°C.

b) Ni fydd yr ensym yn gweithio cystal ar dymereddau uwch oherwydd caiff ei ddadnatureiddio.

8) a) Cymharu 1 a 2 – mae'r adwaith brownio yn arafach ar dymheredd is.

b) Cymharu 1 a 3 – mae sudd lemon yn atal yr adwaith brownio trwy ddadnatureiddio'r ensym.

c) Mae canlyniad 4 yn dangos y caiff ensymau eu dadnatureiddio gan dymereddau uwch.

Ensymau: t 104/105

1) a) amylas, maltas a swcras

Mae ensymau'n benodol i un math o adwaith / ni fydd pob ensym yn gweithio ar bob swbstrad / Mae'r ensym trypsin wedi ei gynllunio i dreulio protein ac nid startsh.

2) a) Canlyniad gorau = golch D (40°C gyda phowdr bio).

b) Mae powdr bio yn cynnwys ensymau i dreulio staeniau.

c) Roedd golch C yn rhy boeth a chafodd yr ensymau eu dadnatureiddio gan y gwres. Roedd golch E yn rhy oer i'r ensymau weithio'n iawn.

3) a) Mae bwydydd yn troi'n ddrwg oherwydd adweithiau bacteria a ffyngau.

b) Mae'r tymheredd oddeutu 5°C mewn oergell, ac mae hyn yn arafu adweithiau'r bacteria.

c) Mae rhewi yn gostwng y tymheredd ymhellach ac mae hyn yn atal yr adweithiau'n llwyr. Ni all microbau dyfu os yw'r dŵr sydd ar gael yn y bwyd wedi rhewi.

4) Ffenestr, bwrdd, wedi ei orchuddio ar y bwrdd, oergell, rhewgell

5) a) $C_6H_{12}O_6 \rightarrow 2C_2H_5OH + 2CO_2 +$ egni

b)

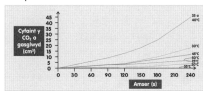

c) Mae'r tymheredd optimwm rhwng 35 a 40°C

d)

Tymheredd (°C)	20	25	30	35	40	45	50	55
Cyfradd (cm³/mun)	2	4	8	20	20	4	2	0

e)

f) Tymheredd optimwm = 35°C – gweler graff

g) Caiff yr ensym ei ddadnatureiddio ar dymereddau uwch.

h) Cynhyrchion eplesu – cwrw, lager, gwin, bara

6) a) Defnyddir llaeth pasteureiddiedig i wneud iogyrt a chaws.

b) Mae llaeth ffres yn cynnwys bacteria eraill a all ddifetha'r bwyd.

c) Caws – mae bacteria sy'n cynhyrchu asid lactig yn peri i'r llaeth fynd yn asidig yna mae actifedd pellach gan y bacteria yn rhoi'r blas sur (aeddfed) a'r gwead. Gwneir iogyrt ar 45°C – mae'r ensymau a gynhyrchir gan y bacteria yn gwneud asid lactig (blas sur). Asid lactig a gynhyrchir yn y prosesau eplesu hyn ac nid alcohol.

Adweithiau Cildroadwy: t 106/107

1) a) $NH_3 + HCl \rightarrow NH_4Cl$
$NH_4Cl \rightarrow NH_3 + HCl$

b) adwaith cildroadwy – mae'r adwaith yn mynd i ddau gyfeiriad, mae'r adweithyddion yn gwneud cynhyrchion ond mae'r cynhyrchion hefyd yn torri i lawr yn adweithyddion.

c) $NH_3 + HCl \rightleftharpoons NH_4Cl$

2) a) Gwresogi'r grisialau glas

b) Ychwanegu dŵr

c) $CuSO_4 + 5H_2O \rightarrow CuSO_4.5H_2O$

3) a) Cydbwyso, ecwilibriwm, ecwilibriwm, statig, i lawr, i fyny, gweithgaredd, newid, dynamig, dynamig, caeedig, agored.

b) dynamig

c) caeedig

d) system agored. Byddai'r ecwilibriwm yn peidio â bod yn ecwilibriwm.

4) a) Sefydlu ecwilibriwm

b) Mae pwynt B yn cynrychioli ecwilibriwm

c) Ecwilibriwm dynamig yw hwn.

5) a) Bydd codi'r tymheredd yn ffafrio'r cynhyrchion (yr adwaith yn symud i'r dde).

b) Bydd cynyddu'r gwasgedd yn symud yr ecwilibriwm i'r chwith (er mwyn lleihau'r cyfaint gan fod llai o folau o nwy ar y chwith).

c) Bydd dyblu crynodiad yr N_2O_4 yn ffafrio'r cynhyrchion (symud yr adwaith i'r dde).

6) a) Byddai cynyddu'r gwasgedd yn ffafrio'r cynhyrchion.

b) Byddai codi'r tymheredd yn ffafrio'r adweithyddion.

c) Byddai ychwanegu nitrogen yn gwneud mwy o gynhyrchion.

d) Byddai symud yr amonia oddi yno hefyd yn ffafrio'r cynhyrchion.

7) a) $N_{2(n)} + 3H_{2(n)} \rightarrow 2NH_{3(n)}$

b) Catalydd haearn.

c) Mae'r catalydd yn cyflymu'r adwaith.

d) Mae gan belenni mân arwynebedd arwyneb mwy – mwy o arwyneb i'r adweithyddion gael ei gyffwrdd.

e) Amodau optimwm o'r graff fyddai gwasgedd uchel a thymheredd isel.

f) Byddai gwasgedd uchel yn symud yr adwaith i'r dde gan ffafrio mwy o gynhyrchion (4 môl o nwy ar y chwith: 2 yn unig ar y dde).

g) Mae gwasgedd uchel dros ben yn ddrud ac yn beryglus. Mae 200 atm yn cynrychioli cyfaddawd gweithio. Mae tymereddau is yn rhoi canran cynnyrch uwch ond mae angen mwy o amser i hyn ddigwydd. Mae 450°C yn rhoi cynnyrch derbyniol yn gyflym (cydbwysedd rhwng % cynnyrch a CHYFRADD yr adwaith).

8) a) i) Byddai codi'r tymheredd yn ffafrio'r ôladwaith (llai o gynhyrchion).
ii) Byddai cynyddu'r gwasgedd yn ffafrio'r cynhyrchion (3 môl o nwy ar y chwith: 2 ar y dde).

b) Tymheredd isel a gwasgedd uchel fyddai'r amodau optimwm.

c) Mae tymheredd uchel yn cyflymu'r adwaith. Mae llai o gynhyrchion mewn amser byr yn fwy economaidd na chynnyrch uchel o'r cynhyrchion dros gyfnod hir iawn.

d) Mae gwasgeddau eithafol (1000 atm) yn ddrud ac yn beryglus – mae angen cynwysyddion adwaith trwchus dros ben.

Trosglwyddo Egni mewn Adweithiau: t 108/109

1) egni (gwres), ecsothermig, egni (gwres), endothermig, ecsothermig, poeth, rhyddhau, endothermig, oer, amsugno, ΔH, endothermig, negatif, egni, egni, torri, egni, ffurfio, ecsothermig, endothermig.

2) a) Llosgi tanwydd = ecsothermig.
b) Niwtraleiddio = ecsothermig.
c) endothermig
d) Ocsidio cyflym haearn = ecsothermig.
e) Hydoddi NH_4NO_3 yn gyflym = endothermig.
f) ecsothermig.
g) endothermig.

3) a) Mae angen 945kJ/môl i dorri un bond $N \equiv N$
b) Mae angen 435kJ/môl i dorri'r bond H-H
c) Rhyddheir 389kJ/môl wrth ffurfio'r bond N-H
d)

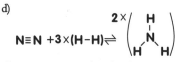

$$N \equiv N + 3 \times (H-H) \rightleftharpoons 2 \times \left(\begin{array}{c} H \\ N \\ H \quad H \end{array} \right)$$

e) Er mwyn torri bondiau'r adweithyddion bydd angen
N ≡ N + (3 x H-H) =
945 + (3 x 435) = 2250kJ/môl
f) Rhyddheir 6 x N-H = 6 x 389 = 2334kJ/môl wrth wneud y cynnyrch.

g) Cyfanswm y newid egni yw 2250 – 2334 = -84kJ/môl
Caiff mwy o egni ei ryddhau. Mae'n ecsothermig, cyfanswm y newid egni = -84kJ/môl

4) a)

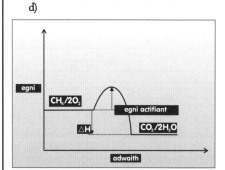

$$H-\overset{H}{\underset{OH}{\overset{|}{\underset{|}{C}}}}-\overset{H}{\underset{H}{\overset{|}{\underset{|}{C}}}}-H + 3 \times (O=O) \rightleftharpoons 2 \times (O=C=O) + 3 \times \left(H^{O}H \right)$$

b) Torri bondiau
C-H x 5 = 413 x 5 = 2065
C-O x 1 = 360
O-H x 1 = 463
Cyfanswm = 2888kJ/môl
O = O x 3 = 497 x 3 = 1491
Cyfanswm = 2888 + 1491 = 4379kJ/môl

c) Egni a ryddheir wrth ffurfio
4 x C = O = 740 x 4 = 2960
6 x O-H = 6 x 463 = 2778
Cyfanswm yr egni a ryddheir = 5738kJ/môl

d) Cyfanswm y newid egni
egni i mewn – egni allan
= 4379 - 5738 = -1359kJ/môl

e) Mae'r gwerth negatif yn golygu adwaith ecsothermig

5) a) 4 x C-H (413) = 1652kJ/môl
2 x 0 = 0 (497) = 994kJ/môl
Cyfanswm = 2646kJ/môl
b) 2 x C = 0 (740) = 1480kJ/môl
4 x O-H (463) = 1852kJ/môl
Cyfanswm = 3332kJ/môl
c) Cyfanswm y newid egni
= egni i mewn – egni allan
= 2646 – 3332
= –686kJ/môl (ecsothermig)

d)

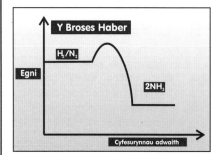

e) ecsothermig

6) a)

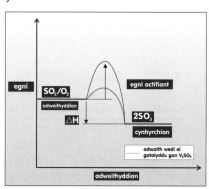

b)